Colorado Drømme

Jane Aamund

Colorado Drømme

En roman om den modne passion

Høst & Søn

COLORADO DRØMME

2. udgave, 2. oplag

© *Jane Aamund og Høst & Søns Forlag, København 1999*

Omslag: Tegnestuen og Peter Stoltze

Jane Aamund-fotografi: Jørgen Jessen

Sat hos Viborg Maskinsætteri, Viborg

Trykt og indbundet hos Nørhaven A/S , Viborg 1999

ISBN 87-14-29531-8

HØST & SØN · KØBMAGERGADE 62 · POSTBOKS 2212 · 1018 KØBENHAVN K

KAPITEL 1

ANE VÅGNEDE, DA solen ramte hendes ansigt. Hun rejste sig i sengen for at nyde sit sædvanlige første morgenindtryk, et glimt af Øresund. Vandet lå blinkende og stille i solen. Hun vendte sig mod sin mand. Johannes sov endnu. Han åndede tungt og havde vendt ryggen til hende. Hans krøllede hår i nakken var fugtigt. Hun bøjede sig ind over ham.

»Du skal op.« Han stak en senet, muskuløs arm over mod hende og trak hende ned i sengen. »Nej, du har lovet at være på klinikken til morgenmødet. Stå nu op!« Hun skubbede til hans ryg.

Han satte sig op, støttede hænderne på knæene og forsøgte at vågne, rystede sit hoved og stod op. Som alle morgener, hvor Ane skyndede på ham, blev det gjort i demonstrativ slowmotion. Hun mærkede irritationen stige op i sig. Allerede i aftes havde hun bedt ham møde til tiden til morgenkonferencen med de andre dyrlæger. Hendes svoger, Henrik, som samtidig var Johannes' kompagnon på klinikken, havde ringet.

»Kunne han ikke bare denne morgen være præcis. Vi har så mange vigtige ting, vi skal drøfte med de to nye.« Ane havde lovet det og i samme øjeblik fortrudt det. Hun ville ikke længere være ansvarlig for Johannes' særheder. Hun havde også klienterne i telefonen: »Hvor blev han af? Nu havde de ventet en time!«

Johannes Bjerg var en dygtig dyrlæge, men havde et anarkistisk forhold til tid og aftaler. Han lagde fælder ud, som folk faldt i. Ikke så snart var et fast tidspunkt aftalt, før en mærkelig lammelse sneg sig ind over ham. Han gik langsommere, han arbejdede langsommere, borede sig ned i opgaverne, kravlede ind under et skjold. Han følte sig ikke som et helt menneske, medmindre det var lykkedes ham at sabotere flere af dagens aftaler.

I begyndelsen af deres ægteskab havde Ane taget det som en udfordring. Han var hendes anden mand. Hun elskede ham og var fast besluttet på, at dette ægteskab skulle lykkes. Hun var straks gået ind i en effektiv planlægningsrolle. »Hvorfor svarer du ikke bilradioen?« råbte Ane. Hun undrede sig tit over, hvor fanden han var, når han lavede sine forsvindingsnumre. Måske slægtede han sin far på. Johannes og hans bror, Henrik, havde arvet praksis fra deres ildsprudende far. De to brødre var kendt i Gentofte Kommune, store, stærke, modige mænd med et helteskær fra deres indsats i modstandsbevægelsen under krigen. Men deres fars rygte havde mere Gentoftes interesse. Gamle dyrlæge Peter Bjerg havde haft et veritabelt harem af veloplagte, lystne ridedamer. Hans erotiske kapacitet var enorm. Da han var på sin manddoms fulde højde, købte han en flyttevogn, indrettede den som chambre séparée og tog imod sine beundrerinder. De fik et glas portvin og en tur på divanen med det orientalske slumretæppe. Inde i huset gik hans kone tålmodigt rundt og passede telefon, børn og hundepension, mens hun grædende holdt øje med flyttevognens skælven. Begge var døde nu, og de to brødre havde overtaget praksis og drevet den til en god forretning.

Johannes og Henrik opretholdt til daglig en væbnet neutralitet over for hinanden og over for de andre dyrlæger. Men i deres nærmeste familier kendte man sandheden. De hadede hinanden og havde gjort det siden deres barndom. Det var kun et tilfælde, at de ikke havde myrdet hinanden, da de var unge. Henrik var stor og bamseagtig, åben og nem at drille. Han var stærk og hidsig, og Johannes drillede ham stædigt og indædt, indtil det en dag slog klik for Henrik. Han hentede den store økse, som stod i huggeblokken og løb efter Johannes for at slå ham ihjel. De kæmpede Kain og Abels kamp. Johannes fik vredet øksen fra sin bror, lagde ham ned og holdt ham der, indtil Henrik græd af skam og hidsighed, så rejste han sig, anbragte øksen i brændeskuret og gik uden at sige et ord.

Siden den dag kom de altid kun op til grænsen, som to bullterrierhanner, der måler kræfter og går fra hinanden igen på stive ben. Men i deres familier rasede de ud eller planlagde nye kampe. Hverken Ane eller Ellen, Henriks kone, vidste, om de alligevel inderst inde holdt af hinanden. De daglige chikanerier havde taget en form, som var ude i det parodiske. De unge dyrlæger havde valgt at tage det humoristisk og gå i dækning de dage, det bragede løs, og så ellers sno sig. Men Johannes havde i den senere tid lukket sig om sine åbenbart hemmelige, travle praksisdage. Ane følte, hun var kommet på krogen. Tankerne om, hvad han foretog sig, når han forsvandt om morgenen, tog mere og mere af hendes tid og fik hendes selvstændighed til at lække.

Hun hældte det kogende vand i tepotten og så irriteret på uret. Kvart over otte. Jacob, hendes 16-årige søn, var kommet ind i køkkenet. Hun rakte ham hans madpakke. Hun elskede den dreng og gjorde altid noget særligt ud af hans madpakke. I dag fire stykker højt belagt smørrebrød, et stykke chokoladekage, og en vittighed fra et amerikansk blad til opmuntring i spisefrikvarteret. Der lød plasken fra badeværelset. Jacob så på uret og sin mors irriterede ansigt.

»Du kan ikke gøre noget. Han bliver aldrig anderledes. Det er mandens livsstil.« Den sorte cockerspaniel sprang op ad Jacob. Han tog den lille hunhund op på skulderen. Hun lagde sin bløde kind mod hans og smækkede sine lange øjenvipper op og i. De lo af hundens krukkede manerer.

Jacob gik i dækning med sin morgenmad. Ane gik ud og sparkede på badeværelsedøren. Der lugtede af klor og sæbe. En af Johannes' sære ideer var, at han hver dag skurede sig alle steder med klor, som om han var blevet forurenet i løbet af natten. Endelig kom han ud fra badeværelset i sin tykke blå badekåbe med monogram på. En gang om året købte han ind, når de var på hundeudstilling i London, ellers var han ikke til at drive ind i en tøjbutik. Han hægede om sit gamle tøj, som var det årgangsvine. Der var visse klædningsstykker, han havde haft i tyve år, og som han nægtede at skille sig af med. Den brune trenchcoat var nu så afrakket, at hele bagstykket hang i laser. Den lugtede af hest og B-vitaminindsprøjtninger. Uden et ord gik Johannes hen til spisebordet, satte sig ned med skuldrene godt oppe om ørerne, holdt sin store tekop op, så han ikke kunne møde hendes øjne. Langsomt smurte han sit ristede brød med tyndt smør så omhyggeligt, som gjaldt det livet, at smørret blev smurt helt ud til kanterne uden ujævnheder. Ane satte sig ned.

»Sig mig, hvorfor saboterer du egentlig de morgenmøder hver dag. Det er da også din forretning?« Johannes skyllede teen ned og rejste sig.

»Jeg har to heste, jeg skal se på her til morgen. Fru Rosenstands.« Ane gik efter ham ud i entreen.

»Om lidt ringer Henrik. Du lovede det.«

»Henrik,« sagde han hovedrystende, trak på skuldrene, og hev sin gamle brune frakke på.

»Du kan ikke længere gå i den frakke,« råbte hun til hans ryg, som vendte mod hende som en mur. Han gik.

Ane løb efter ham, tog i den øverste las af frakken, holdt fast. Han fortsatte, som om han ikke mærkede det. Med et ryk hev Ane hele ryggen af den møre frakke. Johannes smøgede den af sig, så rasende på hende, sagde ikke noget, smed resten af frakken ind i bedet og steg ind i sin bil og kørte. Ane stod med ryggen af frakken krammet i armene. Hun gik op mod huset og så, at Jacob diplomatisk gik væk fra vinduet.

»Hvad fanden laver I?« lo han.

»Han er altså helt skør,« sagde Ane. »Jeg brænder den, så kan han købe sig en ny. Den stinker.«

»Mandens bedste klædningsstykke.« Jacob rystede på hovedet og sprang op på cyklen. Ane vinkede, til hun ikke kunne se ham længere.

Som altid, når hun sendte Jacob af sted om morgenen, tænkte hun på Carsten, hendes ældste søn. Carsten var blevet hos sin far, da de blev skilt. Han var kun otte år. Jacob var fem, da hun giftede sig med Johannes. Skilsmissen var gået værst ud over Carsten. Altid var hun plaget af synet af den lille dreng, der grædende lagde sit hoved ned på bordet, den aften hun fortalte ham, at hun flyttede fra dem hen til Johannes. Carsten valgte selv at blive hos sin far. Hun havde accepteret drengens valg. Han havde ikke også kunnet klare at skifte skole, og det ville have været for hårdt for Jan at skulle undvære begge sine drenge. Han var både fysisk og psykisk syg i den periode. Det havde været det bedste for Carsten, det bedste for Jan, og sådan var det blevet, selvom hun fortrød det for sin egen skyld.

Jan var blevet velhavende de senere år. Han havde et elektronikfirma og råd til at holde fast hushjælp. En ung jysk pige var hos dem.

I begyndelsen havde Carsten haft svært ved at acceptere sine nye »brøkbrødre«, som de sammenbragte børn kaldte hinanden. Johannes havde tre drenge i alderen mellem 5 og 17 år. Peter, Thomas og Kim. Store kraftige drenge opdraget frit og sundt af deres norske mor, Inger Margrethe. Ingen Anders And-blade, slik kun om lørdagen. Hun afrettede dem til at være nøjsomme, rolige og beherskede, hvilket havde resulteret i, at de kastede sig over hver en sodavand, de øjnede i miles omkreds, borede sig ned i Anders And-blade, sloges, lavede våben, klatrede, hærgede og kravlede. Torsdag var blevet dagen, hvor Ane og Johannes samlede deres fælles børn. Johannes havde fridag og tillod al hærgen som udtryk for drengenes kreativitet. Der blev repareret knallert i spisestuen. På taget gik Thomas bevæbnet med et sværd og stak det ned gennem tagpappet, og de yngste drenge, Peter, Jacob og Carsten turede rundt i Skovshoveds kapervognstalde for at opleve livet. De kom hjem med de særeste souvenirs, døde stivnede katte, gamle hestesko, kulørte glaskugler fra de gamle skovseres haver, og berettede om staldfolkets nyeste metoder at slå mus ihjel på. Johannes førte an på børnedagene. De red på ponyer i Dyrehaven, sejlede i optimistjoller på Lyngby Sø. Ane var den søde, veloplagte kone nummer to, som gjorde alt for at være superstedmor. Hun rystede af skræk i optimistjollerne, og den dag Peter – den mindste af Johannes' børn – gled på hovedet i Lyngby Sø, hadede hun sig selv for at lade sig udsætte for den slags chok, for ikke at kunne sætte sin vilje igennem og sige nej til de vilde udflugter. Johannes sad og så barnet svæve ned gennem det mørke vand, mens hun skreg.

»Spring dog ud efter ham, din idiot.« Selv kunne hun ikke svømme.

»Når han kommer op igen anden gang, fisker jeg ham op,« sagde Johannes iskoldt.

Ungen kom ganske rigtigt op i det mørke vand, og Johannes strakte sin kæmpehånd ud og hev det gispende barn op i båden, hældte vandet ud af lungerne på ham, mens Ane prøvede at huske, hvad hun havde lært om kunstigt åndedræt.

Da han grædende snappede efter vejret med halvkvalte lyde, sagde hans bror:»Typisk dig, Peter. Du er så klodset, nu har du ødelagt vores tur.«

Ane råbte:»Hold kæft, din møgunge, din bror var ved at drukne. Nu sejler vi ind.« Resten af drengene i båden mumlede, at det var helt hysterisk, nu var han jo reddet, og vejret og vinden var helt perfekt.

Johannes bøjede hovedet for ikke at møde Anes ildøjne. Hun sad med det gispende barn på skødet og følte sig dobbelt ansvarlig, fordi det også var Inger Margrethes barn.

»Ro ind,« råbte hun. Johannes sejlede ind til bredden. På anløbs-broen stod en lille flok og så forarget på dem. Det blev Johannes, som måtte ringe til Inger Margrethe og fortælle om børnedagens hændelser. De var kun på talefod, når det gjaldt børnene.

Johannes og Ane havde været forelskede i hinanden i flere år, før de endelig brød op fra deres familier. Deres omgivelser havde stillet diagnosen erotisk besættelse. Det var der ikke tale om, snarere at Ane var røget i fælden med myten om den tavse mand. Hun havde været overbevist om, at viste hun ham kærlighed og gav ham den glæde, han manglede i sin tilværelse med sin puritanske kone, så ville hun åbne døren til lyset, og han ville være hende evig taknemlig, elske hende og bære hende på hænder. Det var ved at gå op for hende, at Johannes led af omvendt-mekanisme. Han havde været et ensomt og sært barn og havde opdaget, at han kun fik kontakt med sine forældre, hvis han lukkede tilstrækkeligt af. Så opdagede forældrene ham, fik dårlig sam-vittighed og gjorde alt for at tø ham op. Nu var det blevet et fast mønster. Ane kunne se det helt tydeligt, men hun kom hele tiden til at bide på krogen, fløj ud i konfrontationerne, skænderierne, og for-soningerne, som hun også selv måtte etablere.

Inger Margrethe havde haft bedre tag på ham. Hun havde brugt sin puritanske skyldpisk og givet ham konstant dårlig samvittighed. Når han var tavs, var hun det endnu længere. Når han udartede, fik hun migræne og huset var i sort, indtil det var ham, der gav sig. Hun dyrkede sin familie, der havde gode og sunde interesser som hun selv. Der var spejderånd, cykelture, skiture. Familien var radikale akademikere, der som nordmænd i Danmark følte, at de måtte slæbe den danske familie til missionsstationen for at få arbejdet den danske ladhed og dårlige sportsånd ud af dem.

Skilsmissen havde været svær for Inger Margrethe. Ingen i familien havde været skilt. Hun ville have en kernefamilie. Hun ville ikke have en social deroute, og nu skete der noget, hun ikke kunne kontrollere. Men da hun havde fået fastsat sit underholdsbidrag, anbragte den norske familie en helteglorie på hendes hoved, som hun skruede godt fast. Hun passede på sine penge og ville ikke mere have noget med mænd at gøre. Hun ofrede sig for sine børn. En enkelt gang var der tilløb til, at hun fik en kæreste. Johannes håbede med tilbageholdt åndedræt at slippe for underholdsbidraget, men det lykkedes ikke. Johannes måtte igen til at skrabe sammen til hende. Han gjorde det skyldbevidst og gerne. Hun havde fået huset, hun havde bil og et job som lægesekretær tre gange om ugen, og hun var dømt skyldfri og var den perfekte mor.

Ane og Johannes havde nu været gift i ti år. Ane nærmede sig de fyrre. Johannes var 17 år ældre. Ane følte, hun sad fast i kone nummer to-rollen, altid supermor, munter, modsætningen til den alvorlige, fornuftige Inger Margrethe. Men altid splittet mellem kærligheden til sine egne børn og den venlige accept af den andens børn, som stedmoderrollen krævede. Der var dage, hvor hun syntes, at hun mere og mere kom til at ligne den kontrollerende og bekymrede Inger Margrethe. Det var effekten af at være gift med anarkisten Johannes. Man blev nødt til at være hans modpol, ellers gik det hele ad helvede til.

Ane tændte for opvaskemaskinen. Den startede summende. Hun gik i bad og så sig i spejlet. Hun så stadig ung ud, faste bryster, pæne ben og en rund røv. Når hun var med Johannes i praksis, troede mange af de gamle hestefolk, at hun var hans datter. Han blev aldrig såret, stolt måske? Han sagde ikke noget om det.

Den sidste tids uro greb hende, mens hun klædte sig på. De var på vej væk fra hinanden. Hun vidste, at han elskede hende, men de daglige chikanerier, det umulige liv med en mand, som brød aftaler for sportens skyld var begyndt at få deres forhold til at krakelere. I øjeblikket var de i beskyldningernes fase. Hvad han havde ud af det, kunne hun ikke forstå. Det var i alt fald umuligt at leve i en hverdag, som var blevet helt absurd. Hun passede telefonen, klienterne klagede, og han sagde, at han ikke ville finde sig i altid at skulle redegøre for, hvor han var. Det var en begrænsning af hans frihed. »Du er da for helvede dyrlæge, og jeg passer din telefon! Hvad med forretningen?« råbte hun rasende. Når der havde været ballade, gik hun ind på sit kontor og faldt lidt til ro. Hun havde et rart arbejdssted, lyst skrivebord, gode billeder på væggen, og der lugtede trygt af papir. Hun prøvede at tænke positive tanker. Johannes var en god far. Hun var kvinden i hans liv, det vidste hun. Han var ikke særlig potent længere, men kærlig og øm i sengen. Men hun var ensom. De kunne aldrig tale om deres problemer, kun om børnene, om familien, om hundene, ikke om forretningen. Det lå i luften, at hun altid kritiserede ham. Han havde påtaget sig et job som formand for Specialpraktiserende dyrlægers Forening. Det gik han op i med liv og sjæl. Men han magtede ikke det administrative i det nye job, og Ane engagerede sig igen, fordi det måske kunne give dem nogle fælles oplevelser, rejser i provinsen, fælles arbejdsindsats, hvor hun hjalp ham med tilrettelæggelse af de forskellige aktiviteter, han skulle styre i dyrlægeforeningen.

Hun tog sine papirer frem. Hun havde sit eget PR-bureau og havde efterhånden fået gode kunder med store firmaer. Hun prøvede stædigt at holde sit eget arbejdsskema, så arbejdet med huset, børnene og hundene ikke fik hende trukket ned i dyndet som hjemmegående husmor, der rendte rundt om sig selv for at være alle tilpas og en allestedsnærværende servicefunktion. Om morgenen mødte hun på sit kontor klokken 10. Hun klædte sig på, som om hun skulle til møde i byen, pænt tøj, fuld krigsmaling. Det var ikke hård selvdisciplin, det var en indædt modstandskamp, og hun syntes, at den virkede. Men i dag havde hun ikke sine sædvanlige tre timers arbejdsro. Det var torsdag, børnedagen, hvor alle børnene samledes, og hvor alt kunne ske.

KAPITEL 2

DEN RØDE, SKRAMMEDE Simca startede med en knaldende lyd. Ane så sig skyldbevidst om. Det måtte være udstødningsrøret igen. Hvad mon det kostede? Hun havde købt den for sin sammensparede formue. Hun havde været heldig at få tre store retrieverkuld, hvor forældrene var højt præmierede. De var blevet solgt med det samme. Hun havde kunnet lægge udbetalingen på bordet, og samtidig var der gået nogle gode PR-kontrakter ind. Drengene havde valgt den, fordi den havde fartstriber på siderne, fede dæk og et væddeløbsrat af sort læder. Hun var ligeglad med biler, bare de kunne køre. Nu var den begyndt at rasle. Så snart hun hørte mærkelige lyde i den, skruede hun hurtigt op for radioen. Der hvor hendes højre stilethæl sad, kunne man skimte et svagt lys, hælen havde boret hul i bunden.

Hun så på sin indkøbsseddel, der var klemt fast i askebægeret. Det var torsdag og børnedag. Alle fem drenge kom efter skoletid til fælles tebord. Johannes holdt halv fridag. Hver torsdag havde sit program. På grund af underholdsbidraget var det ikke skilsmisseforældres sædvanlige biograf-, burger- og zoologisk have-program. Det var enkle spejderglæder, vildmandsture på cykel over stok og sten, roture på omegnens søer eller gratis rideture fra de stalde, der skyldte Johannes penge.

Ane stoppede bilen, gik ud og kiggede ind under den. Udstødningsrøret hang og daskede, hun sparkede det af, tog det op. Det var gennemtæret af rust. Hun smed det ind under hækken. Vejret var for godt til at ærgre sig. Det lille stræde emmede af varme. De gamle syrenbuskes duft blandede sig med hestelugten fra kapervognmandens stald oppe på hjørnet. Strædet var som et lille stykke Irland midt i den velordnede Gentofte Kommune. Man gjorde, som man ville. Husene blev bygget til og lavet om, uden at nogen rådførte sig med kommunen. Derfor lignede de fleste af strædets huse teaterkulisser i en dilettantkomedie. Der var både ægte og falsk bindingsværk. Husene havde alle farver, nogle havde tårn og spir. Andre havde skodder og turkisfarvede mure. Strædet var ikke cementeret, men en knoldet jordvej med tørrede hestepærer og pløre, når det regnede. Sådan så det ud, og det havde det altid gjort. Grundejere, som ville have asfalteret, blev hurtigt banket på plads.

Der var velholdte haver og haver med sække, brædder og rustne cykler. I det nederste hus boede Anna. Folkepensionist og altid klædt i cottoncoat og lyserød underkjole. Cottoncoaten stod altid åben. Hun havde et utal af kærester i en moden alder. De gamle skovsermænd kom til kaffe og bajere og Annas opmuntring. En nat havde Ane hørt en klagende mandsstemme fra Annas hus. Hvert femte minut lød det: »Anna, giv mig min dyne, Anna!« Men Anna havde været hård. Ikke engang da naboen åbnede sit vindue og råbte: »Giv ham så den dyne, for satan, Anna!« havde hun reageret på den bedende stemme.

Livet i Skovshoved blev levet på forskellige plan. De rigtige skovserfamilier, som havde boet der i generationer, havde deres egen lukkede verden, og de velhavende gentofteborgere levede på et andet nivau, hyggede og flirtede lidt med Skovshoveds oprindelige beboere. Men de kom aldrig tæt på. Som to forskellige dyrearter levede de side om side, uden rigtig at se hinanden.

Ane satte sig ind i bilen igen og kørte langsomt op ad strædet. I kapervognmandens gård sad den gamle vognmand Jensen på en spisestuestol lænet mod væggen og nød solen. Hans store brune bukser over den kæmpe mave blev holdt oppe af røde seler. Hans skinkearme stak ud af den opsmøgede skjorte og hvilede med kæmpehænderne på låret. Han hævede hånden til en kongelig hilsen. Jørgen, hans søn, var ved at strigle heste. Gamle fru Jensen med hvidt hår og blomstret forklæde stod i døren med armene over kors. Fra første sal rystede Thea, svigerdatteren, energisk sin støveklud. Ane rullede vinduet ned. Hun elskede den familie, det var en daglig dosis nostalgi. Her kørte en uendelig Morten Korch-film. Thea var den muntre svigerdatter med sangstemme, guldhåret hestehale og en skrap replik. En dobermann vogtede hende oppe på første sal. Ingen, heller ikke hendes mand, kom uforvarende ind i stuen, og ingen rørte hendes taske. Dobermannens øjne så alt. Thea sang i Skovshoved Sangforening og gjorde rent på skolen. Hun holdt hus for familien og lavede mad sammen med svigermor til folkeholdet, kuskene, som kørte for familiefirmaet. Det var gode, danske retter, og der blev taget godt fra, inden svigerfar og kuskene kørte til arbejdet i Dyrehaven, som kunne vare til klokken et om natten, når bakkegæsterne blev kørt hjem. Hestene var velpassede og blev styret med fast hånd. Man var ikke sentimentale med dyrene. Men alle i familien havde en ekstra sans, et slags vibrerende følehorn, som altid var i stalden. Både Thea og mændene hørte hver en uvant lyd fra deres heste, deres hænder kunne tage temperatur, deres ører høre kolik, og ingen kunne snyde dem i en hestehandel. I generationer havde deres øjne set tværs gennem hesteben, og ve den smed, som ikke skoede hestene ordentligt.

En tidlig morgen blev Johannes tilkaldt. Familien var vågnet ved uro i stalden og havde set en mand flygte ud ad stalddøren. Thea, fru Jensen og mændene stod alvorlige og knugede. Thea havde røde øjne. En mand havde forgrebet sig på hopperne. Han havde mishandlet dem i skeden med et kosteskaft. Johannes behandlede dem i tavshed, mens mændene lavt hviskede beroligende ord til hopperne.

Den ydre og den indre verden i Skovshoved blev alarmeret. Pænt ringede man til politiet og anmeldte dyremishandlingen, men om natten vågede mændene. Misdæderen kom igen. Mændene tog ham i stalden. Døren blev lukket, og hævnens time var inde. Da han havde fået sine tæv, og de ord var sagt, som for altid ville svide i ham, blev han klædt af og båret over i skoven. Næste dag skinnede solen igen, hestene blev striglet ekstra, hver en vogn blev vasket, også inde mellem egerne. Thea og fru Jensen gik stille og tilfredse omkring, og så blev der ikke talt mere om den ting.

Den gamle vinkede Ane ud af bilen. Ane gik hen og hilste.

»Skønt vejr. I får travlt i aften, hvad? Det bliver en rigtig bakkeaften!«

»Hvad synes du om den nye?« spurgte den gamle vognmand og pegede på en smuk, rød kørehest med frederiksborgerens hurtige øjne og røde, sitrende skind.

»Den er smuk,« sagde Ane beundrende. Gamle vognmand Jensen så vurderende på hende med grin i øjnene. Der var noget, han skulle have fyret af. Hun kunne se det på mændene, som standsede deres arbejde og så forventningsfulde på gamle Jensen.

»Ja, ham Johannes kan jo ikke lide frederiksborgere, fordi de er så fuldblodsforstyrrede, men hvorfor har han så valgt sådan en fuldblodskone med spræl i?«

Mændene grinede og gamle Jensen så sig fornøjet omkring. Fru Jensen holdt hånden for munden.

»Ja, hun kan sgu godt tage det, far,« hørte hun Jørgen sige, da hun kørte videre. Johannes havde altid været accepteret i skovsernes verden, fordi han og hans far havde været deres dyrlæger, og fordi han var sær og aldrig prøvede at komme tæt på dem.

Det store børnedagstebord var overstået. Ane gik og ryddede op. På gulvet gik hundene som støvsugere og slikkede de sidste rester af nedtrådte lagkagestykker op. De fem drenge og Johannes ventede udenfor. Cyklerne var læsset på cykelholderen. Ane tog sin jakke, standsede op og så irriteret, at hendes cykel selvfølgelig hang inderst, så den blev mest skrammet. Det var en mandeverden, og den stærkeste havde førsteret. Johannes' gamle, grønne Raleigh hang yderst. Den sorte spaniel og labradoren sprang ind i bilen. Ugens skrappe dag var startet. Johannes havde planlagt en orienteringstur på cykler i Grib Skov. Middagen slap hun heldigvis for. Den stod på røde pølser i et cafeteria. I Volvoen var proviant til turen, saftevand, orangeade, køkkenruller, selv toiletpapir. Bag i vognen klirrede dyrlægeinstrumenterne, som havde et blåt stykke lærred over for ikke at friste forbipasserende narkomaner.

I bunden af vognen stod Johannes' gummistøvler på et tykt lag af tørrede hestepærer og halmstrå. Ane kantede sig ind på forsædet.

Drengene sad oven på hinanden på bagsædet med hundene. På motorvejen startede de første bagsædeslagsmål, og Johannes så i bakspejlet.

»Hvor skal vi hen, far?« spurgte Peter.

»Det er en hemmelighed. Jeg har lagt en spændende rute.«

»Hold da kæft,« lød det ironisk med de store drenges overgangsstemmer fra bagsædet. Ane sukkede og så ud ad vinduet. Hvorfor i alverden sagde hun ikke bare én torsdag, at hun ikke gad tage med. Når hun tænkte på, hvad hun havde stået model til i årenes løb. Deres bryllupsrejse var en cykeltur til Bornholm med Johannes' børn. Hun blev sat af på hotellet, og Johannes kørte af sted på cykel med telt og børn. Hun tilbragte tiden med at gå ture fra Hotel Hammersø og tude sig i søvn. Det skulle lige have været i dag. Tænk at have tre dage på et hotel uden dem. Men sad hun måske ikke lige her med sin sædvanlige kompromismine på? Hvad fanden var der i vejen med hende, at hun aldrig kunne sætte grænser, men gang på gang lod sig presse og viljeløst, nærmest martyragtigt bragte sig i umulige situationer med Johannes.

De skændtes aldrig. Hun råbte og rasede. Han tav. En dag sagde han truende: »Du ved, jeg er overfølsom over for kritik!« Som om det var en sjælden egenskab, man blev nødt til at tage særligt hensyn til. Somme tider var der et vildt had i hende. Nogle gange havde hun det dårligt, hjertebanken og svimmelhed. For nogle år siden havde hun haft et anfald af hukommelsestab. Hun havde stået med to børn i hånden og kunne ikke huske, hvem de var. Det havde kun varet sekunder, men bagefter var hun blevet dårlig og havde kastet op. Johannes havde slået det hen som hysteri. Men hun var begyndt at analysere deres forhold og mærkede, at i takt med at spændingerne mellem dem tog til, gjorde hun mere for at beherske sig.

Hun vendte sig om mod bagsædet og så ind i drengenes ansigter. De så glade og forventningsfulde ud, var som unge hanner, struttende af hormoner med stemmer i overgang, begyndende bumser, kantede arme, urolige som en flok hingsteplage, der hele tiden skal gnubbe, drille, og sparke hinanden for at nyde livet fuldt ud. Den evige uro på skrappe dage kunne give Ane en nervemæssig hudafskrabning over hele kroppen.

Hun kunne se, at Carsten havde fået tilkæmpet sig en førende plads i drengehierarkiet. De andre havde givet ham råderum, fordi han var godt begavet og havde en rammende humor, som hun sjældent så. De fem drenge havde det godt sammen. I dag var stemningen skruet op, og hun skulle ikke være den, der ødelagde en god dag. Hun smilede til dem og vendte sig om igen. Bagsædeslagsmålene begyndte igen. De handlede om at pine hinanden mest muligt. Den, der sagde av eller andre lyde, som kunne tolkes som at sladre, blev straffet af de andre. Hun kunne se i spejlet, at Kim var ved at give Peter franske manchetter, vride huden på armen modsat om. Peter sad rød i hovedet med tårer i øjnene, men med sammenbidte kæber.

»Far, der står indkørsel forbudt!« råbte drengene. Under jubel styrede Johannes lige ind ad skovvejen med skiltet. De kørte et langt stykke ad den forbudte sti, før han fandt et passende sted at parkere bilen. En busk lagde sig knagende ned, da han svingede vognen ind. Han steg langsomt ud. Drengene tog cyklerne af og sluttede kreds om ham. Han foldede et laset kort ud, tog brillerne af, holdt kortet nærsynet op til øjnene og pegede med brillen: »Ja, så er vi her. Vi skal ad den store brede sti og så ind i skoven. Drengene sprang på cyklerne og susede af sted med de gøende hunde efter sig.

»Hundene skal være i snor,« råbte Ane og trådte i pedalerne.

»De løber ingen steder,« sagde Johannes, da han langsomt og værdigt rullede forbi på den høje, gammeldags cykel.

Efter en times forløb var de brede stier for længst hørt op. Nu var der kun et smalt bumpet spor, dækket af rødder og grene, der gang på gang gik ind i egerne, så Ane måtte standse og trække kvistene ud. Drengene kørte igennem. De bremsede op, så støvet fløj, stejlede med cyklerne, udstødte vilde hyl og grinede, når en af dem faldt halvt ned af cyklen. Johannes gjorde holdt, satte fødderne ned på jorden, tog kortet op og stirrede på det uden et ord. Solen var ved at forsvinde. I bunden af granskoven var der allerede mørkt. Han lettede lidt på sin sixpence og stirrede med sammenknebne øjne op mod himlen.

»Vi er kørt vild, ikke?« sagde Ane. Hun tog sodavand op af tasken og delte ud. Drengene åbnede dem, drak begærligt, bøvsede og grinede triumferende. Johannes ignorerede dem. Den amerikanske spaniel havde smidt sig med tungen ud af halsen. Dens lange udstillingspels var indfiltret i grannåle.

»Det tager timer at få dem redt ud, når jeg kommer hjem,« sagde Ane irriteret og pegede på den.

»Så klip den,« mumlede Johannes. Ane smed sin cykel.

»Jeg vidste det, vi er kørt vild igen!«

Drengene kørte en orienteringsrunde, kom susende tilbage og bremsede cyklerne skråt, så støvet og grannålene fløj. »Skal vi bygge en hule, så vi kan overnatte?« Kims stemme var skinger af forventning.

»Skal vi virkelig sove her?« Peters underlæbe bævede.

»Det bliver vi vel nødt til,« sagde Carsten med ubevægeligt ansigt. Peter prøvede at beherske sit grådanfald, hans kæbe dirrede.

»Nu mimrer han igen, den idiot!« råbte Kim og lavede hans ansigt efter. Ane lagde hånden på Peters skulder. Han var den mest følsomme af drengene, han stammede, og der skulle ikke meget til, før han græd. Men hun holdt af ham. »Lad ham være,« sagde hun og sendte de andre et hårdt blik.

»Grib Skov er eddermaneme stor,« sagde Jacob og så sig omkring.

»Jeg skal have Jølver i første time. Hun vil sgu da ikke tro på, at jeg er faret vild i Grib Skov,« sagde han. Der bredte sig en ophidset feststemning blandt drengene ved udsigten til endnu en sindssyg torsdagsudflugt med deres far.

Ane så ondt på Johannes: »Her er myg ad helvede til.« Hun satte sig ned. Hundene trykkede sig ind til hende, knugede af stemningen. Der var ikke flere sandwich tilbage, kun en flaske vand, som var bestemt til hundene. Hun blev pludselig så rasende, at hun mærkede det som om hun havde en stram alpehue på. »Dit dumme svin!« tænkte hun, men sagde ingenting af hensyn til børnene. Carsten og Jacob så på hende. Hun vekslede et blik med sine egne sønner. Carsten nød situationen, som han længe havde forudset. Jacob var lettere urolig, men syntes som de andre, at det tegnede til en oplevelse. Johannes lagde kortet sammen.

»Vi skal lige over her, så er vi faktisk tilbage ved bilen.« Han begyndte at cykle. Det kogte i Ane. Hun cyklede op på siden af ham.

»Du er fuld af løgn, du er!« Han smilede, klappede hendes cykelstyr.

»Hold op at være sur, mor,« sagde Jacob. »Det er sgu da skægt. Men det er helt utroligt, at han tager røven på os med sin kortlæsning hver gang.«

»Næste gang har jeg mit eget kort med,« sagde Carsten trøstende. Grangrenene piskede hende i ansigtet. Johannes kørte lige igennem. Stien sluttede pludseligt. For enden af stien var en bred å med dybt vand.

»Hvad nu?« råbte Ane.

»Vi skal derover,« sagde Johannes uanfægtet og pegede med sin brillestang.

»Min cykel skal i alt fald ikke drukne,« råbte Peter grådkvalt.

»Hold kæft, din møgunge. Vi bærer den da bare over,« sagde Thomas. Kim og Thomas vadede ud i åen. De var høje, stærke og løftede deres cykler. Vandet gik dem over lårene.

»Mand, her er skide dybt.« Johannes betragtede dem fra bredden, så smøgede han langsomt sine bukser op til lårene, hans ben skinnede hvidt, så tog han sko og strømper af, vendte sig til Ane.

»Du må nok finde en sten at stå på, så løfter jeg din cykel over.« En efter en gik drengene ud i åen. Vandet nåede dem nu til armhulerne, og de kastede deres cykler ind til bredden. Johannes var kommet over dyngvåd, mudderet hang i hans opsmøgede bukser. Han havde båret den skrigende Peter over sammen med hans cykel, drengen var gennemblødt efter forsøgene med selv at bakse med cyklen.

»Jeg gør det ikke,« råbte Ane.

»Jo, bare spring til, mor. Vi griber dig,« råbte Carsten og Jacob. De rakte armene ud. Johannes gik ud på en sten. Hun svingede cyklen ud, prøvede at hoppe over mod drengene, men skred og faldt i vandet. Hun var rasende, gråden sad hende i halsen, men hun kravlede i land uden et ord. Johannes stod og så ned i jorden, som om han havde fået øje på et interessant insekt. Der var dødstille!

»Hvor er så bilen?« spurgte Ane iskoldt.

»Dér,« sagde han og pegede. Der stod Volvoen. Ane rystede af raseri og skuffelse. Hun havde håbet, at han havde taget fejl. Drengene kastede sig begejstret på cyklerne, kørte hen og stod og rev i håndtaget.

De kørte mod cafeteriaet på Hørsholmvejen. Dyngvåde gik de ind og lavede dryppende spor på gulvet. Servitricen så forarget på dem, men blev lammet af Johannes' blik. Stædigt fastholdt han sit underholdningsprogram, der var ikke tale om at tage hjem og skifte først. Peter rystede af kulde, mens de andre drenge var ved at kvæles af grin over gæsternes åbenbare væmmelse ved deres udseende. Servitricen besluttede sig til at være morsom og spurgte, om de havde badet med tøj på. Johannes smilede charmerende til hende. Ane tværede en pølse rundt i tomatketchuppen, mens hun tænkte på, hvor meget livet havde at tilbyde hende, når Johannes var død af lungebetændelse, og hun var blevet enke.

KAPITEL 3

»VI KAN GODT tage til det veterinærmøde i Helsingborg. Det vil du gerne, ikke? Der er et godt dameprogram.« Johannes viftede med en kuvert.

»Skal vi se glaspusterværksteder og broderiforretninger?«

»Næh, du skal i teatret. Vi skal bo på Hotel Opalen og spise frokost på en herregård.« Ane rejste sig og slog armene om ham.

»Det trænger vi til! En weekend sammen uden ungerne.« Johannes skænkede sig et stort glas saftevand. Han drak aldrig spiritus hjemme, kun til selskaber, og der røg dunke af Ribena ned i ham i løbet af dagen.

»Jeg har heller ikke så meget arbejde. De skal bare have lidt at vide om de danske takster og nogle ændringer i vores vedtægter.« De bladede invitationen og programmet igennem. Efter deres sidste ballade havde Johannes gjort sig umage, og hun var ved at tø op. Hun rasede i et par dage, men raseriet ebbede ud og hun genoptog sin sædvanlige morrolle.

Johannes gik uroligt rundt i hjørnerne, når hun var sur. Han førte lange samtaler med sig selv, når han var i badeværelset. Han kaldte sig selv »din store idiot« foran spejlet. Men når han kom ud af badeværelset, og hans selvpineri og ransagelse var overstået, var det som om, han kom frisk fra skriftestolen og havde fået aflad af ham fyren i spejlet. De fleste gange kunne Ane le af det. Men hans skørheder var begyndt at antage et mønster som foruroligede hende. Hvor var grænsen? Var han ved at blive sindssyg, eller var han bare sær? Når hun fortalte om oplevelserne til sine veninder, var hun midtpunkt, og de vred sig af grin. De betragtede Johannes som en original og forstod ikke helt, hvad hun havde set i ham, hvorfor hun havde været forelsket i ham. De så ham som et charmerende levn fra fortiden og tolkede deres forhold som Anes problem, et faderkompleks.

»Du må tage telefonen, hvis den ringer i nat. Jeg har så mange møder i morgen. Det er nu, det store slag skal slås i margarineindustrien. Jeg skal lede hele PR-slaget. Konerne skal på shopping, og der skal være små souvenirs på deres natborde. Festmiddagen skal være dansk, og jeg har fået ordre på at sørge for, at festtalerne bliver udvalgt blandt de »troende«.

»Hvem er det?«

»Det er de forskere og læger, som ser deres fordel i at slutte op om den nye viden om de polyumættede fedtsyrers gavnlige virkning på kolesterolindholdet i blodet. Spidserne i udvalgene arbejder lige så effektivt som ydre mission, når de indfødte skal slæbes til missionsstationen,« lo hun.

Dengang hun var blevet antaget, sad margarineindustriens betydningsfulde mænd om et rundt bord. Hun skulle interviewes om sine vaner. De spurgte hende om hendes holdning til margarine, og med oprejst pande tilstod hun, at hun aldrig ville drømme om at spise margarine på brød, højst at stege i det. Det multinationale selskabs direktør kneb øjnene sammen: »Troede hun virkelig, at hun kunne smage forskel, under pålæg f.eks.?« Ane nikkede, og der blev kaldt sammen til en blindsmagning. Ane smagte og lagde margarinemadderne i en bunke. Det tog hårdt på bestyrelsen, men hun blev antaget alligevel. De kunne ikke vide, at hun havde fået sine margarinesmagsløg aktiveret på en særlig måde. Hendes fars bøf blev altid stegt i smør, moderens og børnenes i margarine. Hun protesterede mod forskelsbehandlingen og stod som fireårig stædigt hos sin far for at få bidder af hans bøf. Til sidst bildte hun moderen ind, at hun fik kvalme af margarine.

Direktøren for det multinationale selskab sagde med et genert smil, at han en gang imellem tillod sig at komme smør på sin søndagskrydder, og at man nødvendigvis ikke behøvede at elske et produkt for at kunne sælge det. Men hun havde fået vind i sejlene. Medierne slugte begejstret pressemeddelelserne om, hvor skadeligt smørret var. Der var nogle halsstarrige gastronomer, der gjorde oprør, men de blev nedkæmpet. I to verdensdele jagtede man eskimoer til forsøgene, og der var snart ikke det bevis, der ikke blev gravet frem for at fremhæve margarines sundhed.

Imellem slagene konkurrerede de danske fabrikker mod det store Unilever. Der udbrød margarinekrig, hvor små fabrikker viftede med dannebrog, og hvor Unilever satte tommelskruer på. Nogle af de små fabrikker greb til vold og chikane. Ane morede sig dejligt. Journalisterne fulgte spændt udviklingen, og det job, som havde lydt kedeligt, blev nu til en folkekomedie med onde og gode mænd. I weekenden skulle alle de internationale fabrikanter mødes, og de bekrigende margarinefabrikker måtte sidde fredeligt til bords med hinanden for at nå deres endelige mål: at fedte hele Europa ind i margarine.

Ane arbejdede med underholdningsprogrammet i nogle timer. Klokken blev to, før hun var færdig. Johannes sad stadig oppe og førte journal. »Jeg lægger mig ind på mit kontor og sover.«

»Jeg kan ikke lide, når du ikke ligger ved siden af mig,« sagde Johannes og tog om hende. Hun så overrasket på ham, sådan plejede han ikke at sige.

Hun lagde sig i ægtesengen, og da telefonen ringede klokken fire, sov Johannes tungt. Hun skubbede til ham.

»Telefonen.« Han langede en arm ud, tog telefonen af og gav hende den. Hun rejste sig op i sengen og sukkede. »Hos dyrlæge Bjerg.«

Johannes var begyndt at tage tøjet på, muggent sad han og hev strømper på. Ane holdt telefonen frem.

»Det er en blommefarvet parakit. Den vil ikke tale til sin mor.« Johannes tog telefonen.

»Stenosgade på Vesterbro. Hvad nummer? Det er meget nemmere at tage ud på Landbohøjskolen med den, fru Timmermann. Nåh ikke? Ja, jeg kommer.« Han vendte sig i døren: »Jeg skal sørge for, at den bliver blommefarvet, før jeg er færdig med den,« sagde han og tumlede søvndrukken ud ad døren.

Hun kunne ikke sove, prøvede afspændingsteknik og faldt hen. Et par timer efter kravlede Johannes i seng igen.

»Hvad var der med den?«

»Sandkage,« sagde han. »Kællingen havde givet den sandkage. Jeg fik det ud med en pincet. Enhver var faldet ned af pinden med den kage i maven. Hun tilbød mig endda et stykke.«

Telefonen ringede igen. Ane lå stædigt og lod den ringe, indtil han tog den.

»Ja, vi kommer med det samme.«

»Hvad vil det sige vi?« sagde Ane og holdt fast på sin dyne.

»Det er i galopstaldene. Der er ingen hjælp. Du må tage med! Det er en kolikhest.«

»Du mener ikke, at jeg virkelig skal op?« råbte Ane. Johannes nikkede.

»Jeg er ked af det.«

Ane gik ind og vækkede Jacob.

»Vi skal i praksis. Penny er hjemme.«

Den gule labrador blev placeret ved døren på sin pude, så vidste den, at den skulle holde vagt og passe på. Ingen kom ind. Ane havde selv afrettet hunden. Det var nødvendigt, at den ellers så venlige hund kunne reagere som en schæfer, når det krævedes af den. Johannes stod på narkomanernes gentofteliste. Det var flaskerne med metadon, som blev brugt i hestepraksis, de var ude efter.

Da de kom ned til galopstaldene, var der mørkt over det hele. Træneren mødte dem i indkørslen. Johannes iførte sig sine store gummistøvler, tog sine instrumenter, sine gummihandsker og sin lygte. Det småregnede og stormede. Johannes lyste med lygten på den plørede sti til stalden, hvor det svage lys fra staldgangen trængte ud gennem halvdøren. Træernes grene slog støjende mod staldbygningens bliktag.

Hesten lå allerede ned, svedende og stønnende rullede den fra side til side, bugen var opspilet. Johannes skød boksdøren til side.

»Pas på, den ruller over nu,« råbte Ane. Johannes pressede sig op mod boksvæggen for at undgå de fægtende hesteben.

»Vi må have ham op!« Træneren gik ind. Ane så den anden vej. Det gik voldsomt for sig, når en kolikhest skulle op at stå. Hestens øjne var vilde af angst og smerte, og skummet flød ned over halsen. De to mænd arbejdede med hesten.

»Op, op med dig, op!« De råbte, de trak i grimen, de sparkede. Endelig kom hesten på benene og stod med hængende hoved. Ane gik ind i boksen. Træneren holdt hestens hoved, hun holdt spanden med olie, som Johannes langsomt pumpede ind med en næsesonde. De arbejdede tavse. Ane talte beroligende til hesten og strøg dens svedige hals. Johannes så irriteret på hende, hun tav stille. Han havde ikke sagt noget, men det var en mandeverden, og det var kun på film, at syge heste blev trøstet af kærlige ord. Det her var et job, der skulle overstås.

Hesten blev trukket ud af stalden efter behandlingen, og træneren begyndte nattens lange march. I de næste timer ville han gå rundt og rundt med sin hest. Den måtte ikke stoppe op, så ville den smide sig igen.

»Jeg ringer, hvis det bliver galt igen,« sagde træneren. »Han skulle have startet på lørdag.«

»Det bliver der ikke noget af,« sagde Johannes, skrev i sin lommebog i skæret fra pandelampen. Hans ansigt dryppede af sved.

»Tak for hjælpen, Ane,« sagde træneren.

De kørte igen. Ane og Johannes sad tavse. Ane tænkte på, at det aldrig var Johannes, der sagde tak for hjælpen, når de var ude om natten.

»Det var synd. Det er hans mest lovende hest,« sagde Johannes.

»Den begynder godt, denne her nat!« sagde Ane og lænede sig træt tilbage i sædet.

Da de kom hjem, lagde Ane sig over i Johannes' seng.

»Nu er det dig, der tager telefonen,« sagde hun og trak dynen over sig.

»Der skulle nødig komme flere opkald,« sagde Johannes og så på uret. Klokken var kvart over tre. Da han havde lagt hovedet på puden, ringede politiet om en trafikskadet hund. Johannes måtte ringe til sin assistent. Der skulle opereres med det samme. Ane så på ham, da han træt og mørbanket trak i sit tøj igen. Han bøjede sig ned over hende og kyssede hende på panden.

Da han kom tilbage, var det morgen, han sov et par timer. Ane tog telefonen, skrev patienterne op. Hun gik ind for at vække ham. Han sov tungt. Hun stod længe og så på ham.

Han virkede træt og distræt, indimellem faldt han i søvn midt i et middagsselskab, eller når hun sad og talte til ham. Hun havde også set ham tage for sig, som om han var svimmel, han tabte tit ting og virkede som om, han ikke rigtig var koordineret. Måske var han syg? Hun havde foreslået ham at gå til lægen, men han ville ikke. Måske skulle hun selv tale med dr. Schierbeck om Johannes. Johannes var hård ved sig selv. For en måned siden var han blevet bidt af en hund, som kom med fly fra Hongkong. I samme øjeblik transportkassen var blevet åbnet, fløj hunden lige i armen på Johannes og hang fast med lukkede kæber. Det var et dybt bidsår, han rensede det omhyggeligt, men gik ikke til lægen, selvom Ane rasede. Tre dage efter havde han blodforgiftning med røde striber op mod armhulen. Han fik armen i gips, men pillede irriteret gipsen af efter nogle dage.

Ane strøg ham over håret, rykkede ham i skulderen.

»Johannes, du skal op! Klokken er elleve.« Han rejste sig fortumlet, gik ind i stuen og spiste morgenmad og drak et par kopper stærk te.

»Ja, så kører jeg igen,« sagde han træt.

»Du kører dig selv for hårdt,« sagde Ane. »Du burde have noget mere hjælp.« Han så kærligt på hende, og så skete et af de mærkelige skift, hun havde bemærket i den senere tid. Hans øjne blev hårde.

»Det skal jeg nok selv passe,« sagde han og gik ud af stuen. Ane så efter ham med tårer i øjnene. Johannes kunne stadig ramme hende så hårdt, at hun blev ked af det og forvirret. Hun følte sig magtesløs. Hun forstod ham ikke, han var uretfærdig over for hende.

»Han ødelægger min spontanitet og mit humør. Det er som om, jeg er ved at blive håndsky.« Hun gik ud i køkkenet, lagde en avis på trimmebordet, som stod i hjørnet, løftede sin spaniel op og begyndte at gøre den i stand. Det var beroligende at børste dens sorte skinnende pels, at frisere dens lange ører, at have hunden mellem hænderne. Hun kunne næsten mærke, at hendes blodtryk faldt.

KAPITEL 4

JOHANNES KÆMPEDE MED søvnen. Han gned øjnene, rystede hovedet og prøvede at koncentrere sig om trafikken, men mærkede, at han var ved at falde i søvn igen. Han skruede op for radioen. Bilen slog et pludseligt slag ud mod motorværnet. Det gav et sæt i ham. Hvad var der galt? Han kunne ikke holde sig vågen, når han kørte. Det skete oftere og oftere, at han pludselig måtte tage et tag i rattet. Forleden var han kørt ind på en mark og mærkede det først, da vognen skumplede mod den ujævne jord. Chokeret var han vågnet og havde forvildet set sig omkring. Han måtte tale med lægen. Ane havde bedt ham om det den sidste måned. Var det begyndende afasi? Var det en hjernesvulst?

Han kørte ind til siden, tog en flaske saftevand fra bagsædet, drak en slurk, og han mærkede, at hans hjerte bankede uroligt. Han skruede proppen i, sad lidt, trak vejret dybt og kørte så igen ud på motorvejen. Der var tre besøg endnu. Det havde været en hård vagtnat. Han måtte se at få sovet ud. Han havde nok bare behov for mere søvn, nu hvor han var blevet ældre. Der skulle lægges ryg til, når man holdt urolige hesteben, og han havde da også fået nogle knubs både i hovedet og på kroppen i årenes løb.

Han tænkte på Ane og problemerne derhjemme. De havde det ikke godt sammen. Hun var efter ham hele tiden. Det var som om, hun havde en sammensværgelse i gang med Henrik, hans bror. De jagtede ham sammen, kontrollerede ham i hans arbejde. Det eneste sted han snart havde fred var på landevejen i bilen. Han måtte gøre tingene i sit eget tempo. Jo mere de pressede ham, jo mere stædig blev han. Han mærkede hadet mod Henrik blusse op. De skulle aldrig have været kompagnoner. Det havde været forkert fra starten. Deres kemi passede ikke sammen. Henrik var jaloux på ham. Det havde han altid været.

Henrik havde også været solidarisk med Inger Margrethe, da Johannes' forhold til Ane blev opdaget. Han havde opført sig som en vækkelsesprædikant. Han havde nægtet at hilse på Ane. Både Henrik og Ellen havde behandlet Ane som en luder, der brød ind i familien. Nu holdt de af hende og foretrak hende for Inger Margrethe.

Johannes følte halsbåndet stramme. Sådan havde han også følt det i ægteskabet med Inger Margrethe. Hun brugte bare en anden dressurteknik end Ane. Han grinede ved sig selv af sammenligningen mellem de to kvinder. Inger Margrethe kunne sin martyrrolle. Hun lukkede sig inde med migræneanfald, som mærkeligt nok var ophørt lige før han flyttede. Da han var væk, var migrænen det også. Hendes anden metode havde været at nægte ham sex i lange perioder. Hver gang han gik for vidt, appellerede hun til sin familie, som så kom på banen for at tale til det bedste i ham. Det havde været uudholdeligt, et overformynderi af klamme, intolerante akademikere, som ikke selv mestrede at bringe hverken varme eller kærlighed ind i deres egne liv.

Ane derimod eksploderede i nogle enorme raserianfald. Hun havde endda slået ham en gang, hvor han ikke havde ringet hjem i 12 timer, og hun havde troet, at han var sparket ihjel i en eller anden hesteboks. Måske egnede han sig slet ikke til at være gift. Med sorg havde han forladt sine børn, fordi han elskede Ane og troede på deres liv sammen. Hun var alt det modsatte af Inger Margrethe. Der var fest omkring hende, hun tiltrak glade og skøre mennesker som en magnet. Hans liv havde udviklet sig fra puritansk spejderliv til latinsk livsstil med vin, mad og erotik. Men nu følte han sig domineret, og han var igen ved at trække sig ind i sig selv, som det havde været nødvendigt, når forældrene havde haft deres onde skænderier, og kulden havde sænket sig over hjemmet i ugevis. Uden at drage ham direkte ind i deres konflikter, havde de optrådt foran ham, som var han det afgørende vidne i deres uendelige ægteskabelige retssag. Moderen trådte frem i skranken og aflagde vidnesbyrd om, hvordan hun trods sin strålende begavelse gav sine bedste år for faderen. Hun lavede alt det beskidte arbejde i hundeafdelingen og holdt sammen på økonomien.

Faderen betragtede sin polygame livsstil som helt naturlig for en så tiltrækkende og charmerende mand, som han var. Men han anklagede sin kone for rodet, for ikke at holde hjemmet, for at se ud ad helvede til, og for hendes evindelige kritik og begrænsninger af hans frihed. Han anklagede hende for at gøre Johannes til en overbeskyttet tøsedreng i modsætning til den lille kraftperle Henrik, som var faderens yndling.

Johannes emigrerede som ung til Canada sammen med Inger Margrethe. Han havde fået et job som regeringsdyrlæge i British Columbia. Som i lignelsen om den fortabte søn skiftede sønnerne position hos faderen. Johannes blev ham, han pralede med, og Henrik gik hjemme i klinikken og sled. Han arbejdede den op, fik styr på det hele, havde klienttække og passede sine ting. Da faderen døde, kom Johannes modstræbende hjem. Henrik havde troet, at det nu var ham, der stod for tur til at komme ud, men Johannes ville kun beskæftige sig med hestepraksis. De var to familier, der skulle leve af hospitalet, og Henrik stod igen og holdt mentalhygiejnisk klinik for Charlottenlunds og Hellerups damer, der var mere knyttede til deres kæledyr end til deres hårdtarbejdende mænd. Henrik måtte se Johannes brede sig og sætte sig på det interessante sportshestearbejde, mens han selv troligt stod dag efter dag og tømte analkirtler og rensede ører på hundene. Johannes var igen glad på landevejen med sin saftevand og sin madpakke.

Johannes satte farten op i bilen. De aggressive tanker havde sat adrenalinet i vejret. Nu havde han det bedre, var vågen, følte sig knivskarp i hovedet. I morgen ville han gå til lægen. Han svingede ind på Holte Rideklubs parkeringsplads, hvor berideren tog imod ham: »Det er Birgit Sønderskovs hest. Den er ikke rengående. Vi har meldt den til distriktsstævnet i weekenden.« Johannes slog klappen op i Volvoen for at tage instrumenterne ud. Birgit Sønderskov kom gående, rakte ham hånden: »Det var godt, du kom.« Johannes rettede sig op. Hun var slank, høj, måske en smule maskulin, men hun havde et sødt ansigt. Han livede helt op. Hesten blev travet frem og tilbage: »Det er det højre forben.«

De aftalte behandlingen, og Johannes pakkede sammen og fulgtes med hende ud til bilen. Der var noget erotisk tiltrækkende over hende. Han mærkede til sin undren magnetismen mellem dem. Han kendte hende næsten ikke og havde helt glemt den svirpende oplevelse pludselig at blive tændt efter ti års ægteskab med Ane, hvor han selv aldrig syntes, han var tilstrækkelig i sengen.

En varm glæde bredte sig i ham. Han rullede sig bogstaveligt ud af sit skjold, rettede sig op, lagde hænderne på ryggen og så forbavset og udfordrende på hende. Hun lo til ham, og da de gik videre, gav hun ham pludselig et voldsomt skub med skulderen, som en tackling. Han lo, men vidste ikke, hvordan han skulle reagere. En mærkelig opfordring for en kvinde. Johannes var sky over for kvinder, men de blev suget mod ham. Alle kvinder fik visioner om, at han skulle trøstes og hjælpes, og at kun de kunne finde ind til den tavse mands virkelige jeg. Henrik havde en anden opfattelse. Han mente, at hans bror var konstant liderlig, men Johannes havde aldrig bedraget Ane.

»Ikke endnu,« tænkte han hurtigt, da Birgit stillede sig op foran ham. Han tog hende for sjov om armen.

»Hvad er det med dig?« Med øjnene boret ind i hans sagde hun frækt: »Det må du da vide, du som er dyrlæge. Hopperne napper også hingstene.« Johannes rødmede dybt. Det var stærkt det her.

»Kommer du hjem til mig en dag?«

»Du er jo gift,« sagde Johannes spagt.

»Han er altid ude at rejse,« sagde hun og tog Johannes' hånd. Berideren stod og iagttog dem fra stalddøren. Han så undrende på dem, så vendte han om og lukkede døren. Johannes trak sig tilbage og satte sig ind i bilen. Han var usikker, helt hylet ud af den. Det her var nærmest et overfald. Men han lo smigret.

»En dag ringer jeg, og du lader bare den hest stå i en uge, så ser vi på den igen.«

Han kørte, vinkede langsomt og så forbavset, at Birgit helt åbenlyst viste sin ærgrelse over, at de ikke skulle hjem i seng med det samme.

Rystet og stolt kørte han videre. Meget havde han oplevet. Så han måske særlig godt ud i dag? Han kiggede undersøgende på sig selv i spejlet. Han mærkede forbavset, at han ikke havde anelse af dårlig samvittighed over, hvad der var ved at ske. For at der skete noget med den dame, det vidste han. Han havde lyst til hende og hendes no nonsens facon.

Ane var der ikke, da han kom hjem. Herligt, så kunne han have det hele for sig selv med sine opstemte tanker og fantasier. Han gik ud i køkkenet i det gamle skovserhus, åbnede den nederste skabslåge for at tage sig en whiskysjus. Han trængte til den. Forskrækket trak han hånden tilbage. Der sad en mus med foldede poter og så roligt og overlegent på ham. Han smækkede lågen i, åbnede den igen. Den sad der stadig, uforstyrrelig. Han knaldede den en med sin kæmpenæve, og den splattede ud på væggen med poterne i korsfæstelsesstilling.

Han vendte sig. Ane stod og så målløs på ham.

»Hvad fanden er det, du laver. Du er sgu da pervers. Adr, hvor ulækkert, hvordan kan du slå mus ihjel på den måde. Jeg brækker mig!« Hun for ud af køkkenet. Johannes råbte efter hende: »Du kan bare gøre ordentlig rent på de hylder. Der er muselort over det hele.« Han begyndte at gøre rent med køkkenrulle og Rodalon, så skænkede han sig en whisky og gik ind i stuen. Ane begyndte at le.

»Har du aldrig hørt om musefælder, Fred Flintstone? Ingen andre mænd splatter mus ud med hænderne.«

»Det er effektivt,« sagde han og fortsatte udiplomatisk: »Er det i denne weekend, du er til møde?« Ane så pludselig mistænksomt på ham.

»Det ved du da godt, og du er inviteret til middagen og til at overnatte på Marienlyst. Det er min store margarinekongres.«

»Det havde jeg glemt,« sagde han.

Ane rejste sig, gik hen til ham, stillede sig op foran ham og så ham lige i øjnene.

»Johannes, hvad er der med dig. Er der noget galt? Jeg kan overhovedet ikke komme i kontakt med dig. Er du syg, må du gå til lægen. Er det noget med os, så sig det. Vi kan snart ikke tale sammen uden at skændes.«

»Du skændes,« sagde han.

»Jeg vil tale med dig om det her, diskutere det, så det kan blive anderledes. Det er efterhånden kun børnene, vi er fælles om, alt andet er helt på dine præmisser. Der er aldrig plads til mig og mine ønsker. Hvornår har du sidst spurgt mig om, hvad jeg kunne tænke mig. Du bakker ud af alt, der er besværligt. Du svigter alle, som har forventninger til dig, og det går ad helvede til på klinikken. Det siger Henrik. Regningerne er ikke sendt ud i denne måned! Vi mangler penge. Jeg får ingen honorarer ind før i næste måned. Du tror bare, at mit arbejde er en lille hobby, jeg har for ikke at kede mig. Den kongres er vigtig for mig. Der kommer 1.000 deltagere fra hele verden.«

Ane var ved at hidse sig op. Det var som at køre i et spor, hvor hun sagde de samme ting, gjorde de samme ting og bagefter fik det dårligt på samme måde. Hun satte sig ned og græd. Det tog magten fra hende. Hun snottede, hulkede og kom til at hoste. Johannes så udeltagende på hende. Han satte sig ved spisebordet, tog sin lommekniv og gav sig til at snitte i bordet. Hun for op og vred rasende kniven ud af hænderne på ham.

»Du er sindssyg, sidder du og snitter i bordet.« Pludselig gik han amok, for op, skubbede hende hårdt, så hun faldt ned på en stol.

»Du kritiserer altid! Jeg kan aldrig gøre det godt nok. Jeg er træt af det her! Af dit hysteri! Mit helbred skal jeg nok selv passe. Jeg går min vej!«

»Ja, skrub af,« råbte Ane. Johannes gik og hamrede døren i. Hun satte sig ned og græd, men holdt forskrækket op, da hun hørte trin på trappen. Jacob! Hun havde ikke troet, han var hjemme. Han havde åbenbart hørt det hele.

»Mor. Lad dog være at køre sådan på hinanden.«

»Jeg kan ikke holde det ud. Måske er han syg, måske er han bare fræk og hård. Jeg ved det ikke, det er for meget!«

Jacob gik ud i køkkenet, lavede en kop te, stillede den foran hende. Hun tog hans hånd og knugede den. Han klappede hende kejtet på hovedet og gik op på sit værelse.

Da klokken var tre om natten, var Johannes ikke kommet hjem endnu. Hun stod op og tog en sovepille. Denne gang skulle han ikke få hende helt ud over kanten. Længe lå hun og så op i loftet, til lampens konturer blev bølgende, pillen virkede, og hun sov tungt ind.

Næste morgen klokken syv ringede hun ude af sig selv af angst til Henrik. »Han har ikke været hjemme i nat!«

»Bare rolig. Han har sovet på travbanens apotek. Jeg så hans bil udenfor. Den store idiot! At du kan holde ham ud,« sagde Henrik.

»Jeg tror ikke, han er helt normal i øjeblikket,« sagde Ane undskyldende.

»Han har sgu aldrig været normal,« svarede Henrik.

»Han sov på travbanen i nat,« sagde Ane til Jacob.

»Han er i overgangsalderen, mor,« lo Jacob. »Måske har han sovet på den store operationsmadras til hestene.«

Johannes stod pludselig i døren. Hans tøj bar spor af, hvor han havde sovet, strå over det hele. Han lugtede af hest og klor, og han stod bare og så ned i gulvet som en skoledreng, der havde hugget æbler.

»Kan I have det godt,« sagde Jacob og slog Johannes på skulderen, så der stod en støvsky. »Manden flipper,« sagde Jacob og gik baglæns ned ad havegangen for at få det sidste med.

Johannes satte sig ved morgenbordet. Der var ikke dækket til ham. Han så på, at Ane gik ud og hentede sin kop, skænkede te, smurte sig et stykke brød. Hans hånd rystede.

»Jeg bryder mig ikke om at deltage i det cirkus på lørdag.«

»Hvad vil du så?«

»Jeg kommer måske og overnatter.«

»Der er ikke meget, du kan tænke dig i øjeblikket, hvad?« Han rejste sig.

»Du går ingen steder, før vi har talt om det her.«

»Vi kan tale sammen, når du er faldet lidt ned,« sagde han og viftede afværgende med hånden lige foran hende. Hun mærkede sit blodtryk stige. Det dunkede i hovedet. Hun blev tør i munden af raseri.

»Tror du, det er et barn, du taler til. Skal jeg gå op på mit værelse, til jeg er sød? Jeg er træt af, at vores liv kun handler om børnenes torsdag. Jeg sidder her med telefonen og passer dine klienter. Du skider mig bare et stykke. Hvis du har en eller anden dulle, så bare sig til. Men sig et eller andet. Jeg er træt af at dirke i dig for at få den mindste reaktion. Tror du, jeg hopper på din madding om tavse hr. Hjælpeløs.« Han så rasende på hende.

»Du kommer ingen vegne med dine beskyldninger.« Han gik ud, og Ane røg efter ham som en terrier, der angriber.

»Dit dumme svin. Du kan prøve på ikke at komme hjem om natten en gang til, så er jeg her ikke mere.« Hun slog ham i ryggen med knyttet næve.

Pludselig vendte han ansigtet mod hende. Hans mund dirrede, og han græd. Hun mærkede forskrækket al den kvindeondskab, som steg op i hende og gjorde hende svimmel. Hun ville hellere have haft, han havde slået hende i stedet for at stå og tude. Hun var i sin gode ret til at være rasende. Afmægtig satte hun sig ned.

»Det er gået galt med os,« hviskede han, tørrede øjnene med sine knoer og gik ud i badeværelset.

KAPITEL 5

ANE GIK IND i Hotel Marienlysts spisesal. Tjenerne stod afventende, rettede på en vifteformet serviet hist og her. Der duftede af asters, blandet med restaurationslugten og lugten af nystrøgne duge og servietter. Det var tryghedens lugt af borgerskab, som hun genkendte fra middagsselskaberne med grossererne i sit barndomshjem.

Margarinemændene med koner stod i baren og konvererede høfligt med halsen let foroverbøjet. De fleste af dem blussede allerede i kinderne af forfriskninger efter symposiet om de vigtige polyumættede fedtsyrers gavnlige virkning på karsystemet.

Margarinemændene var i sorte smokinger. Kun én skilte sig ud. Den tyske industrifyrste Kurt Möehl, som var i hvidt. Alle havde bemærket, at han lignede en germaniseret udgave af John Wayne. Det var en forbavsende lighed, som han understregede med forskellige nøjagtigt indstuderede positurer. Da han så Ane komme ind, skred han straks ind i positur 1. Hånd i højre bukselomme, granitkæbe, jernblik, men han huskede at skyde underlæben følsomt frem. Ane havde hørt ham tale og havde moret sig over så nøjagtig en kopi af en tysksproget western.

Hun kiggede nysgerrigt på ham, og han styrede lige mod hende med sin drink, som om han pludselig så en længe ventet gæst. Han busede lige ind foran foreningens sekretær, advokat Bohnsted, som stod og talte med Ane om aftenens arrangement.

I det samme tabte en ungtjener en stabel sølvpletfade med et kæmpebrag. Kurt Möehl smilede skævt.

»Undskyld, jeg tabte min tegnebog,« sagde han til Ane. Hun lo. Advokat Bohnsted trak sig tilbage med et opmuntrende nik til Ane. Hun kunne mærke, at hvis hun skulle more sig ud over det tilladte, så havde de allerede valgt den tyske John Wayne til hende. Han var betydningsfuld, men samtidig lidt til grin. Lavede hun noget med ham, var det o.k. Man undte hende det godt, men hun blev stadig holdt på sekretærpladsen.

Kurt kom med nogle gedigne prøjsiske komplimenter om hendes kjole og udseende og gik så hurtigt over til at fortælle hende, at det ikke var tilfældigt, at de to mødtes på denne måde. Det var forudbestemt. Ane så forbløffet på ham. Mage til bulldozerteknik. Pludselig vendte Kurt om og gik. Ane stod alene med sin drink. Hun cirkulerede lidt omkring. Formanden for den internationale forening klappede i sine hænder.

»Til bords, til bords, mine damer og herrer.«

Sydeuropæerne havde grupperet sig ved døren og styrtede ind i salen og ledte efter deres pladser. Der var en skramlen og kunstigt opskruet konversation, inden der faldt ro over selskabet. Ane satte sig som en af de sidste. Hun stod med sin plan i hånden og ville sikre sig at alle sad rigtigt. Da hun gik hen til sin guldstol, rejste Kurt Möehl sig, smækkede hælene sammen og trak hendes stol ud. Hun blev rasende. Han skulle slet ikke sidde der. Hun havde placeret ham hos formandens kone.

»De skal sidde ved bord fire,« sagde hun og viste ham sin plan.

»Nej, nu skal jeg sidde her,« sagde han og holdt stolen for hende. Ane så sig omkring. En ungtjener med et fedtet smil og hestehale i nakken vekslede et indforstået blik med tyskeren.

»Jeg håber, tjeneren tog sig godt betalt for at ændre bordplanen,« sagde hun og så koldt på sin nye bordherre.

»Ja, udmærket. Det er en ung mand med en stor fremtid for sig,« smilede Kurt Möehl og vinkede med damaskservietten til den unge mand, der hurtigt fjernede sig ved synet af Anes isøjne.

Middagen varede i tre timer og var et mareridt. Kurt Möehl sad og holdt en monoton tysk enetale, som åbenbart skulle svække hendes modstand. Der fløer en uendelig strøm af forslag fra ham. Weekendture, minkpelse, rejser, køreture i en hvid Mercedes. En gang imellem skiftede han bånd og pralede af sine forretninger.

Da han begyndte at bore sit knoglede knæ ind i hendes, gav hun ham en skideballe og fortalte ham højlydt, at hun ikke ville finde sig i hans frækheder. Det blev lynhurtigt opfattet af en australier, som sad overfor. Han trådte begejstret til som hendes væbner og gav sig til at chikanere Kurt Möehl på det groveste. Men det prellede af på ham. Imens fik hun en hviskende melding fra foreningens sekretær om, at der i dagens løb var opstået en meget uheldig situation. Overlæge Jørgen Friis fra hjerteafdelingen på Herlev Sygehus havde fremdraget beviser for margarinens gavnlige virkning på hjertepatienter, og som en trold af en æske var den gamle professor Selbjerg Hansen fra Rigshospitalet sprunget op og havde beskyldt ham for uetisk forskning og antydet, at han var i lommen på industrien. Det havde udartet til et forfærdeligt skænderi med afslørende giftigheder, som fløj gennem luften. Et par journalister, som ellers havde beredt sig på en kedelig dag med en god frokost, havde pludselig fået travlt, og den ene af dem løb nu med hastige skridt mod en telefon. Sekretæren hviskede: »Kan du ikke via dine forbindelser i aviserne finde ud af, om der er nogle pinlige overskrifter i morgen? Referaterne kunne skade margarinens sag.«

Ane rejste sig lettet, fandt et kontor og gav sig til at ringe rundt. Hun vendte tilbage med dårlige nyheder, og de danske værter skrev meldinger til hinanden på menukortene.

De to betydningsfulde mænd, professor Selbjerg Hansen, som var en lille asket, og elegantieren overlæge Jørgen Friis, havde erklæret hinanden krig. Kongressen var gledet i margarinen. Via de cirkulerende menukort blev der indkaldt til hastemøde næste morgen. Men de udenlandske gæster måtte endelig ikke mærke noget. Det symposium, som skulle have bekræftet margarineforskningens seneste resultater til fordel for margarinemændenes tegnebøger, var blevet punkteret af den lille indtørrede supersunde professor med spejderidealerne.

Der var koldt omkring ham ved bordet, men han sad uanfægtet og skar hidsigt fedtet fra sit højrebsstykke.

Da de endeløse taler var overstået, smertede Anes ryg. Hun havde hovedpine. Det var umuligt at slukke for Kurt Möehls kværnende talestrøm. Hun så på sit ur. Klokken var snart elleve. Formanden annoncerede, at nu kom aftenens højdepunkt. Opvisning af efterårets elegante pelsmode fra Danmarks mest berømte pelskollektion. Døren gik op og modellerne skred ind med hånden på det fremskudte bækkenparti i deres mærkelige gangart. Fire skridt frem i hurtig gang, bækkenet frem, sving rundt, et smil, hovedet op, hagen frem, seks skridt frem, bækkenet ud, rund ryg og ud bag tæppet. Ane sad mekanisk og talte deres skridt. Kurt pressede med knæet.

»Bare peg!« hviskede han hæst. »Bare peg!« Ane rejste sig, tog sin taske og gik. Kurt Möehl gik med. Australieren var blevet fuld. Han så begejstret på optrinet, rejste sig slingrende og råbte: »Lad hende så være, din prøjsiske pik!«

Ane løb op ad gangen, Kurt var i hælene på hende, han skred i axminsteren og råbte: »Vent. Jeg vil have dig!« Han nåede Ane, da hun stak nøglen i hoteldøren. Hun ramlede mod døren, da han kastede sig ind over hende. Døren gik op, inden hun havde drejet nøglen. Johannes stod i døråbningen i sin flonelspyjamas, der som sædvanlig ikke havde snor i bukserne. Uforstyrrelig holdt han dem oppe med sin ene hånd.

»Skrub af!« sagde han lavt, skubbede Kurt ud på gangen med et hårdt stød af sin senede næve, han hev Ane ind i værelset.

»Godt, du var der,« sagde hun. Han lagde sig i sengen, tog Hippologisk Tidskrift fra sit sengebord, tog brillerne på og begyndte at læse. Han så op.

»Hvad var det for en simulant?« Ane satte sig i fodenden og gav sig til at fortælle om aftenen. Johannes svarede distræt, mens han vendte bladene. Der blev en pause. Bladet faldt ned. Han sov tungt med brillerne på næsen. Ane tog dem, lagde dem på natbordet. Telefonen ringede. Det var formanden.

»Ja, undskyld Ane. Jeg har hørt, at han har forfulgt dig, og at din mand er kommet. Kan du ikke komme ned igen. Vi har et lille møde i baren om pressemeddelelsen. Hr. Möehl er pacificeret. Kommer du?« Ane ruskede i Johannes.

»Jeg bliver nødt til at gå ned igen. Der er hastemøde.«

»Vorherre bevares,« mumlede Johannes, vendte sig om på den anden side og trak dynen op over sig.

Symposiet blev en stor succes i pressen. Overskrifterne glødede. »Ud med smørret, ind med margarinen.« Forskere drog af sted på hundeslæde gennem Grønland for at tage blodprøver på sagesløse grønlændere, som viste sig at have et forbavsende lavt kolesteroltal. Nogle overfede mænd, der levede af flæskesteg, bajere og hvis stående vittighed var, at man fik kaninører af at spise grønsager, havde også et forrygende lavt kolesteroltal, men de fandt aldrig plads i statistik-kerne.

Professor Selbjerg Hansen krævede seriøs forskning, som ikke var styret af industrien. Danmarks førende kokke blev delt op i to grupper. Der opstod smørprofeter som med uartige, næsten sjofle smil hældte smør og fløde i sovsen. Imens udkæmpede de to overlæger deres eget personlige slag.

Da margarinekrigen var på sit højeste, og de involverede begyndte på injurierne, sagde Ane op. Men hendes lille virksomhed blomstrede. Der kom flere og flere interessante kunder. To teatre havde meldt sig, og hun var også begyndt at skrive en bog.

Hendes travlhed passede Johannes godt. På den måde var hendes opmærksomhed et andet sted end på ham og hans forretning. Ane var urolig. Hun havde været mere tilfreds og tryg, hvis han havde brokket sig over, at alting rodede i huset. Vasketøjet tårnede sig op, hun kunne aldrig tage med på Johannes' weekendrejser mere. Men Johannes stortrivedes, når hun arbejdede. Han hjalp aldrig selv til eller anstrengte sin hjerne med at købe ind eller lave mad. Men han betalte gerne restaurationsbesøgene og den dyre hentemad. Efterhånden blev vasken også sendt ud, og husholdningsbudgettet voksede. På børne-dagene drog Johannes alene af sted med de store drenge. De var lykkelige. Nu skulle de ikke tage hensyn til hende på turene og kunne frit udfolde sig med alle de farlige aktiviteter, som Johannes op-muntrede.

Hun levede sit eget liv med sit arbejde. Hun havde en følelse af, at hun af og til støvede sin familie af med en fjerkost.

Deres sexliv havde altid været mærkeligt. Johannes var forelsket i hendes krop, elskede at røre hende, at have hende nær. Men hun var krævende og voldsom i sin seksualitet, blev hun ikke tilfredsstillet, viste hun det tydeligt og irritabelt. Hun havde ikke tålmodighed med ham. Alle dagens almindelige frustationer. Den evindelige venten på ham. De brudte aftaler, hans åbenlyse glæde over at gå sine egne veje med drengene, og hvad han ellers beskæftigede sig med, sårede hende. Til daglig bed hun det i sig. Men i sengen tålte hun ingenting. Om morgenen havde hun spændinger i hele kroppen. De talte ikke sammen under morgenmaden, og når han tog af sted, og huset var tomt, voksede hendes sexlyst. Hver dag skrev hun sedler til sig selv, som hun klistrede op rundt omkring som opråb: »Er det sådan, du vil leve dit liv?« Børnene så af og til sedlerne og sendte hende urolige blikke. Hun talte med sine veninder om det, men holdt hele tiden referaterne på den sædvanlige ironiske afstand, som kvinder bruger, når de rakker ned på deres mænd og børn over for hinanden.

En morgen før Johannes gik på klinikken, tog hun ham i armen.

»Hvad er det egentlig for en bog, jeg laver så meget research på i øjeblikket?« spurgte hun. Han tav. »Du svarer ikke. Du har ikke engang spurgt mig, hvorfor jeg sidder så mange timer på Det Kongelige Bibliotek. Det interesserer dig ikke en skid. Du kender ikke engang mine kunder. I virkeligheden kunne jeg have en massageklinik. Du ville kun blive sur, hvis en af de ventende kunder sad i din stol, når du skulle sove til middag.« Hun så rasende på ham. Hun ville slås. Hun ville have konfrontation.

»Jeg vil ikke skændes med dig,« sagde han. »Vi venter, til du er faldet lidt ned.«

»Jeg vil ikke falde ned. Hvad helvede vil du med mig?« råbte hun. »Tror du, jeg vil leve her på dine præmisser, mens du bare svæver rundt som en akvariefisk bag din glasrude.« Pludselig gik hun amok.

»Jeg vil skilles. Jeg gider ikke være gift med en, der aldrig reagerer. Har du en anden, så sig det for fanden, og lad os få det her overstået!« Johannes stod bare og rystede på hovedet.

»Du er ikke rigtig klog. Du er hysterisk. Tag en eller anden pille og fald ned. Det her gider jeg ikke høre på.«

Jacob kom ned fra første sal. Han gik hen til hende, tog hende om skuldrene. Hun vred sig løs og løb ind på sit værelse, flov og ydmyget. Jacob og Johannes så lidt på hinanden.

»Jeg tror ikke, hun er rask,« sagde Jacob. Johannes gik ind til hende, satte sig ned, mens hun lå på maven i sin seng og tudede. Han klappede hende usikkert på ryggen, som om hun var en spejderkammerat, der var faldet og havde slået sig. Hun slog efter ham. Han gik og der blev stille. Hun stod op og skænkede sig en stor dobbelt whisky, gik ind i sit værelse igen og skyllede den ned. Jacob kom ind.

»Nåh, nu drikker min mor,« sagde han. Hun tørrede sine tårer, satte glasset ned.

»Næh, ikke engang det tør jeg gøre ordentligt. Jeg holder mig selv fast i en umulig situation. Sådan håber jeg aldrig, du bliver.«

»Jeg skal hen på skolen,« sagde han usikkert.

»Gå bare. Jeg har det fint. Det er bare husspektakler. Jeg er ked af at blande dig ind i det. Men det er umuligt, når man bor i et hus med papvægge, ikke?«

Jacob gik. Det var skamfuldt at blande ham ind i det. Det var ikke godt at gøre sin søn til sin fortrolige. Psykologerne mente, at de blev bøsser eller neurotikere af det. Men hvad fanden. Hun tog en whisky til, så måtte de blive bøsser eller neurotikere. Hun kunne ikke klare det her mere. Hellere være alene. Hvad fanden bildte han sig ind. Han havde levet sammen med hende i over ti år. Hun havde stået på hovedet for ham og hans børn, og nu gad han ikke engang høre om, at hun var ved at skrive noget så betydningsfuldt som en bog.

Hun rejste sig fra sengen. Hun gik ind i stuen. Johannes var ikke gået endnu. Han sad ved sit skrivebord, der bugnede af bunker. Avisudklip, gamle tidsskrifter, knækkede blyanter. Hun så sig om i stuerne. På væggene hang kolde litografier af Jac. Kampmann fra Grønland og Færøerne i blå farver. Der var enkelte engelske jagt-billeder. Der var lyse Børge Mogensen-møbler. Spisestuestolene med fletværk. I fletværket sad rester af torsdagens basellagkage. Hun trak en stol ud og så på den. Det måtte kunne skures af. I hjørnet stod en hvid Wegener-gyngestol og foran vinduet den turkisfarvede arkitekttegnede sofa. Den store gummiplante bredte sine støvede blade. Hvor så her ud!

Ane gik ud i køkkenet, hentede deres madkurv ned fra skabet. Hun gik ind i stuen og gav sig til at smide ting i, fotos, lysestager, tidsskrifter, ugeblade.

»Hvad foretager du dig?« spurgte Johannes og vendte sig, mens han holdt hænderne skærmende over de støvede bunker.

»Jeg er begyndt at ordne mit liv. Nu skal det være anderledes.« Hun fyldte kurven, bar den ud og tømte den i skraldespanden.

KAPITEL 6

» FORENINGEN AF AMERIKANSKE Praktiserende Hestedyrlæger« har inviteret til en kongres på Oxford Universitet. Kurset varer i otte dage. Det kunne jeg godt tænke mig, vi kom med til,« sagde Johannes og rodede rundt i sine skrivebordsbunker for at finde det sidste fagtidsskrift.

»Har vi råd til det?« Ane fortsatte oprydningen på hylderne. Hun vidste, at opholdet i England var en form for viften med det hvide flag, og hun var i syv sind. Det ville blive det sædvanlige. I hans egenskab af formand for De Danske Praktiserende Dyrlægers Forening havde han travlt, når de var til kongresser i udlandet. Hun sad på hotelværelset under foredragene eller var på dameture til lokale kunsthåndværkere eller på museer. Som regel fandt hun nogle sjove dyrlægekoner, hun kunne være sammen med. Om aftenen til middagene og under det almindelige sociale samvær var der gang i den med taler, muntre rødmossede dyrlæger, som fortalte vovede historier om folk og fæ. Der var store fester med dans, dejlig mad, og der var altid eroter svævende i luften, uden at det blev til virkelige ægteskabelige skandaler. De fleste dyrlægepar levede efter den gamle recept om at trække på samme hammel. En skilsmisse var fatal for en dyrlægepraksis. Konen plejede at være gratis medhjælp, døgnvagt ved telefonen og påtog sig hårdt, ulækkert rengøringsarbejde, når det kneb med at få hunde- og hestegale unge piger til det grove.

Hun stod og så på et billede af sin familie på en skovtur. De store drenge stod skulder ved skulder og lavede ansigter. Hundene sad foran. Johannes stod med sin elskede cykel med en arm om hendes skulder. En lykkelig anden gang gift-familie. Et mønsterbillede på hvordan det kunne gøres. Ja, når den nye kone opgav sin identitet og blev passer, plejer, opmuntrer og var forelsket nok til at tage billige stik hjem ved at acceptere alt med et smil både fra de nye børn og den nye mand. En kvinde som holdt ekstra og pinefuldt øje med sine egne børn, så de ikke irriterede den nye mand og de nye børn for meget. Hun så på billedet igen. Ja, så var det en lykkelig familie. Hun lagde det ned i kurven.

For fire år siden havde hun været alvorligt syg. Lægerne havde opdaget mistænkelige celler i hendes livmoder, som hun siden havde fået fjernet, kun 33 år gammel. Hun havde været langt ude det år. Et halvt år efter opdagede de en cyste på den ene æggestok, og hun fik to operationer til. Hun kom hjem og vejede 45 kilo, foroverbøjet af smerter, svag. Johannes lagde med det samme afstand. Han hadede sygdom og lidelse. Peter og Thomas trak sig også tilbage, mens Jacob og Carsten og Johannes' ældste, Kim, stadig var om hende. Under hendes sygdom holdt Johannes strengt på, at børnene endelig ikke måtte mærke, at noget var anderledes. Det anderledes skulle normaliseres. Hun huskede de udmattende dage, hvor hun trods sin angst hev fat i sig selv for ikke at gå under. Hun var endt hos yogalærerinden, der fortalte hende om selvet, og det gik op for hende, at hun virkelig havde et »selv«, hun skulle sørge for at pumpe op.

Det var ikke den banale flinkeskole. Det populære ord, som alle kvinder elskede, kunne få hende til at brække sig. Hun havde aldrig gået i flinkeskole. Men hendes selv punkterede af og til, luften sivede ud, og hun skammede sig ved, at hun i så lange perioder fortrængte alle sine egne behov. Det var ubehageligt at opdage, at hun havde så svag en identitet. Johannes drejede sig halvt om på stolen.

»De er altid så gode de kurser, og det er nogle morsomme mennesker, der kommer. Du kender mange af dem. Kan du huske den sjove irer?«

»For fem minutter siden havde vi en værre ballade, Johannes. Kan du huske det? Jeg har det ikke godt. Der er ting, vi må tale om. Jeg vil hellere rejse et eller andet sted hen for mig selv og skrive min bog færdig. Måske kan jeg ansøge om at få et legathus.«

»Det kan du da gøre en anden gang,« svarede Johannes uanfægtet. Han foldede programmet ud og gav sig til at udfylde det. »Kongressens hovedtaler og æresgæst er dr. O.R. Bryant fra Colorado.«

En anden gang! Alt det hun ville, skulle altid være en anden gang. Hun var blevet en marionet. Det var på tide hun rev trådene over og forlod spillet.

»Det er ikke sikkert, jeg tager med denne gang. Jeg vil i det mindste tænke over det et par dage,« sagde hun, tog tilmeldelsesblanketten ud af hans hånd og lagde den oven i bunken af aviser.

Hun gik op i badeværelset, tog brusebad, smurte sin krop ind i bodyolie, lod fingrene glide langs det røde ar fra navlen, så på sig selv i spejlet. En ung krop stadigvæk. Oxford Universitet. Der havde hun aldrig været. Hun kunne godt lide England, traditionerne, den engelske hunde- og hesteverden. En verden almindelige turister aldrig fik indblik i. Gamle slotte, adelige galninge med hunde og heste på hjernen. Herregårde med tossede kvindelige skødehundeopdrættere i tweeddragter og store sko, og de specielle engelske dyrlæger, som var en blanding af klassens frække dreng, spejderfører og overliderlig kostskoledreng. Hun blev pludselig i godt humør. Selvfølgelig ville hun tage med til Oxford. Hun hørte Charles Dickens' mr. Micawbers valgsprog for sig: »Noget vil vise sig!«

Ane og Johannes satte kufferterne og kiggede ind i portnerlogen på Oxford Universitet. Der var mørkt, og portnerlogen lå tre trin ned.

»Tænk, pedeller og skoledrenge lugter ens over hele verden,« lo Ane.

»Hallo, er her nogen?«

En lille bleg mand med snorlige skilning og olieret hentehår stak et skarptskåret magert engelsk ansigt med indfaldne blege læber frem i vinduet. Han blottede et par kanintænder og smilede.

»De ønsker, Sir?« Johannes fortalte, hvem de var, og manden trådte frem fra mørket med en liste. Han så mistænksomt på dem, fandt med besvær deres navne, krydsede dem omhyggeligt af med en gul blyant, hankede op i kufferterne og gik foran op ad den snoede, gamle trappe.

»Han har ordner på pedeljakken,« hviskede Ane. Universitetets portner lukkede døren op til et af studenterværelserne. Ane og Johannes så sig forbavset omkring. De havde ikke tænkt på, at de pludselig skulle en tur tilbage til århundredskiftet. De havde forestillet sig højskoleagtige gæsteværelser i almindelig institutionsstil, men det her? Her fik de et studereværelse og et sovekammer. I studereværelset stod en smal seng. Der var en højrygget lænestol, hvor man kunne sidde med ret ryg. Tomme reoler, som skulle fyldes med bøger, når universitetets sommerferie var forbi. Foran vinduet var et gammelt slidt skrivebord med en hærget skrivebordsstol. Et grønt gulvtæppe og i et hjørne en håndvask med rustne haner.

»Hvor er badeværelset?« spurgte Johannes.

»I kælderen, Sir,« svarede pedellen og lukkede døren.

»Skulle han have haft drikkepenge?« Ane så usikkert på Johannes.

»Helle for det lille værelse,« sagde Ane, smækkede kufferten op på sengen, der stod under vinduet. Hun lænede sig over den.

»Nej, se der!« Hun åbnede vinduet og råbte: »Sue, Sue.« Johannes hev hende i kjolen.

»Lad dog være at råbe! Du er på et universitet.« Der lød et skingrende pift fra den tyste, fornemme gård med de toppede brosten. I gården stod et amerikansk dyrlægepar. Konen havde været ved at vrikke sin pink stilethæl op fra brostenene. Hun havde guldhår, Dolly Parton-figur og stod nu og råbte og skreg henrykt, mens hun hoppede de amerikanske heppekorpigers glædeshop. Hendes firskårne mand i blåt tøj vinkede og så sig genert omkring.

»Se, se Sue og Jerry!« råbte Ane begejstret.

»Jeg behøver ikke at se. Jeg aner det værste,« sagde Johannes og fjernede sig fra vinduet.

»Gud, hvor bliver det skægt,« lo Ane.

»Gør mig en tjeneste og dæmp dig lidt ned denne gang,« sagde Johannes. Ane var allerede på vej ud ad døren. Sue og Jerry fra Missouri kom anstigende med pedellen.

»Hej,« skreg Sue og kastede sig om halsen på Ane.

»Se, vores oppasser. Er han ikke bare nuttet. Han ligner Snurre Snup, og så har han ordner.« Hun vendte sig imod pedellen, der stod med kryds i øjnene, som om han ønskede at være usynlig. Hun smækkede de store blå violøjne op og ned.

»Tror du, vi vælter Oxford, Ann?« Jerry og Johannes gav hånd og så plagede ud. Sue masede videre med sin kuffert og sin guldbeautyboks. »Vi ses, Ann. Jeg ringer. Nåh nej, der er ikke telefoner i middelalderen. Pyt, jeg råber bare ud ad vinduet, når jeg har dullet hår, ikke? Jeg har alt, hvad vi skal bruge.« Hun hævede beautyboksen og lukkede det ene øje med frynsevipperne. Jerry skød kæben frem og så sur ud. Så trak han af med hende. Jerry Baxter var en dygtig hestedyrlæge fra Missouri, USA. Han var ansat ved universitetet. Havde stenrige, ambitiøse forældre. Han fik alt, hvad han pegede på, bare han klatrede op ad stigen. Hjemme i St. Louis havde de en vidunderlig villa i ranchstil. Sue havde fire heste. Det eneste Jerry nogensinde havde peget på, som hans far og mor ikke havde valgt, var Sue, enhver amerikansk svigermors skræk. Sue var opsigtsvækkende smuk. Hendes øjne var akvamarinblå omkranset af mørke vipper. Hun havde et fint net af fregner over sin velformede næse, store brede, flotte hvide tænder, tykt affarvet guldhår, der sad perfekt i blanke krøller. Hendes bryster lå i Maiden Form-bh. Hendes talje var spændt ind i et flot bælte, og røven struttede og bævede som den dejligste amerikanske budding, når hun vred den af sted i stram kjole. Hun var All American Pom pom-pige, kåret som Miss Missouri, da hun var otte år. Hendes sport var westernridning, hvor hun i mange år havde optrådt ved rodeoer i forskellige discipliner. Hun havde været i seng med alle de skønneste rodeohelte i Missouri og Texas, men en dag blev hendes yndlingshest halt, og så kom uskyldige doktor Jerry fra den pæne amerikanske overklassefamilie. Han så på Sues hest, og hun red derfra med Jerry i sin gyldne lasso. Ane havde mødt dem på forskellige kongresser i USA, de skrev sammen til jul, og når de mødtes, plejede det at udarte til det helt store pigefnis og cocktailorgie, og for Sues vedkommende også et par forførte dyrlæger. Sue kunne ordne hvad som helst, hvor som helst. For Ane var hun den bedste vitaminindsprøjtning. Et døgn med Sue, og hun havde fået sin selvtillid tilbage. Sue turde alt. Ane blev barn igen. Det var ren lejrskole at se den skøre kælling. Ane var virkelig opstemt. Hun pressede kjolerne ind i det smalle skab, etagevaskede sig i håndvasken, hvor man skulle være udlært blikkenslager for at dreje vandhanerne.

Da hun var klædt på til velkomstpartyet, så hun på uret. Den var allerede halv fem. Hvor i alverden var Johannes? Hun gik ind i det andet værelse. Hun havde troet, han bare lå og sov, men han var der ikke. Hun åbnede hans kuffert. Toiletsagerne var væk og det samme var hans uundværlige badehåndklæde, som han altid tog med for en sikkerheds skyld. Ane gik ned i kælderregionerne for at lede efter ham. Det lignede Kronborgs kasematter. Til sidst fandt hun en dør med et skilt på: »Bath«. Hun lukkede døren op. Døren var ikke låst. Der stod Johannes med et irriteret udtryk under bruseren. Bruseren var rusten og sad midt i et hjørne af vaskekælderen, og der var intet forhæng.

»Hvad fanden laver du?« lo Ane. »Er du kælderblotter eller hvad?«

Johannes stod med den ene fod på en lille afsats, og den anden på den anden side. Hans senede, hårede ben var spredt i en akrobatagtig bredstilling. Hans testikler hang som en sørgmodig kirkeklokke i midten.

»Jeg vil ikke stå på det beskidte gulv,« sagde han. »Tænk, hvad der er af århundreders engelsk fodsvamp.«

»Jeg har aldrig set nogen gå i spagat under en bruser.« Ane så sig om. »Gud, hvor er her ulækkert. Der må da være nogle andre badeværelser. Hvordan har du tænkt dig at komme ud af baderummet uden at gå på gulvet?« spurgte Ane og så interesseret på ham. Han stod stadig i sin spagatstilling, mens han lukkede for vandet. Han tog en avis, han havde placeret i vindueshøjde, bredte den ud, så den dalede ned på gulvet, så sprang han ned på avisen og gav sig triumferende til at tørre sig. Johannes smilede til hende.

»Man skal bare tænke sig om.« Hun nikkede. »Du ser pæn ud i den kjole, og du ser glad ud. Det var da godt, vi tog herover.« Johannes begyndte at klæde sig på. Tøjet lå på et vaskebord.

Ane så på ham og sukkede. Nu var han i sin egen verden, glædede sig til kongressen. Så var han egentlig charmerende og rørende, som én der ikke rigtig kunne gøre for det.

Hun tog sig i det. Når hun blev blød over for ham, vendte han rundt med et. Det var efterhånden det spørgsmål, der pinte hende. Tyranniserede han dem alle med vilje, eller var det bare noget han kom til? Han tålte ingen kritik, smækkede i som en østers, gjorde pludselig uventede udfald eller blev dybt såret. Hun vidste aldrig, hvad dag det blev. Men der var sket et eller andet med hende. Hun ville være fri, men havde endnu ikke overvejet, hvordan hun skulle blive det.

KAPITEL 7

RECEPTIONEN FOR DE udenlandske og engelske dyrlæger på Oxford Universitet begyndte at danne den sædvanlige formation. I midten under lysekronen stod de mest betydningsfulde mænd. Ved hjælp af mænds ældgamle stammeritual havde det kun taget de internationale dyrlæger en halv time at måle hinanden ud, sortere fra. Nu stod der en lille kreds af betydningsfulde herrer inde under lysekronen i den store sal med høje egetræspaneler og gamle malerier af Englands åndselite. Ude i hjørnerne sneg de ambitiøse, men endnu ikke betydningsfulde, sig rundt for at vente på en chance, hvor de kunne se deres snit til at komme magtens cirkel nærmere.

De amerikanske kvinder benyttede åbenlyst teknikken til selv at skubbe deres mænd frem mod midten. Men de europæiske kendte deres plads og stod smilende, men tavse indtil de blev spurgt. Parrene holdt sig tæt sammen, som etiketten foreskrev, bortset fra Johannes. Han havde for længst forladt Ane og stod afslappet under lysekronen med den ene hånd i lommen og konverserede nogle engelske hestedyrlæger. Han ikke så meget som så efter hende.

Ane tog et glas sherry fra bakken, som en af Oxfords tjenere bød hende. Det var de mærkeligste tjenere. De så ud som om, de kom direkte fra Dartmoor-fængslet. De var alle sammen militærisk kortklippede, havde hårde, sammenbidte ansigter med øjne, der så alt og ingenting. Ane havde prøvet at smile til dem for at få kontakt. Men de så bare undrende og lidt nedladende på hende, der var ikke en trækning i deres ansigter.

Sue dukkede ud af klyngen af herrer, der respektfuldt veg til side for den mand hun kom gående med. Det var kongressens æresgæst, dr. O.R. Bryant fra Colorado. Hun kunne genkende ham fra billederne i fagtidsskrifterne. Johannes havde fortalt nogle af myterne omkring ham. Han var født i en fattig familie, havde arbejdet som cowboy og var kommet ind på veterinærstudiet på et boksestipendium. Senere havde han levet som storvildtjæger i Afrika, havde optrådt i utallige rodeoer. Nu var han USA's førende hesteknoglekirurg. Han havde skrevet lærebøger og var tit i tv. Hans studenter rystede for ham. De havde med deres egne øjne set ham slå en vild hest ned med de bare næver. Hans foredrag og taler var meget efterspurgte, fordi han var en stor entertainer og en slem dreng, der kunne lide at chokere det amerikanske borgerskab.

Han så på Ane med et genert smil, da Sue trak ham over gulvet. Sue præsenterede ham, som var hun tv-værtinde:»Dr. O.R. Bryant og Ann Bjerg fra Danmark.« Anes hånd forsvandt i hans kæmpe firkantede næve. Hånden var tør, brændende varm og mærkelig blød, smidig. Hans fingre var korte, brede, næsten lige lange. Hans ansigt var ungt og solbrændt under det hvide hår. En åbenbart sorthåret mand, som var blevet tidligt hvidhåret. Hans ansigt så russisk ud, konstaterede Ane med forbavselse. Det var kindbenene, kæberne. Da hun mødte hans blik fra de mærkelige grå øjne, der havde små lysende brune prikker, mærkede hun chokeret hans sugende udstråling. Hun blev genert og usikker, smilede stift.

»Ja, det er så kongressens bedste par,« sagde Sue henrykt og pinligt højt.

Dr. Bryant og Ane så stift ned i deres drinks. Det her var minder fra skolegården, hvor en budbringer fra klassen havde bragt en interesseret dreng og pige sammen i et hjørne. Men de var voksne, og de havde ikke bedt om nogen budbringer. Ane ville væk, men hun kunne ikke flytte sig.

»Jeg tror, I to kan få det morsomt sammen,« sagde Sue skamløst. Ane så sig panikslagen om. Det her var for meget. Sue opførte sig som i den værste amerikanske teenagefilm. Hvad måtte han ikke tænke, den begavede mand?

Dr. Bryant stod tryg, rolig med sine kæmpeskuldre, hvor musklerne sad som på en bodybuilder i den noble jakke. Han holdt klodset om det spinkle sherryglas, og hans øjne strålede af veloplagthed. Han var en mand, som glad straks gav sig skæbnen i vold. Der var intet beregnende, ingen Don Juan over ham. Han var drengen i skolegården, som lidt bævende begav sig ud på eventyr, men nød situationen i fulde drag. En forklædt amerikansk møgunge, som ellers ikke legede med tøser.

»Sue, hold så op. Vi kender overhovedet ikke hinanden.«

»Det kommer I til,« sagde Sue, kneb det ene øje i og forlod dem med et sigende nik.

»Er De bryder?« spurgte Ane og så på hans skuldre. »Ja, vil De have en kamp?« spurgte han. Befriet lo de til hinanden. De lo og lo, så spændingerne omkring den pinlige situation forsvandt. Så blev de tavse og stod bare og så på hinanden.

»Hvordan kommer vi videre herfra?« spurgte dr. Bryant med et smil, men hans øjne var intense. Som om de allerede var midt i stykket, og han bare havde glemt sin næste replik.

»Det her er underligt, ikke?« sagde Ane. Hun tømte sin sherry i et drag og så på ham. »Jeg ved altså ikke. Men nogle gange er det for os europære, som I amerikanere altid er midt i en film, og nu er jeg også med i den. Hvad hedder filmen?«

De begyndte at le igen som børn. Gæsterne begyndte at se på dem. Dr. Bryant lagde mærke til det og lavede en klovneagtig grimasse – parodi på et stift, fornemt, engelsk ansigt – og Ane hostede sin sherry ud i et nyt latteranfald. Dr. Bryant tog grinende sit lommetørklæde og tørrede sig selv og hende af. Johannes nærmede sig med hasteskridt.

»Nu kommer min mand,« hikstede Ane.

»Nåh, så er det en film,« lo dr. O.R. Bryant. »Ups, der er ægtemanden.« Johannes kom hen til dem.

»Jeg kan altid høre, hvor min kone er,« sagde han. Dr. Bryant nikkede og så fra Johannes til Ane med et undrende blik. »Han noterer sig aldersforskellen,« tænkte Ane. Men han er selv på alder med Johannes. Han var i alt fald fyldt 50, selvom hans ansigt så så ungt ud.

»Jeg glæder mig til at høre Deres foredrag i morgen, dr. Bryant,«

sagde Johannes. »Emnet interesserer mig meget. Jeg driver selv hestepraksis nord for København i Danmark.«

»Jeg kunne også godt tænke mig at høre Dem. Det vil jeg hellere, end jeg vil på dametur, tror jeg,« sagde Ane.

»Det er ikke for damer,« sagde dr. Bryant. Ane og Johannes så på ham. Han så helt alvorlig ud.

»De får ødelagt deres kjoler.«

»Hvorfor?« lo Ane.

»Mit publikum plejer at smide tomater efter mig.« Han hævede sit glas mod dem og gik.

»En mærkelig mand. Jeg har det som om, jeg har fået ti kopper stærk kaffe,« sagde Ane og så efter ham.

»Du virker meget overgearet,« sagde Johannes køligt.

Næste dag samledes damerne uden for Blenheim Castle. Ane hadede at gå rundt i gåsegang på dameturene. Det smukke slot med den eventyrlige historie lå foran dem. De snakkende bidselskodamer med taskerne virkede som en fornærmelse i landskabet, som noget der skulle ryddes op, så det igen blev gode, gamle dage på Blenheim. Ane forestillede sig Churchills mor på morgenridetur i sin lange sorte ridekjole. Hun ville have givet meget for at gå stille rundt og se det pragtfulde slot. Hun trængte til at være alene. Sues selskab ridsede i hende.

Hun havde mødt dr. Bryant på vej op fra spisesalen. De havde vekslet et par ord. Der havde været en anspændt stemning, som mindede om gammeldags kurmageri, courting hed det på engelsk. Ane smilede, mens hun adspredt hørte på Sues kværnen. Det var det, der var i gang. Courting. Hun var ikke klar til det. Hun var uforberedt. Det her var ingen flirt. Hun genkendte smerteligt symptomerne, ligesom når man vurderer sig selv før en influenza. Gør det ondt at vende øjnene, ja, gør det ondt over ribbenene, ja. Hendes indre detektor kørte ubønhørligt gennem hendes system, hver gang drønede den tilbage og meldte ja, ja, ja. Hun prøvede at uddrive det. Men hele tiden dukkede hans øjne op, hans latter, hun mærkede sin hånd i hans.

Hun blev flov. Ramte sådan noget én i alle aldre? Det gjorde det, og altid når man uforberedt og intetanende var kravlet ud af sit skjold med blød og følsom krop. Forelskelse, som blev en passion, virkede som havde man slugt en kapsel med et stof, der fremkaldte momentan sindssyge. Kapslen smeltede, og man mærkede hjælpeløst stoffet sive ud i kroppen.

»Ann, du er så stille,« sagde Sue og tog hende under armen. »Har du det ikke godt?« Ane nikkede. De blev lukket ind i hold. Mrs. Sutherland ledede rundvisningen. Hun var i blå spadseredragt med hat og viftede med sin Blenheim-brochure, så de kunne se hende. Artigt i rad og række gik de efter hende. Midt i den orientalske porcelænssamling, standsede Sue op og hev hende i armen.

»Vi gider ikke gå med de andre. Skal vi ikke gå på opdagelse selv?« hviskede hun. Hun stak sit lange velformede ben over en museumssnor. Der hang et skilt: »Privat, adgang forbudt«. Ane pegede på skiltet. Sue gav det fingeren og løb hen ad gangen. Ane fulgte efter hende. Mrs. Sutherland havde ikke set dem. De smuttede om bag et skab. Sue åbnede sin taske og fremdrog en lommelærke.

»Så skal vi have en lille en.«

»Hvad er det?« Ane snusede til den elegante sølvflaske med inskription.

»Screwdriver. Vodka og juice.« Ane tog en slurk.

»Det er mest vodka, hvad?«

»Hm.« Sue bundede. »Jeg får sådan uro her klokken elleve.«

De listede hen ad gangen, mens de beundrede malerierne. Der lød skridt. »Her,« hviskede Sue, åbnede hurtigt en dør, og de stod inde i et stort maghognibogskab. De fnisede og kiggede ud gennem revnen i døren. En dame i tweeddragt med en spaniel gik forbi. »Hertuginden,« hviskede Sue. De vendte sig om. »Her er også en dør,« fulte Sue. Hun åbnede den, den knirkede. Der blev lyst inde i skabet. En herre sad ved sit skrivebord og vendte sig lynsnart med et chokeret udtryk i ansigtet. Han var elegant, havde engelsk brillantinehår med skilning, næsten orientalske træk, selvom han var lys og hvid. Hans øjne lignede en gammel kineserkvindes, de var bare blå og meget hvælvede. Det er

Churchill-familiens øjne. Det er selveste The Duke of Marlborough. Ane stod som paralyseret. Sue gik ud af skabet, så sig om og slog sig for barmen: »Gud, det må De undskylde. Vi ledte efter damernes pudderværelse!«

Han rejste sig op i sin fulde højde, han var næsten to meter, tynd, elegant og meget irriteret. »Det her er ikke et pudderværelse. De er trådt ud af mit bogskab, og det her er min dagligstue.«

»Guud, så er De hertugen af Marlborough. Jeg har set hele Deres familie i tv, Deres yndige oldemor og Deres onkel Churchill. Vi er på rundvisning i Deres slot og vi er blevet væk fra vores gruppe. Undskyld.«

Mens Sue talte, gik hun hæmningsløst rundt i stuen og kiggede og undersøgte alt. Ane var på vej mod den dør, Duken pegede hen imod. En dame kom ind. Hun standsede forbavset op.

»Undskyld. Jeg vidste ikke, du havde gæster?«

»Nej, det har han ikke. Det må De ikke tro. Vi kom bare ud af skabet,« lo Sue. Ane stod i døren og prøvede hektisk at få Sue med.

»Der er så mange, der kommer ud af skabe i vore tider, ikke?« sagde hun for at være morsom. Hertugen af Marlborough blev glødende rød i hovedet. Sue slog sig for munden.

»Nej, det var altså ikke på den måde jeg mente. Jeg tror aldrig på, hvad de skriver i jeres smudsblade. Jeg hørte selv i tv, at det er en australsk redaktør, der bare er ude på at undergrave kongehuset. Det skal I ikke tage jer af,« sagde hun. Hun vinkede med tasken og blev hevet ud af Ane. Døren blev lukket bag dem. De hørte hertugindens høje engelske stemme.

»Jeg har sagt, der skal være mere sikkerhed på besøgsdagene.«

The Duke of Marlborough gentog: »De kom ud af mit bogskab. De kom ud af det satans bogskab.«

»Sikken et sprog de fine har,« sagde Sue og tog sin lommelærke, rystede den, drak de sidste dråber og gik leende hen ad gangen.

De gik fra rum til rum. Sue var tavs. Ane lagde forbavset mærke til de detaljer, Sue interesserede sig for.

»Se, det smedearbejde i de tunge låse. Forestil dig et arbejde. Se træværket, udskæringerne, så rigt, så rigt.« Sue lod sin skinnende plasticnegl følge låsens detaljer og linierne i panelerne. »Jeg elsker træ og træer. Der har aldrig været et træ, hvor jeg har boet. Jeg kan lide at holde om et træ.« De gik hen til vinduet og så ud i parken, der var så engelsk, så smægtende sødmefuld med gamle egetræer, med får på engen ned til søen og broen, som spejlede sig. »Havde vi haft sådan en slot hjemme i Texas, havde vi malet det hvidt. Men jeg kan godt lide, at det er sodet,« sagde Sue.

»Jeg har aldrig tænkt over historie før. Men man tør dårligt trække vejret, vel?«

Ane nikkede. De stod i den røde stue foran van Dycks maleri af lady Morton og mrs. Killigrew, der kiggede overlegent ned på dem. Mrs. Killigrew med en rose i hånden og et skråt irettesættende blik, som om de busede ind i hendes samtale med veninden. Mrs. Killigrew bar en sort kjole med sorte, vide ærmer foret med overdådigt gammelrosa satin. Lady Morton var dybt nedringet i stålgrå silke med bronzekniplinger. I baggrunden sås Blenheims grå mure.

»De holder afstand til deres kvindeverden,« sagde Ane. Sue nikkede.

»Smarte piger. Man skal ikke rende rundt og behage hele tiden. Det bliver man skør af! Tror du ikke, der er en bar? Jeg er ved at være tørstig af al den kultur.« Sues ansigt skiftede pludselig udtryk, som om nogen havde zappet et seriøst program væk. Nu var der gang i reklamerne igen.

Der var ingen bar på Blenheim. Det var begyndt at støvregne, da bussen svingede ud ad indkørslen. Ane fik det sidste glimt af slottet. Slottets tage bestod af små tempelagtige søjlebygninger, som om der var en helt anden verden oven på selve slottet. Et fikserbillede, hvor det skjulte træder ud, og man må gøre sig umage for at få det til at forsvinde igen. Hun lænede sig tilbage i bussens højryggede plyssæde. Bussen lugtede af gammeldags rutebil og benzin. Hun så på sit ur, klokken var fem. Der var festbanket klokken otte. Tre timer til hun så ham igen. Hendes hjerte bankede vildt, og hun prøvede at fortrænge billedet af hans ansigt, hans øjne. Men det ville ikke forsvinde.

Ane lagde kjolerne på sengen. Hun havde valgt to ud. En pink thaisilkekjole med flammet mønster og store ærmer. Den var smuk med den brusende nederdel og det draperede bælte. Hun holdt den op for sig og tænkte på fru Marboes danseskole i Bakkegårdsskolens gymnastiksal. De tykke piger med de klamme hænder havde altid haft røde fløjlskjoler på, som deres mødre havde valgt som et SOS-signal. Den anden kjole var i slangemønstret silkejersey. Den var stram, nedringet, syet i en lille modeforretning i Nice. Den havde kostet en formue, og det var en af de eneste kjoler, Johannes havde foræret hende. Hun hængte den ind i skabet. Når hun havde den på, vakte hun opsigt. Det havde hun ikke lyst til i aften.

Kongressens mænd var overstadige, da selskabet samledes i hallen foran universitetets spisesal, hvor middagen skulle afholdes. De havde været på pub efter dagens besøg på engelske fuldblodsstutterier, og der var gået skoledrenge i dem. Ane mærkede det med det samme, da hun kom ind i hallen. Det var, som om luften var ladet op. Mændene havde været længe sammen i deres mandeverden. Det satte åbenbart sus i hormonerne, kvinderne var på vagt. Konerne kendte ikke hinanden godt nok til at etablere et kvindehierarki. Kvinderne sendte usikre signaler frem og tilbage gennem luften. De havde allerede pejlet Sue ud, men signalerne vendte negativt tilbage uden farelyd. Sue havde kastet sig over en ungkarl, som oven i købet var universitetsoriginalen. Han lignede Fidel Castro med klogebriller. På vej rundt ved Johannes' arm mærkede hun, at konernes signaler også ramte hende. Det generede hende, for deres vedvarende uhørlige tikken sagde tydeligt, at der i dette rum var mere end én kvinde på jagt.

Oxfords ceremonimester bankede med sin stok i gulvet og annoncerede gæsterne par for par. Ane så overrasket på festbordet, ingen dug, ingen servietter. Tallerkenerne stod direkte på bordpladen, ingen blomster. Langs væggen stod den mærkelige hær af tjenere, et par af dem havde ar i ansigtet som efter et knivslagsmål. Selskabet ventede på, at gæsterne ved hovedbordet skulle komme ind. Ceremonimesteren bankede med sin stok. Dr. O.R. Bryant fra Colorado. Han stod i døråbningen. Den eneste som ikke havde smoking på, men blåt tøj med sølvslips. Hans øjne søgte Anes, fandt dem og smilede, så satte han sig til bords ved siden af Oxfords rektor og formanden for den engelske dyrlægeforening.

Tjenerne begyndte at servere. Ane havde en fransk dyrlæge til bords, han hævede øjenbrynene.

»Besynderlige bordskikke, hvad?« Han værgede for sig, da tjeneren klaskede en tallerken suppe ned på bordet, så suppen skvulpede over. »Kan De se nogen serviet?« Ane rystede på hovedet og så op på dr. Bryant. Han så opmærksomt på hende, som om han havde læst hendes tanker. Han kiggede også efter servietten, lod som om han havde fået suppe på fingrene, tørrede dem i tøjet og i håret, mens hans ansigt flækkede i et grin. Oxfords rektor så skarpt og irriteret på ham. Dr. Bryant fortsatte uanfægtet sit klovnenummer. Ane dukkede sig pinlig berørt over sin tallerken. Hun turde ikke mere se hen mod bordenden. Det var tydeligt, at hun havde den effekt på æresgæsten, som piger altid har haft på de drenge, som ville vise sig.

En englænder over for hende tog sit lommetørklæde ud af ærmet og duppede sig om munden. I samme øjeblik greb dr. Bryant, der var fuldstændig ligeglad med rektors stirrende øjne, sit lommetørklæde og viste sit nye mimenummer: Engelsk gentleman dupper sig feminint med sit lommetørklæde.

Ane begyndte at le. Manden var gal, men en genial klovn. Hun kæmpede for ikke at hoste suppen ud. Franskmanden stirrede, og Ane rodede rundt med sin ske i suppen. Det her ender i skandale, tænkte hun. Hun kæmpede med et latteranfald, som åbenbart ikke ville stoppe.

Nu havde Johannes også fået øje på hende. Hans øjne cirkulerede hurtigt rundt om bordet og stoppede ved dr. Bryant, som ufravendt og indtrængende så på Ane. Johannes fulgte hans øjne som et spotlight og opdagede chokeret, at dr. Bryant og Ane kun havde øje for hinanden.

Middagen varede tre endeløse timer. Talerne med indflettede anekdoter var begavede. Maden var umulig, sidste ret var Welsh rarebit, en toastsnitte med smeltet ost og benfri sild.

Selskabet rejste sig for at indtage kaffen i biblioteket. Johannes rejste sig i sin fulde højde, gik rundt om bordet og stillede sig bag Anes stol. »Du morede dig godt, hvad? Vi sidder sammen til kaffen.« En hånd lagde sig på hans skulder. Den engelske dyrlægeforenings distingverede formand med de hvide krøller stod foran ham. »Vores æresgæst har udbedt sig den ære at sidde ved siden af din kone til kaffen, beklager, gamle ven.«

Johannes stirrede rasende på Ane, der med bankende hjerte, fuld af dårlig samvittighed og frydefuld forventning blev ført af sted af mr. Sutherland til pladsen ved siden af dr. Bryant.

»Så har jeg gjort, hvad jeg kunne, Bob, din slemme dreng,« lo mr. Sutherland. Johannes stod i døren som en hævnens engel. Ane så på ham, man vidste aldrig, hvad han kunne finde på.

»De hedder Bob?« Han nikkede.

»Ora Robert Bryant. Bob og Ann – jeg kan ikke udtale dit danske navn,« sagde han pludselig alvorligt, og han så på hende så ømt og oprigtigt forelsket, at Ane følte det, som hendes hjerte bristede. Det var det eneste ord, som kunne bruges. Hendes hjerte bristede som i folkeviserne og eventyrene. Hun lagde sin hånd op på bordkanten for at støtte sig. Han lagde sin hånd lige ved siden af hendes uden at røre den, men hun mærkede strålevarmen fra hans mærkelige luffeagtige hånd. De lod hænderne ligge på bordet og sagde ingenting.

Johannes lukkede døren bag dem. Klokken var elleve. »Vi tager af sted i morgen,« råbte han. Han gik hen til Anes skab, hev hendes kjoler ud, trampede på dem. Ane så på ham uden et ord. Hun ville ikke forsvare sig. Det var jo slut. Men hun og doktor Bryant havde ikke rørt hinanden. De havde bare talt sammen. Efter kaffen havde Johannes hentet hende. Bob havde rejst sig uden et ord. De to mænd så hinanden i øjnene, og så var Ane og Johannes gået.

Hun samlede sine kjoler op. »Du er latterlig. Jeg talte bare med ham.« Han smækkede døren i til det lille kammer, hun havde valgt at sove i. Hun klædte sig af og gik i seng, men lå vågen i mange timer. Ved tretiden faldt hun i søvn, men vågnede med et sæt. Nogen bankede på vinduet. Hun for op: »Var det ham?« Ude på tegltaget sad Sue skidefuld og svingede med benene ud over tagrenden. Der var mange meter ned til gården med de toppede brosten. »Sue, er du rigtig klog?« Ane åbnede vinduet med forsigtighed.

»Døren til et af de gamle lokummer gik i baglås,« lo hun. »Godt man har optrådt i rodeoer, jeg er stadig i form.« Hun svang sig ind ad vinduet. »Hvor er Jerry?« hviskede Ane.

»I seng formentlig, mens han beder for min forhærdede sjæl, og han siger det til sin mor, når han kommer hjem, og jeg får også en på låget,« sagde Sue og gik med usikre skridt hen mod døren.

»Jeg følger dig. Jeg skal nok sige, at jeg fandt dig på toilettet,« sagde Ane solidarisk og støttede hende. »Nej, nej. Den klarer jeg selv. Så du, jeg fik fat på Fidel Castro? Han har skrevet et digt til mig. Jeg får det i morgen.«

Sue stod uden for sin dør og bankede. »Jerry, skat. Det er mig.« En muskuløs, behåret arm hev hende ind. Ane ventede lidt. De råbte, så blev der stille. Ane gik ind i seng. Inden hun sov, kiggede hun ned i universitetsgården. Det var fuldmåne, og skyggerne stod skarpt aftegnede. Det gamle universitet var hele tiden fuldt af lyde, knagen, klapren, lette trin, døre som lukkedes op og i. Klokken var halv fire om morgenen. »Dette sted er et urocenter, når her kommer frie sjæle på besøg,« tænkte Ane. Alt går amok. Hun krøllede sin pude sammen og prøvede at sove, men hun blev fyldt af så stor en frihedstrang og oprørsfølelse, at hendes hjerte hele tiden slog ekstra slag, og hun kunne tydeligt høre sin puls i øret.

KAPITEL 8

»VI REJSER,« SAGDE Johannes og åbnede døren.
»Jeg vil sige farvel først.« Ane rejste sig fra sengen og svingede benene ud.

»Du bliver her,« sagde han. Aldrig havde hun set ham sådan. Han som altid var betragtende, altid kontrolleret. Han plejede at gå langt uden om konfrontationer. Han kunne vente, nærmest gøre sig usynlig, så hans omgivelser ikke mærkede, at de blev puffet på plads i det mønster, som passede ham.

Der var morgenmad klokken ni. Johannes var på kontoret for at ændre deres rejseplaner. Ane gik ind i spisesalen, hvor de morgenduelige dyrlæger fik serveret fedtkogte æg, sejt bacon og sort te af tjenerne, der af en eller anden grund var meget opstemte denne morgen.

Bob var der ikke. Sue og Jerry kom gående kærligt med hinanden i hånden. Jerrys lykkelige, glatte ansigt tydede på, at han var klar over, at det hele havde været en misforståelse og at Sue havde forstået at trøste ham i studerekammerets smalle egetræsseng.

»Der er ballade. Vi rejser i dag.« Jerry stod med lukket, forarget ansigt. Han trådte et skridt tilbage i sin amerikanske sydstatsmandeverden, hvor mænd blev forurenet af at høre på damesladder. »Har du sagt farvel?« Sues øjne var opspærrede. Ane rystede på hovedet.

»Jeg kan ikke finde ham.«

De blev tavse. Dr. Bryant kom gående over gården direkte mod dem.

»Kom, Jerry,« sagde Sue, tog et tag i sin mand, der kort og kejtet hilste på dr. Bryant, inden han blev slæbt over mod spisesalen af solidariske Sue.

De stod over for hinanden. »Jeg rejser i dag. Farvel,« sagde Ane og rakte hånden frem. Han så afventende ulykkeligt på hende som om hun var et skridt foran ham.

»Hvad nu?« spurgte han næsten som et barn.

»Vi ses måske til en anden kongres?« Anes hånd lå i hans. Hun kunne ikke trække den til sig. De så længe på hinanden. Ane fornemmede, at der blev set på dem fra vinduerne, fra spisesalen, fra gården.

»Til helvede med dem,« sagde han lavt og holdt hendes hånd fast.

»Kender du country og western-sange?« spurgte han med et skævt smil. Hun nikkede. »I dag har jeg opdaget, at indholdet i dem er de sandeste ord, jeg nogensinde har hørt.« Han knugede Anes hånd. Hun mærkede, at hun var ved at græde og så chokeret, at han også var det. Ane trak hånden til sig, som om hun havde brændt sig. Hun følte sig igen på farligt område, et følelsernes minefelt. Hun tog en seddel op af lommen og skrev lynhurtigt sin mors adresse ned.

Johannes var på vej over gården med deres kufferter. Hun gik over til sin mand. Johannes så ikke en eneste gang over mod dr. Bryant, gik bare foran med kufferterne, smed dem ind i bilen. De kørte ud ad indkørslen, og hun så sig ikke tilbage.

KAPITEL 9

»ER DU HELT sikker på, at der ikke er kommet et brev, der ligger og roder et eller andet sted?« Ane løb bunken med postkort, kuverter, regninger og gamle opskrifter igennem. Jonna, Anes mor, kom ind fra køkkenet i en sky af pandekagelugt.

»Har du nu lavet pandekager igen. Jeg behøver ikke at spise, hver gang jeg besøger dig, mor. Kom nu og sæt dig.« Hun hev sin mor i forklædet. Hendes mor trippede for at komme ud i køkkenet til pandekagerne. Hun stod altid på spring for at opfylde et eller andet ønske fra sin krævende familie.

»Hvad har du nu rodet dig ind i?« sagde Jonna og så bekymret på sin datter. »Jeg skal lige slukke.« Hun forsvandt ud i køkkenet igen. Ane satte sig ned.

»*Hjemmet* er kommet,« råbte Jonna fra køkkenet. Ane tog det og bladede det igennem. Hun var skuffet over, at der ikke var noget brev. Jonna kom ind med en bakke med pandekager, syltetøj og sukker. Ane kunne ikke lade være at le. Det var altid som en returbillet til en gammel dansk film at komme hjem til Jonna. Ane havde været huset rundt for at lede efter brevet. Hun havde været overbevist om, at det var der. Han havde sikkert skrevet, så snart han kom hjem. Hun havde kunnet mærke det flyve hele vejen fra USA. Hun kunne omtrent læse, hvad der stod, og så var det der ikke!

Efter faderens død så Ane med glæde, at moderen var ved at få et helt nyt liv, selvom opvartningen af familien sad i hende som en rygradsrefleks. Når hun så sine børn, børnebørn og familie, skulle de åbne næbbet automatisk, så hun kunne putte noget ned i det, ellers blev hun urolig.

Børnene elskede deres bedstemor. Hun var som taget ud af en billedbog. Blid og blød med store bryster i spinlenekjoler, lugtede af 4711 og suppe. Altid rolig, altid tolerant og lattermild, til trods for at hun var godt foranket i sin barndoms tro, indremission. Hun havde bare sluppet den fordømmende og hårde linie. Hos Jonna og hendes søster, Karen, var de indremissionske holdninger blevet blødt op. Men de to kvinder var altid trygge i Guds hånd. Gud greb altid ind og reddede dem, det vidste de. Forbavset havde Ane set, hvordan hendes morbror døde. Han satte sig op i sengen på hospitalet og sagde høfligt: »Undskyld, at jeg ikke har været som jeg burde. Vil I gerne synge *Ingen er så tryg for fare.*« Moderen og mosteren havde åbnet deres salmebøger og sunget med klare stemmer, så lagde han sig ned og døde. Ane havde dårligt kunnet komme sig over oplevelsen, ren voodoo, og hun havde ligefrem været bange for sin mor og sin moster bagefter. Hvad var det for kræfter, de havde? Hun havde altid skyldbevidst følt, at hendes mor var så anderledes, en anden race. Faderen havde været en stor personlighed, morsom og dominerende. Han havde sat sit præg på Ane og hendes søskende og havde omhyggeligt undgået at få børn med sine tidligere koner; der havde været to før Jonna. Da han traf hende, faldt hans biologiske ur i slag, og han planlagde sit afkom og programmerede det, så godt han kunne.

Moderens og faderens ægteskab havde været »forbilledligt«, sagde deres gamle huslæge, som var hos faderen, da han døde. Han havde krævet at få en gammeldags død hjemme, og det fik han. Jonna og Karen havde våget nat og dag. Han rallede, så man kunne høre det gennem hele huset ud på vejen. En lyd, som havde forfulgt Ane siden. Hun havde været ked af, at han ikke kunne komme på hospitalet og dø en almindelig død med sprøjter og hjælp. Men moderen og søsteren sad vagt. Hans vilje skulle ske, han skulle ikke flyttes. De bad og sang og holdt hans hånd. Ane så, at han tørstede. Han havde fået en hjerneblødning. Hun ville give ham vand, det løb ud ad mundvigen. Tungens overflade var hård og pigget som en kalvetunge.

»Mor, han lider, skal jeg ikke bare give ham nogle sovepiller?« havde Ane hvisket. Moderen havde set forfærdet på hende, skubbet hende væk og timerne med de forfærdelige lyde havde sneglet sig af sted. Til sidst havde han rejst sig op, var faldet forover, lungerne var sprængt, der kom meget blod. Moderen kastede sig ind til ham. De havde elsket hinanden højt i tredive år. Anes brødre trøstede moderen, holdt om hende, og Karen gik stille i gang med at ordne hans lig, professionelt gjorde hun, hvad der skulle gøres. Hun var gammel sygeplejerske med stor værdighed. Hun havde bedt dem om at gå ud, da det sidste skulle gøres. Bagefter kom de alle sammen op i værelset, hvor han lå, bleg og med en helt anden profil.

»Hvad synes du?« havde moderen spurgt, som om Ane skulle kommentere, om han så godt nok ud før begravelsen. Ane havde ikke vidst, hvad hun skulle svare. Hun havde aldrig forstået sin mors rolle i det ægteskab. Hun havde aldrig haft mor-problemer, mor-oprør, der var ikke noget at gøre oprør imod. Jonna var et helt andet væsen. Som lille pige havde hun lovet sig selv, at hun aldrig ville ende som sin mor, der altid tålte det hele, tav stille.

Nu forstod hun sin mor bedre. Hun havde lært hende bedre at kende efter faderens død, og hun så, at moderen havde valgt sit liv, arbejdet hårdt for at få de ting og den tilværelse hun ville have, og det var lykkedes for hende i al stilhed.

»Hvordan har børnene det?« sagde Jonna konverserende, da Ane havde sluttet sin detaljerede beretning om sit Oxford-eventyr. Jonna ville tale om noget andet, begivenhederne foruroligede hende. Når Ane var gået, vidste hun, at der ville gå to minutter, så ville moderen gå ind og ringe til sin søster og fortælle det hele. I en halv time ville de have herlig underholdning og sige »uha, uha« med tryk på »ha« i jysk sprogtone. Jonna ville sikkert fortælle historien om dr. Bryant og brevet på den uforståelige Lemvig-dialekt, som Ane og hendes brødre aldrig havde forstået et ord af. Ane var ligeglad. De to søstre var en symbiose og hemmeligheder kom aldrig videre. De cirkulerede bare fra Gentofte og til Florsgade.

Ane rejste sig langsomt, cementeret af pandekager og syltetøj.

»Når brevet kommer, så kan du bare ringe. Vi kan aftale, at du siger: »Kasimir er landet«, ligesom i brevdueforeningerne.« Hun lo overtalende til sin mor og tog om hende. Jonna blev rød i hovedet og kiggede ned i jorden.

»Det vil jeg ikke,« sagde hun stille. Ane hørte den jyske, stædige undertekst: »Det ve' a ett.« Når moderen kom i det hjørne, var der intet at gøre. Hun kunne godt opgive.

»Så kommer jeg selv og kigger hver tredje dag,« sagde Ane, tog sin taske og gik ud ad døren. Moderen stod på trappen og så sin smarte datter gå ned og sætte sig ind i bilen. Ane havde tøj og den slags makeup på, moderen aldrig ville have vovet at bruge. Hun vinkede til Ane, til hun ikke kunne se hende mere, så gik hun ind, tog forklædet af. »Uha, uha,« hviskede hun for sig selv, satte sig i medaljonstolen ved det lille sybord, tog telefonen og drejede sin søsters nummer.

Efter tre uger var der stadig intet brev. Ane var ved at blive skør. Det var hendes mor også. Ane, der led under ydmygelsen, havde fået en tvangstanke. Havde moderen taget brevet og smidt det væk i hellig indremissionsk forargelse? Men mens hun tænkte tanken, vidste hun klart, at det ikke passede. Ingen havde nogensinde kunnet gribe Jonna i en løgn. Ane var ved at skaffe sig en undskyldning for selv at skrive. De havde jo ikke aftalt at skrive sammen, ikke med et ord. Hun havde bare troet så bestemt, at han ville. Det var ydmygende. Hvad nu hvis hun aldrig hørte fra ham? Hun var anspændt, tabte sig, svarede ukoncentreret, levede i sin egen forelskelses verden. Jacob var den første, som mærkede forandringen.

»Hvad er der nu, mor? Du har været så underlig, siden du kom hjem fra England!«

»Jeg har bare travlt med research til min bog,« sagde hun undvigende. Jacob begyndte at betragte hende, og hun sørgede hele tiden for at holde sig i gang med et eller andet i huset, så hun ikke faldt hen, som Jonna beskyldte hende for.

Johannes var glad. Hendes manglende opmærksomhed virkede som en opmuntrende indsprøjtning. Ane konstaterede ligegyldigt og lettere irriteret den forudsigelige psykologiske reaktion. Når hun var ligeglad med ham, huskede han at ringe hjem. Han glemte ikke sine aftaler og møder og mødte nogenlunde præcis på klinikken. Alt gik stille og roligt, så længe hun ikke forventede noget af ham. Han vendte hjem og fulgte hende uden at sige så meget. Johannes ville gøre alt for hende, undtagen det hun bad ham om. Henrik kendte hans mekanismer ud og ind, men nægtede som Ane at spille Johannes' spil, selvom det kunne have gjort deres samarbejde ukompliceret. Johannes viste engageret, venlig interesse, når man skubbede ham væk. Han talte, når man forholdt sig tavs, og kom nærmere, når man holdt ham på afstand. Hun kunne ikke leve med de konflikter mere. Det gjorde hende syg at undertrykke sin egen spontanitet, sit eget behov, sine egne ønsker.

En nat vågnede hun med et sæt. Det var som en kalden. Uden skyldfølelse, uden tvivl stod hun op, gik ind på sit kontor, låsede døren, satte papir i maskinen og begyndte lykkeligt og med bankende hjerte at skrive brevet til dr. Ora Robert Bryant i Colorado.

Kære Bob!
Jeg skriver til dig, fordi det er blevet vigtigere for mig at skrive dette brev end at føle mig afvist, hvis du ikke svarer på mit brev. Det er den 14. oktober 1975. Jeg tror ikke, at jeg nogen sinde vil glemme denne dag, for jeg føler, at jeg er ved at gøre ting, som jeg aldrig før har gjort.

Det er et strålende oktobervejr – i Danmark det første tegn på frost i luften. Hver morgen løber jeg med vore hunde i Charlottenlund Slotspark. Charlottenlund Slot er hvidt, omgivet af store bøgetræer, som nu har fået efterårets farver. Men i år er det et blegt efterår. Ved du, at der er forskel på efterårsfarverne fra år til år? I morges krøllede de visne blade, og den første frost var næsten til at høre som en svag, sprød, skælvende tone.

Da vi kørte fra Oxford, lagde vi turen gennem Frankrig, hvor jeg købte en ny spaniel. Han er sort og hedder Intrepide. Det betyder 'Den uforfærdede' på fransk.

Mens jeg skriver dette brev, føler jeg, at jeg har taget hans navn »Den uforfærdede« på mig som en kappe. Jeg har aldrig mødt en mand som dig! Mere er der ikke at sige!

Kærlig hilsen Ane

Hun sendte brevet næste morgen. Fem dage efter kom svaret. Hun vidste det, kørte med bankende hjerte over til sin mor. Denne gang var det der. Svimmel og med tunge ben gik hun forbi sin mor, der uden et ord åbnede døren.

»Hvor er det?« spurgte hun. Jonna betragtede Ane med et smil, da hun for rundt i stuerne.

»Tampen brænder,« sagde hendes mor.

»Det gør du ikke, mor, det har jeg ikke nerver til,« råbte Ane.

»Tampen brænder på ryggen.« Ane vendte sig. Dér lå det ved telefonen, en aflang kuvert af tykt gulligt papir. Udenpå stod Colorado State University. Hun tog det op, og hendes mor forlod stuen. Hun satte sig i karnappen ved sybordet, lukkede det op, men læste det ikke, så bare på skriften. Hans skrift var barnlige hoppende flueben, der dansede op til højre. En mand, der var vant til at bruge kirurgens værktøj med sikker hånd, men som altid havde holdt sine tanker for sig selv. Skriften skælvede, som om hans tanker stammede. Hun smilede, mens hun tænkte på hans kæmpe luffeagtige hænder, der skrev som en rystende, skrattende seismograf.

Kære Ann!

Jeg har vidst, siden vi sagde farvel i Oxford, at du ville skrive. Hvorfor varede det så længe? Jeg turde ikke. Jeg er ellers en modig mand. Du ved, jeg er gift. Jeg har altid vidst, at jeg lod, som om jeg var lykkelig. Jeg har været så ensom. Jeg troede, det skulle være sådan, når man var en mand. Alene med sine tanker, alene med sine længsler. Da jeg mødte dig, følte jeg det, som om jeg var et føl, der havde været lukket inde i den mørke stald og kun havde set lyset gennem det støvede staldvindue. Pludselig blev jeg lukket ud på marken i det klare solskin. Men det er også smerteligt, for nu har jeg været ude i solskinnet og kan aldrig mere være i stalden uden at pines, når jeg ser lyset gennem vinduet.

Har du været steder, hvor der var jordskælv? Det har jeg, og jeg kan sige, at det her føles ligesådan. To minutter før det begynder, bliver der tavst, lufttomt, en ubegribelig stilhed, og så begynder rystelserne. Isterningerne i whiskyen begynder at klirre.

Hvad skal vi gøre? Skriv, skriv. Nu er hvert minut kostbart. Pas godt på
dig selv og den lille møghund, som åbenbart har mere mod end jeg har.

Kærlig hilsen Bob

Brevene fra Colorado blev en mani. De skrev hver anden dag. Han
mødte om morgenen klokken syv på sit kontor på Colorado State
University, hvor han underviste i veterinær kirurgi. Det første han
gjorde var at skrive halvanden side til Ane. Han skrev altid i hånden.
Hun skrev til ham morgen, middag og aften på sin skrivemaskine,
samlede de mange sider hver anden dag og sendte dem. Hvert af hans
breve blev en brik i det puslespil, hun lagde af den mand, hun elskede,
langsomt så hun brev for brev lagene falde af, og der dannede sig det
billede, hvor de i deres forelskelses genkendelsesfase spejlede sig i
hinanden. Da der var gået tre uger, kendte de hinanden bedre, end
søskende kender hinanden. Brevene var en gensidig tankestrøm, hvor
de udvekslede erfaringer, følelser og begejstring.

»Nu ved jeg, hvad du er,« skrev han. »Du er en kvindelig Ora Robert
Bryant. Du er min åndelige tvilling. Det værste er, at jeg ikke kan
fortælle om dig til nogen. Jeg har lyst til at fare rundt på universitetet,
slå dørene op til mine kolleger, sætte mig på skrivebordet og fortælle
om dig. Jeg, der er en tavs mand. De er bange for mig her. Skal jeg være
ærlig, terroriserer jeg mine studenter. De kalder mig Old Red Ass,
Gamle Røde Røv. Jeg håber, det er på grund af mit fornavn, men har
mine tvivl. De har givet mig rollen som den gamle ondskabsfulde
hanbavian, der sætter hjørnetænderne i, hvis der er ballade i rækkerne.
En rolle jeg nyder. Mit speciale er kirurgi, som du ved. En langhåret
usoigneret student hører ikke hjemme i min klasse. Den første under-
visningsdag har jeg en barbermaskine i lommen, så tager jeg han-
bavianen på, skyder kæben frem, rynker brynene, går ind i klassen og
udser mig den mest provokerende, langhårede student. Han sidder
med et frækt smil på. Rygterne er gået i forvejen. De andre sidder og
stirrer ned i bordfladen. Jeg går et par gange rundt om ham som et
bytte. Han sveder, og når han begynder at rødme, knalder jeg barber-

maskinen ned på bordet, så han er ved at skide i bukserne, og så fortæller jeg ham om kirurgens hygiejne.

En dag sad der en fræk, provokerende fyr. Jeg kaldte ham ned på mit kontor. Der gav han mig et fint foredrag om, hvor autoritær jeg var, hvor gammeldags og hvor lidt folks udseende betød. Det der betød noget, var hvor følsomme, socialt bevidste og begavede de var. Jeg gloede intenst på ham, så sagde jeg med lav stemme: »Undskyld, jeg har villet sige det til dig længe. Du har en bussemand, der hele tiden sidder og vipper i dit højre næsebor.«

Hans hånd for op til næsen. Jeg lagde mig tilbage i min stol og grinede: »Og du siger, at udseendet ikke betyder noget. Jeg kunne overhovedet ikke koncentrere mig om det, du sagde!« Han rejste sig op, løb ud, knaldede døren i. Da jeg kom ind i klasseværelset næste dag, var han klippet og barberet. Vi udvekslede et forsoningsblik. Behøver jeg at fortælle dig, at der ikke var nogen bussemand i tølperens ansigt. Sådan er jeg, sådan kan jeg være. Men efter jeg har mødt dig, er jeg ikke længere mig selv. Jeg bliver skræmt, føler mig hudløs. Mine følelser trænger sig på. De vil ud, og de er begyndt at sive. Jeg tør næsten ikke skrive det. Jeg har ikke grædt, siden jeg var dreng.

Min familie var fattig. Far var sælger, vi boede i en lille landejendom, noget forfaldent lort. En svindler havde solgt os huset. Far og mor troede, det var drømmehuset, de havde købt. De havde sparet op i mange år. Det lå så langt væk, at de havde købt det ubeset. Stolede bare på den forbandede ejendomsmægler. Vi kørte i dagevis, før vi holdt udenfor. Der stod et skur på misligholdt jord midt ude på prærien. Min mor græd. Jeg var syv år. Jeg kan huske, jeg skar mig en majspibe, stak den i munden, gik ind foran det skårede spejl i entreen, lavede ansigter og prøvede at ligne Skipper Skræk, der var min helt.

Da jeg var ti år, kom jeg ud at tjene på en gård. En dag strøg min kammerat og jeg en tændstik og smed den ned i en tør benzindunk for at få lidt gang i den. Den eksploderede, og mit ben blev ramt af stikflammen. Jeg blev båret over i mit værelse bag staldene med en tredjegrads forbrænding. Dér lå jeg med smerterne helt alene. Jeg prøvede med Skipper Skræk, det hjalp ikke. Der kom ingen læge, det var der ikke råd til. Konen på gården så ind af og til, men da mit ben begyndte at lugte, var hun ved at brække sig og stillede min mad uden for døren. Den eneste, der var hos mig, var min kat. Jeg græd kun, når ingen så det. Katten lå stille og betragtede mig, mens den spandt. En amerikansk dreng med min baggrund græder ikke, når han er ti år. Det er kun tøser, der græder. En dag kunne jeg stå ud af sengen, men benet var bøjet i arvævet. Jeg humpede ud, og en gammel cowboy smurte noget hestesalve på. Jeg skiftede Skipper Skræk ud med John Wayne, og han dannede en ramme i mig, en ramme af stål, som en bøjle jeg hænger på.

Når jeg kører bil på motorvejen, hører jeg musik, blid musik og country og western. Men jeg ser med forundring i spejlet, at mine øjne løber over. Jeg sidder og tuder og snotter. John Wayne inden i mig har for længst vendt sig bort for at brække sig. Mit nye mærkelige jeg tager ugenert en kleenex, og jeg dupper fandeme øjnene.

Da Ane havde grædt over brevet med beskrivelsen af hans barndom, gik hun straks på jagt efter billeder af John Wayne. Hun skrev over dem alle sammen:

Kære Bob!
Jeg sender dig en hilsen. Jeg er kommet på plejehjem, hvor jeg hører hjemme. Jeg har det godt her i Happy Valley, hvor jeg morer mig med de andre gamle drenge. Vi skyder til måls efter konservesdåser, spiller sorteper, tager sjovt tøj og cowboyhatte på. Vi taler også vores eget indforståede sprog ud ad venstre mundvig. Der er heldigvis ingen kællinger på mit plejehjem, kun nogen der gør rent og serverer vores bøf og æbletærten. Når de serverer, trækker jeg i deres forklædebånd, så det går op, helvedes morsomt. Men jeg bliver på plejehjemmet, Bob. Jeg kommer aldrig mere tilbage til dig. Med hilsen og håndslag, John.

Da svaret kom, var det en kæmpekuvert med et stykke papir i plakatstørrelse. Der stod kun to ord: »*Oh, Ann*«, og så var der en lille kvist med indtørret lav. Hun viste kvisten til en amerikansk veninde, der drejede den i hånden og sagde »sagebrush« – den lave tørre busk som gror på prærien.

Ane kunne ikke holde mund. Da hun fik brevet med barndomshistorien, bankede hun på Jacobs dør. Han lå på sin seng og læste, som sædvanlig med hundene over sig. Hun satte sig ned og fortalte det hele. Han hørte på hende. Hun så med smerte alle følelserne glide hen over hans ansigt, kærligheden til hende, usikkerheden, den dårlige samvittighed over for Johannes og det humoristiske og vilde der var i at have en mor som hende. Hun faldt ned fra mor-piedestalen, og hun genrejste sig som noget andet. Da hun havde fortalt det, fortrød hun det, men hun vidste samtidig, at hun måtte gøre det. Hun ville også fortælle Carsten det på et tidspunkt. Hun var så tæt på sine sønner, at hun ikke kunne lyve for dem; delte hun ikke sit liv og sine tanker med dem, ville hun føle sig som en dårlig mor. Selvom hun vidste, at nogen ville tage afstand fra hende, fordi hun væltede sine følelser og problemer over på to drenge i den følsomme alder. Da hun havde fortalt det, og Jacob begyndte at spørge om Bob, så hun i en vision sine kommende svigerdøtre sidde og skrive læserbreve til Alt for Damerne om, hvorledes deres svigermor havde ødelagt deres mænd ved for tidligt at indføre dem i kvinders træske verden i stedet for at holde sin kæft.

Brevene blev til bånd. Han sendte to bånd om ugen. Nu kom der lydkulisser på. Der var bilstøj fra motorvejen, når han indtalte båndene i bilen. Der var lyde fra operationsstuen, hestevrinsk fra staldgangen, når han gik runde på operationsgangen, hvortil Amerikas dyreste væddeløbs- og sportsheste blev sendt for at komme under hans kyndige hænder. På det sidste bånd han sendte hende, spillede han guitar og sang med Bing Crosby-røst *For the Good Days*. Hun hørte båndet og lo og lo. Han var så genert, det var som at høre en amatørforestilling fra Sandvig Badehotel. Men det forhindrede hende ikke i at stille sin båndoptager op på klaveret og indspille klassiske stykker, som han ikke forstod. Men da hun indspillede »Falling Leaves« med triller, gik den rent ind.

En dag sagde han på båndet: »Jeg må tale rigtig med dig. Ring til mig klokken syv på universitetet, så er klokken tre i Danmark. Ring onsdag. Jeg sidder oven på telefonen.«

Ane gik i tre dage og vred sig. Det havde været naturligt at skrive. Hun havde altid udtrykt sig skiftligt. Det havde været som en leg, en intellektuel leg, en bytten identitet. Båndene var underholdning. Men en rigtig samtale, en dialog med svar og spørgsmål. Det var farligt. Ordene var der. Man kunne skrive kladde til et brev, et bånd kunne spilles over. Ordene blev hængende i en samtale. De kunne gå ind og gøre ondt. De kunne blive opfattet forkert. Sproget, betoningen. Hun følte sig pludselig fanget og vendte tilbage til sine omgivelser på en hurtig visit.

Hun satte sig selv i gang med et familieprogram, så hver dag blev udfyldt, breve blev besvarede, der kom orden i rodeskabene. Hun bagte til dybfryseren, drak te med børnene, talte hektisk i telefon, og onsdag kom nærmere og nærmere.

Tirsdag aften besluttede hun sig til at tage hen til Carsten, som boede i den lejlighed, hans fars nye kæreste var flyttet fra. Irene, Carstens kæreste var der også. Irene var Carstens første store kærlighed. De var 18 og 17 og holdt sammen som et ægtepar i sølvbryllupsalderen. De sagde »vi« og tog fælles beslutninger. De var ikke et sædvanlig forelsket, sammenklistret par, som ustandselig kyssede og krammede. Ane så dem sjældent røre ved hinanden. Vi er sammen, stod der på et usynligt skilt foran dem.

Da hun sluttede sin beretning om, hvad der var ved at ske med hendes og Johannes' ægteskab, og hvem der var årsag til, at hun havde besluttet sig for separation, blev der stille. Carsten og Irene udvekslede blikke som et forældrepar, der får en ubehagelig meddelelse af et barn, en meddelelse de måtte tage i stiv arm. Ane følte opgivende sin egen situation. Tænk, hvad hun havde budt sine børn! Carsten sagde logisk: »Men det kan da ikke komme som en overraskelse for dig, at Johannes er sær, det har han da været altid.« Irene sad i den anden stol i sin sweater og cowboybukser, hun rystede sit tykke røde hår og smilte sit sjove, skæve smil, som fik hendes øjne til at blive små streger.

»Johannes er den eneste anarkist, jeg nogensinde har kendt.« De forstod godt, hvorfor det ikke gik med Johannes.

Det var præcist, det sagde næsten smæld, som når en luftbøsse rammer en skydeskive.

»Hvad sker der så nu?« spurgte Carsten.

»Jeg skal tale i telefon med ham i morgen,« svarede Ane og rødmede dybt. De så på hende og begyndte at le.

»Altså, mor,« sagde Carsten. »Tror du ikke, du foregriber begivenhedernes gang.« Ane vred sig på stolen.

»Jo, men jeg ville altså bare sige det.« Hun gik lettet ud med et usynligt klap på hovedet af det unge par. Hun havde dog været ærlig, og de stod tilbage og vinkede til hende fra vinduet, lettede over at hun skred ud af deres hyggeverden.

Onsdag klokken halv tre stod Ane ovre hos sin mor, der denne gang stod parat med æbleskiver i pyramide.

»Tag nu et par stykker, inden du ringer,« sagde hendes mor overtalende.

»Nej, jeg kan ikke, måske får jeg en galt i halsen og kan ikke tale med ham.« Hendes mor gik hovedrystende bort med æbleskiverne.

Hun havde sagt til sin mor, at hun ikke skulle være nervøs over telefonregningen. Moderen så misbilligende på hende. Familien i Jylland havde selv haft en bror i Canada. De havde aldrig ringet til ham, det var for dyrt. Han havde sådan ønsket at komme hjem. Han var ældste søn på gården og havde gjort en pige gravid. Bedstefar ville ikke have skammen hængende over den indremissionske familie i Lemvig, så han kørte ham ned til et skib, og Hans Peter måtte vinke farvel. Han sendte kort og billeder af sig selv som ridende politibetjent, fik en lille farm i Alberta og døde senere. Men aldrig om de havde talt med ham i telefon, sagde moderen bebrejdende.

Ane så på det skrevne nummer foran sig, så på uret. Nu var den fem minutter i tre, så var den fem minutter i syv derovre. Hun drejede nummeret. Den amerikanske ringetone var vibrerende, vedholdende, dæmpet. Anes hjertebanken steg. Et sekund efter lød en stemme:

»Bob Bryant. Ann, det er godt at høre din stemme.«

»Jeg var bange for, at du ikke var der.«

»Jeg har ligget oven på telefonen siden klokken fem,« lo han. »Jeg ville have haft min sovepose med, men det havde vakt for meget opsigt. Hvad sker der dog? Jeg er 15 år igen. Lige før du ringede, var jeg bange for, at du ville grine af, at min stemme er i overgang.« Ane lo.

»Ja, jeg ringer i hemmelighed fra min mors telefon og står med hovedet bag hendes potteplante, for hun kommer hele tiden ind og ser bebrejdende på mig. Kan du huske, hvor gamle vi var, før vi blev angrebet af det her vanvid?«

»Mind mig ikke om det. Jeg var 52 år og bedstefar, gift i 30 år. Men nu er jeg 15 år. Hvordan kan en 15-årig knægt klare et professorat? Det bekymrer mig en hel del. Men på den anden side, når vi nu har været en tur i tidsmaskinen, så skal vi fandeme også have noget ud af det!«

Ane havde frygtet, at de ikke ville ane, hvad de skulle sige til hinanden, og nu var de allerede hinandens bedste venner, to børn på pjækketur fra virkeligheden, vild flugt ned ad gaden. Ane kunne omtrent se ham tværs gennem telefonen. Det store smil, som nærmest flækkede hans ansigt, smilerynkerne, de grå øjne, som var illumineret indefra, og de kæmpe øjenbryn, som groede vildt som marehalm.

»Dine breve er det smukkeste, jeg har læst. Jeg læser dem om og om igen. Forleden var jeg ved at få en bøde. Jeg holdt for rødt, tog dit brev op. Jeg hørte ikke, de tudede i hornene rundt om mig. Der kom en betjent og spurgte, hvad jeg troede, jeg lavede. Jeg sagde sandheden, viste ham brevet, sagde det var et kærestebrev og at jeg var helt vild.«

»Åh nej, om lidt står det i avisen,« råbte Bob.

»Nej, betjenten sagde, at når man havde det sådan var man ikke egnet til at køre i trafikken, jeg skulle køre hjem med det samme og forholde mig i ro.«

»En klog og erfaren mand. Herovre havde de givet dig en kæmpebøde og bagefter spurgt, hvad du skulle lave i aften? Ann, kan du ikke tage bussen eller toget, jeg bryder mig ikke om, at du kører bil i en by, hvor jeg ikke har styr på trafikken. Hvad hvis der sker dig noget? Hvad skal jeg så gøre? Her står jeg 15 år gammel. Om lidt skal jeg ind og undervise, holde foredrag, og prøve at lade, som om jeg er mit gamle jeg, så ingen opdager svindelen.«

Ane blev pludselig bevæget. Det havde været et pres. Hun var lige ved at græde. »Ann, du må ikke græde. Jeg kan ikke tåle det. Jeg tager den næste flyvemaskine.«

»Nej, du gør ikke. Vi må have en plan, vi kan ikke ødelægge noget for nogen, fordi vi er blevet momentant sindssyge.«

»Jamen, jeg må se dig. Jeg må holde om dig. Jeg har ikke engang kysset dig. Hvad nu hvis du hader at kysse mig?«

»Jeg ved det ikke,« lo Ane. »Vi må have tid.«

»Jeg har ikke tid,« råbte han. Pludselig tav han, der kom nogen ind i hans kontor, hun kunne høre hans stemme skifte til en brysk kommanderende snerren, en dør blev lukket. Han vendte tilbage til telefonen. Ane trippede. Det blev dyrt.

»Jeg har en plan. Johannes' dyrlægeforening må invitere mig til foredrag, så kommer jeg til Danmark, så ses vi, og bagefter stikker vi af.«

»Du er alt for dyr. De har kun råd til sådan nogen som dig, når de holder 100-års jubilæum eller kurser til 2.000 kroner pr. deltager. Vi må finde på noget andet. Bob, jeg har ikke råd til at tale i telefon mere. Min mor står og kigger på mig.«

»Sig, at jeg elsker hendes datter og at jeg har ureelle hensigter, fordi jeg er i puberteten og kun tænker på én ting. Men at jeg allerede elsker hende, fordi hun har sådan en datter. Ann, jeg skriver om planen. Min hjerne vil arbejde dag og nat. Der vil ske ting.« Han lo henrykt.

»Bonnie og Clyde, er det sådan vi ender?«

»Nej, baby, det var det rene amatørarbejde. Os skal de ikke få ram på.«

»Jeg må slutte nu,« råbte Ane.

»Farvel, stol på mig, pas godt på dig selv. Planerne kommer i et brev eller på et bånd. Ann, hør lige, hør lige på mig. Jeg elsker dig.«

»Jeg elsker også dig,« stammede Ane og lagde røret.

Hun sad længe som i trance. Hvad var det, hun gjorde, hun kendte ikke manden, hun ødelagde den base, det hjem hun og Johannes havde skabt for hele familien. Hun havde tågesyn, var helt ude af det, måtte røre ved tingene omkring sig for at komme tilbage til virkeligheden. Hun så intenst på det lille sybord. Det var mahogni med rosentræsindlagt motiv. En japansk dame lænede sig op ad et bord med en parasol, en fantasifugl så på hende.

Hendes mor kom ind igen. »Pas på du ikke ødelægger dit liv,« sagde hun stille. Moderen og Ane satte sig ind til bordet foran vinduet i spisestuen. Moderen lagde hænderne i skødet og så ned. Ane sad stille og græd. Jonna løftede hovedet, så nikkede hun mod vinduet.

»Her er nu sådan en dejlig udsigt,« sagde hun.

Bordet foran dem var dækket med hedebodug. Ane sad stille med tårerne silende ned. Jonna havde foldet hænderne i skødet. Hun sagde ikke noget, rakte ikke ud efter sin datter for at røre hende, sad bare som man gjorde i Vestjylland. Der var stille i stuen. Kun bornholmeruret i dagligstuen tikkede.

»Jeg kan da varme æbleskiverne,« sagde hun, rejste sig og gik lettet ud i sit køkken.

De næste par måneder levede Ane og Johannes hver deres liv. Ane begyndte at spekulere på, om Johannes havde fået mistanke om, hvad der foregik. Men han lod som ingenting. Hun længtes hver dag efter en konfrontation. Hun ville være fri, være sig selv. Om morgenen sad hun med avisen og læste annoncerne igennem. Hun ville starte et nyt liv for sig selv og Jacob. Inden i hende talte en advarende stemme. Tænk dig om. Hun havde kun talt med børnene om det, ikke med veninderne. De ville sige, at hun lige så godt kunne skrive til en livsfange på dødsgangen. Bob slap heller aldrig ud. Det var en drøm. Men det var ikke en drøm, at hun ville være fri og ud af sit ægteskab med Johannes.

Hver onsdag talte de sammen. I Danmark stod et æggeur og ringede, når der var gået tre minutter. I Colorado ringede et stopur. Når urene ringede, talte de bare højere for at overdøve dem, og telefonregningen steg til astronomiske højder. En dag havde Bob planen klar.

KAPITEL 10

JOHANNES SAD I lægens venteværelse og læste Ugeskrift for Læger. Han så sig irriteret om. Nu havde han siddet der en halv time. Han havde udtrykkeligt bestilt tid klokken kvart over et, og nu skulle han selvfølgelig sidde her og oversnottes af de andre patienter. Lægen, Knud Schierbeck, stod i døren.

»Kom bare ind, Johannes.«

Schierbeck havde været deres huslæge i mange år. Han var en venlig mand med stor humoristisk sans og distance til sundhedsprofeter og de forskellige medicinske moderetninger, der rullede hen over hans praksis fra hans societypatienter i Charlottenlund.

»Jeg er svimmel, og jeg falder i søvn på mærkelige tidspunkter,« sagde Johannes bekymret.

»Det har du sgu altid gjort,« sagde Schierbeck og tændte en cigaret. Johannes viftede røgen væk. »Har du andre symptomer?«

»Er det ikke nok?« spurgte Johannes. Knud Schierbeck så på Johannes. Han var blevet ældre at se på, han knoklede nok for meget.

»Har du synsforstyrrelser?«

»Nej, kun svimmelhed og træthed. Men måske kan det stamme fra ørerne.«

»Går det godt derhjemme?« spurgte lægen og så intenst på ham.

»Ane har travlt. Hun skriver på en eller anden bog, men det går da udmærket, børnene har det også godt.«

Knud Schierbeck fik et hosteanfald. Han så på cigaretten.

»Jeg burde sgu ikke ryge, jeg har fået konstateret en skygge på lungerne. Der sidder et eller andet, men jeg falder nok ned med en flyvemaskine, det har jeg sagt til min kone, når hun brokker sig.« Han lo. Johannes rejste sig.

»Jeg gider ikke høre om dine cigaretter og lungeproblemer. Det er mig, der er patient. Giv mig en henvisning til en neurolog, en der holder sin kæft, undersøger mig og som ikke sidder og blæser cigaretrøg i hovedet på mig. Det kunne for helvede være, at jeg har en hjernesvulst!« De lo til hinanden, elskede at føre den slags dialoger, som fik andre mennesker til at se uroligt på dem. Denne gang var der desværre ikke andet publikum end klinikdamen, som stod måbende i døren.

Knud Schierbeck stak cigaretten i mundvigen, kneb øjnene sammen mod røgen, mens han skrev og gav så Johannes henvisningen. Johannes stak den i lommen.

»I tjener jeres penge nemt, hvad? Sådan kan jeg ikke klare den. Jeg står der i stalden med en syg hest. Hvad tror du, den siger til en henvisning? Næh du, ryg du bare videre og nyd livet.«

Lægen rejste sig og klappede ham på skulderen.

»Vi ses, når jeg kommer hjem fra ferien. Kom og fortæl mig, hvordan det går.« Han lo til Johannes, der hovedrystende gik ud ad døren.

På vej hjem i bilen tænkte Johannes på Ane. Hvad var det nu, hun skrev på i øjeblikket? Han kunne ikke huske det, men hun sad altid inde på sit arbejdsværelse. Måske havde Schierbeck ret. De trængte til en ferie. Minderne om den sidste ferie skød han fra sig. Det var ellers gået meget godt mellem dem siden den ballade i Oxford. Hun var ikke så meget efter ham mere, han kunne passe sig selv og det nød han. Birgit havde han set et par gange. De havde drukket te i hendes hjem, når hendes mand var på rejse. Han følte sig tiltrukket af hende. Han var ganske klar over, at hun var interesseret i ham, at hun ville i seng med ham. Han veg tilbage for det i øjeblikket, undgik hende nærmest, når han traf hende. Hun havde ringet et par gange, men han havde undskyldt sig med arbejde. Han var træt, og tanken om at have et forhold ved siden af Ane, forpligtelserne, familien, børnene gav ham nærmest kvalme. Bare han kunne få fred, være alene med sig selv ude i naturen. Et eller andet sted, hvor der var plads og horisont som i Canada, det drømte han om.

Han nærmede sig Skovshoved. Alle de forventninger. Han kunne godt se det, han måtte gøre et eller andet for Ane og deres forhold, hvis ikke de skulle glide helt fra hinanden. Hun var den eneste kvinde, han virkelig havde været forelsket i, hun havde været god mod børnene og gjort deres hjem til et samlingssted for venner og familie.

Han kørte ind i indkørslen, måtte lige støtte sig, da han stod ud. Satans svimmelhed. Schierbeck havde nok ret, han var stresset. Måske skulle de tage med til det veterinærmøde i Helsingborg. Det ville glæde Ane.

Tre uger efter pakkede Ane sin kuffert for at tage på lang weekend i Sverige. Da hun var færdig, skrev hun et brev, som hun vidste ville få følger i Colorado.

Kære Bob!
Jeg skal til Sverige til veterinærmøde. Jeg kommer ikke tilbage før tirsdag.
Jeg ringer, når jeg kommer hjem.

Din Ane

I Colorado åbnede Bob det korte brev. Han blev som is og forestillede sig Ane og Johannes i en svensk fyrretræsdobbeltseng med ild i pejsen i gang med at reparere deres ægteskab. Han rejste sig fra skrivebordet, gik direkte ned i universitetets træningscenter, hvor han gik i gang med boksebolden, som han bearbejdede med præcise morderiske slag, så spiralerne sang.

Rygtet løb hurtigt på gangene. »Gamle Røde Røv er ond. Han er gået amok i træningscenteret. Den mand er farlig«. Da Bob sveddryppende standsede efter et kvarter, var der en kødrand af studenter langs væggene.

Han var blindet af sved, tørrede sine øjenbryn med håndklædet, så op og opdagede studenterne. De forsvandt som suget ud ad dørene, da hans blik ramte dem. Han vaklede på stive ben ud i bruseren. Der var støvsuget for studenter alle vegne, men da han gik over mod sin vogn, mærkede han, at de gloede fra alle vinduerne i det veterinære fakultet.

Ane mærkede, at sneen var ved at trænge gennem hendes tynde aftensko. Hun stod i kø ved taxaholdepladsen uden for teateret i Helsingborg. Teaterets publikum stod velopdragent i kø, stille ventede de på, at det blev deres tur. Endelig kom en taxa, sendte en byge af sjapsne op ad Anes ben. Sammen med fem svenske dyrlægekoner masede hun sig ind i vognen. Chaufføren råbte på skånsk om sikkerhedsseler, forordninger og for mange passagerer. Barbro Tulesius, professorfrue og dressurdommer, satte sig på forsædet, samlede sin sorte mink om sin myndeagtige krop, vendte sig mod chaufføren med hævede øjenbryn. Hun var krystalklar svensk overklasse. Hun talte stockholmsk med hovedet lidt tilbage, sammenknebne øjne og tålte ingen modsigelser fra underklassen.

Hun bad ham køre med det samme. Han startede taxaen uden et ord, som om Barbro var nådigfruen på herregården, og han var hendes yndlingskusk, der kun adlød sin egen frue. Ane klappede taknemligt Barbro på hendes sorte minkpels. Barbro drejede hovedet og blottede høfligt et par fortænder

Flagermusen havde været aftenens forestilling. Ane havde nydt det, en elegant, vittig doktor Falke, gode sangstemmer og en smittende veloplagthed fra scenen. Der var stille i taxaen, de skånske dyrlægekoner følte sig lidt trykkede af Barbros magtfulde nærvær. Der var stadig knivskarpe klassegrænser i det svenske selskabsliv. Meget anstrengende, tænkte Ane. Enten provokerede middelklassen pinligt, når der var medlemmer af overklassen til stede, eller også forholdt de sig almuetavse med nedslagne blikke som nu.

Taxaen holdt uden for hotellet og damerne steg ud. Det myldrede med dyrlæger i forhallen. Kufferterne stod parate. Det danske rejseselskab skulle hjem med dagens sidste færge. Johannes var ikke i hallen. Ane kiggede efter ham. Hun gik hen og checkede kufferterne, deres var der ikke. Så gik hun hen og spurgte i receptionen. Nøglen til deres værelse hang på sømmet.

»Deres mand har checket ud og betalt regningen.«

Ane blev bange. Hvad var der sket. Hun fik et af sine gamle panikangstanfald, hjertebanken, begyndte at få fjernhedsfornemmelse og blive kold. Hun prøvede at trække vejret dybt og regelmæssigt. Hun kæmpede sig ud af det og spurgte med bankende hjerte og tør mund, om de havde set Johannes. Professor Tulesius sagde: »Ja, han kørte i en taxa. Jeg sagde farvel til ham.« Ane mærkede gråden i halsen og en barnlig forladthedsfølelse skyllede ind over hende.

Barbro Tulesius så på sin mand. Hun sugede kinderne ind.

»Nej, nu har jeg aldrig, hvor hemskt.« Professor Tulesius morede sig.

»En modig mand, Johannes Bjerg, for den lille frue har jo temperament. Kom her, vi kører dig ned til færgen. Han må have troet, at du tog direkte derned! Barbro, hent vognen!« Snart holdt Barbro foran hotellet, og de kørte mod havnen i den blå Volvo efterfulgt af en lille kortege af svenske biler fyldt med dyrlæger oplagt til sjov.

»Det er frygtelig pinligt,« sagde Ane og kiggede ned i sin lille teatertaske, hvor der lå en læbestift, en kam og et spejl og 50 kroner. »Han har min tegnebog, billetterne, alting. Hvad bilder han sig ind! Vi aftalte udtrykkeligt, at vi skulle mødes i hallen efter teatret.«

»Nej, hvor hemskt,« sagde Barbro forarget og kørte mod færgelejet. Færgen var ved at sejle ud. Doktor Tulesius fik sat nogle af sine kolleger ind i situationen, og de blev studentikost begejstrede. De hoppede op og ned og prajede besætningen. Da en sømand skød to planker ud fra nederste dæk, så Ane kunne gå om bord, råbte de hurra. Ane balancerede ud på planken, svimmel og bange for at styrte ned mellem færgen og kajkanten. Hun blev grebet af besætningen, da hendes stilethæl gled på planken, og hun svingede vildt med armene for at holde balancen. Det var ydmygende, og hun måtte le med af dyrlægernes latterbrøl og klapsalver.

»Penge, hun skal have penge,« råbte professor Tulesius og tog nogle sedler op af tegnebogen. Oprømte dyrlæger løb ud på planken og gav hende pengene. En kone med buddinghat og indkøbspose så forarget på sin mand.

»Nåh, det er sgu meget smart at trække herovre i stedet for hjemme i København, hvor der er så mange om det.«

»Ja, de finder ud af det. Det gør de fandeme,« sagde manden misundeligt og trak af med konen og plasticposerne.

Da færgen gled ud, råbte dyrlægerne igen studenterhurraer med rullende r'er. Ane vinkede. Men nu mærkede hun raseriet stige op i sig. Hun bandede indædt, trak sin frakke tæt om sig. Hun skulle nok finde ham. Det her skulle han aldrig komme til at glemme.

Da hun havde ledt overalt på færgen, gik hun op på kommandobroen til styrmanden. Hun satte ham ind i situationen, flirtede med ham, trykkede vildt på alle de feminine knapper. Hun bad ham om at kalde samtlige både over radioen for at efterlyse Johannes. Han gik grinende ind på ideen. Hendes hævntørst havde smittet ham. Johannes måtte befinde sig et eller andet sted på Sundet. Lidt efter skrattede radioen. Johannes var om bord på en flyvebåd.

»Din kæmpeidiot. Hvad fanden bilder du dig ind?« råbte hun.

»Hvor er du?« spurgte Johannes. »På færgen,« råbte hun. Forbindelsen forsvandt. Hun rakte telefonen til styrmanden. Hun tog en taxa hjem fra havnen. Johannes åbnede døren. Hun for rasende på ham, slog, sparkede og græd.

»Hvorfor?« Han svarede hende aldrig. Men hun vidste nu hvorfor. Han havde simpelthen glemt, at hun var med.

Da hun ringede til USA den følgende onsdag, nåede den ikke at ringe igennem. Bob var hæs, kort for hovedet og talte i korte desperate sætninger.

»Jeg kan ikke holde det ud. Nu må jeg se dig. Jeg har planen klar. Du skal bare gøre, hvad jeg siger.«

Da hun hørte hans plan, begyndte hun at le, men hun standsede midt i et latterudbrud. Der var stille i telefonen, hun kunne kun høre hans hurtige, stødvise vejrtrækning.

»Græder du?« hviskede hun chokeret. Røret blev lagt på. Hun ringede op igen, ingen tog den.

Hun kørte tilbage til Jonnas hus tre gange i løbet af dagen. Hun var ude af sig selv og prøvede at ringe. Men han var der ikke. Hans plan var gennemtænkt i de mindste detaljer. Hun skulle stjæle brevpapir fra den forening, Johannes var formand for. Hun skulle skrive en officiel invitation fra foreningen og invitere ham til at holde foredrag i Danmark.

Han ville få den igennem på universitetet og ankomme til Københavnhavns Lufthavn den fjerde december. Han kunne blive en uge. Hun måtte arrrangere hotel et eller andet øde sted og se at slippe hjemmefra. Han ville rejse tilbage til USA den ellevte december tidligt om morgenen.

Hun tvang sig selv til ikke at ringe i to dage. Hele familien sad og så fjernsyn med hundene på skødet, da telefonen ringede. Johannes blev som sædvanlig siddende og ventede på, at Ane skulle tage den.

»Hos dyrlæge Bjerg,« sagde hun. Det duttede og knitrede. Hun blev iskold. Der var en udlandssamtale på vej.

»Ring, Ane. Du må ringe. Undskyld. Jeg er ikke mig selv. Ring, hører du?«

»De har fået forkert nummer,« sagde hun rystet og lagde røret på.

»Du ser så underlig ud, mor, du er helt bleg. Var det en stønner?« lo Jacob. »Det tror jeg,« sagde Ane og sank med hamrende hjerte ned i en stol. Piet, som Intrepide den sorte spaniel fra Frankrig nu blev kaldt, mærkede som altid hendes mindste sindsstemning, rejste sig, gik hen til hende og gav sig til at skrabe med poten for at blive taget op.

»Hvad sagde han?« Jacob og Johannes så på hende.

»Ingenting, der var kun lyde,« sagde Ane. »Det er sket så tit i den senere tid, folk er ikke rigtig kloge. Marianne har en, der vil have smæk. Han ringer hele tiden. Forleden tog hun en bøjle og gav sig til at slå i en sofapude, mens telefonen lå i sofaen. Værsgo, der har du den, og den.« Anes løgn fløj hende ubesværet ud af munden, hun var overrasket over sig selv. De lo alle sammen.

Telefonen ringede igen. Jacob for i et spring hen over sofaen og snuppede den.

»Generer du min mor igen, kommer jeg og brækker ryggen på dig,« råbte han.

»Godt, Jacob,« sagde Ane. Hun var tør i munden af skræk og glattede febrilsk Piets lange ører. Tv-udsendelsen fortsatte. Johannes sov trygt. Jacob rejste sig.

»Jeg tror, jeg tager over til Steffen.«

»Så kører jeg dig, jeg har glemt en bog ovre hos mormor.«

»Vi går lige,« sagde hun og prikkede Johannes på skulderen. Han gik over og lagde sig på sofaen. Ane slukkede for fjernsynet. »Nu må du selv høre efter din telefon. Husk du har vagt.« Han nikkede og trak plaiden op om sig.

Ane gik hen til Johannes' skrivebord og trak tredje skuffe ud. Der lå brevpapiret fra foreningen. Hun tog et par ark, lagde dem i sin attachetaske, gik ud i entreen og råbte på Jacob.

»Vi kører nu!« Han buldrede ned ad trappen og faldt som sædvanlig de sidste to trin.

Jonna vred sine hænder, da Ane stormede ind til telefonen med attachetasken.

»Det ender galt,« spåede hun. Ane fik dårligt sagt goddag til sin mor. Hun drejede nummeret. Nu var Bob der.

»Har du brevpapiret?« spurgte han.

»Hvorfor svarede du ikke?« råbte hun. »Er du klar over, hvordan jeg har haft det, og du må aldrig mere ringe hjem, aldrig!«

»Var det din søn?« spurgte han. »Hvad sagde han?«

»At han ville brække ryggen på dig.«

»Lige sådan en søn, jeg altid har ønsket mig,« lo han. »Jeg dikterer, hvad der skal stå i brevet.« Ane skrev lydigt hver en sætning uden kommentarer. Til sidst sagde hun rystet: »Det her er strafbart, hvis de finder ud af det, bliver du smidt ud.«

»Jeg skal alligevel på pension næste år, til helvede med det,« lo han. »Jeg anede ikke, at jeg har sådan en forbryderisk hjerne, jeg troede jeg var en ganske almindelig pæn amerikansk mand. Jeg vil ikke sige, at jeg er populær, men jeg nyder almindelig respekt her i byen,« forklarede han stolt.

»Vil du ikke hellere blive ved med det?« spurgte hun forsigtigt.

»Nej. Nu skal der leves. Jeg har meget til gode,« sagde han.

»Du er sikker på, at du ikke er ved at blive sindssyg?« lo hun.

»Det er det eneste, jeg er sikker på. Jeg er sindssyg, komplet rivende ravende skør, og jeg har aldrig lyst til at blive normal mere. Tænk, når jeg holder dig i mine arme i lufthavnen, og vi har en hel uge. Tænk, hvad vi sparer i telefonregninger!«

Han var som et fyrværkeri af barnlig glæde og forelsket forventning. Det rørte Ane dybt. Hun kom til at tænke på, at de banale ord om det smeltende hjerte var internationale. Det hed det samme på næsten alle sprog, og det var så sandt, så sandt. Det gjorde ondt, lige hvor hjertet sad, og hun kunne mærke de varme dryp fra sit eget gloende hjerte.

Planlægningen tog fjorten dage. Ane bestilte efter dages overvejelse hotelværelse på Hotel Blokhus, en grim betonklods som lå direkte ved Blokhus med fødderne i Vesterhavet. Det var december, og der ville være så øde, at hun ikke kunne forestille sig, de ville møde nogen, de kendte. Hun havde lavet omhyggelig research på hotellets kursusprogram. Det var lærere og folk fra socialsektoren, som kom på kursus i de øde omgivelser. De drak bare bajere, hoppede rundt i joggingdragter, ruskindskamikker og bollede med hinandens mænd og koner. Ferielejlighederne lå ud til rå svalegange. Enhver passede sit.

Hele huset sov endnu. Klokken var halv fem. Hun lukkede hundene ud, stod i terrassedøren og sikrede sig, at de ikke gøede. De kom ind med svingende haler, lidt forvirrede over den tidlige morgenvækning. Hun hældte lidt foder op til dem for at få dem til at falde til ro.

Kufferten stod midt i entreen. Den havde været pakket fra aftenen før. Skrivemaskinen stod ved siden af. Hun gik i bad uden at støje, så på sin nøgne krop, følte sig genert. Tænk, hvis hun slet ikke kunne lide ham, når hun så ham og havde kysset ham, så blev hun nødt til at tage over til hotellet med ham, og måske også nødt til at gå i seng med ham. Hun stak hovedet helt hen til spejlet.

»Du er altså ikke rigtig klog. Det her er det værste, du nogensinde har budt mig,« sagde hun til spejlbilledet, der blev tåget af dampen.

Hun så i medicinskabet, om der var noget beroligende. Nej, ikke så meget som en Panodil. Hun turde heller ikke tage en whisky, dels skulle hun køre, og dels havde han allerede fyldt hende med så mange moralprædikener om, at han ikke kunne fordrage kvinder, som røg og drak.

»Da jeg var stor dreng, og vi stod og snakkede om, hvilke af pigerne vi kunne få fat på, sagde vi altid: »If she smokes, she will screw.« Ryger hun, vil hun også kneppe.

Hun klædte sig på, gjorde sig umage med sin påklædning. Til sidst var hun færdig, i grå flannelsdragt, hvid silkebluse, kameluldsfrakke. Hun havde sagt, at hun ville tage en lilla baskerhue på, hvis han ikke skulle genkende hende. Men da hun tog den på, så hun rædselsfuld ud. Hun var gulligbleg. Hun stak hånden op på hattehylden og fandt den gule, tog mere læbestift på, kom gylden rouge på kinderne og tog et par store øreringe på, så listede hun hen til Jacobs dør og lukkede den forsigtig op. Han rejste sig i sengen, så søvndrukkent på hende. Hun havde fortalt ham det hele.

»Du er altså skør, mor!«

»Jeg ved det. Men jeg må se ham, bare én gang.«

»Du er selv ude om det, hvis der sker noget.« Han lagde sig misbilligende og halvt grinende ned i sengen. Hun vinkede fra døren.

»Jeg ringer.« Han sukkede og tog den lille malterserhund, som altid sov inde i hans seng op under armen som en pude. Hunden lå med hovedet løftet og så efter hende med et irritabelt blik.

»Tag så og skrid, jeg er hos ham.« Idet hun lukkede døren, så hun, at Gipsy lagde sin kind mod Jacobs, strakte sin pote frem og lod, som om hun sov. Den sorte spaniel, Piet, gik ud i entreen. Han så først kufferten nu, satte sig ned, stak snuden op og begyndte at hyle.

Ane for hen for at stoppe ham. Åh satans, nu havde han vækket Johannes. Johannes kom søvndrukkent ud.

»Skal du allerede af sted? Skal jeg ikke køre dig, så behøver du ikke at tage så tidligt derud?«

»Nej tak, jeg har alt for mange nerver på, tænker hele tiden på mit materiale, jeg må have helt ro, og jeg vil være der halvanden time før.«

»Du bliver værre og værre med dit rejsekompleks,« sagde han og gik hen for at sige farvel til hende. Hun vendte hovedet bort og lod ham kysse sig på kinden. Som en mand af den gamle skole rørte han hende ellers aldrig, før han havde børstet tænder og været i bad.

»Farvel, pas nu godt på, og ring, hvis jeg kan hjælpe med noget,« sagde han omsorgsfuldt og holdt døren, da hun baksede ud med kufferten.

Da hun kørte ind af Strandvejen i sin lille røde, skrammede Simca, bankede hendes hjerte så højt, at det næsten gav en smældende lyd. Hun var fuld af fryd, skruede op for radioen og sang med af fuld hals. I lufthavnen stillede hun bilen på langtidsparkering og baksede kufferten op på rullevognen. Der var halvanden time, til flyet fra New York landede.

Han kom fra Denver i Colorado og havde skiftet i New York. Hvad nu, hvis der var sket et eller andet? Han kunne ikke ringe. Ifølge planen skulle de begge fortsætte mod det endelige mål, Hotel Blokhus, selvom de ikke traf hinanden i Kastrup. Der kunne være forsinkelser. Alt kunne ske. De havde ingen steder at ringe hen. Skete der noget, ville han prøve at give meldinger til TWA's disk, og ellers ville han tage det næste indenrigsfly til Ålborg. Hun havde prøvet at lære ham at sige Ålborg i telefonen. Han var ikke noget sprogtalent.

»Lad kæben hænge ned, når du siger ål.«

»Skal tungen ud?« spurgte han. »Nej, for pokker. Så sender de dig på en institution. Bare prøv at se begavet ud, når du åbner munden i ål, klap sammen og sig borg, ligesom burg, så forstår de dig.«

»Jeg tager bare et skilt om halsen ligesom et feriebarn, der er jo ingen, som kender mig, og så peger jeg og stammer den der ållyd.« De lo og lo, det blev til et klovnenummer, der kostede et par hundrede kroner ekstra på telefonregningen.

Hun så op på flytavlen. Der var en halv time til landing. Hun kunne lige nå at komme på toilettet. Hun strøg med kufferterne ned ad trapperne, turde ikke låse efter sig, tænk, hvis hun sad der, låset inde, og han landede. Hun sad på toilettet med nervøs mave, gul baskerhue, kamelsuldsfrakke og benet på den store kuffert, som var skudt hen for den halvtåbne dør. For satan, nu kom der nogen.

Da hun kom op, var flyet lige landet. Ane strøg hen til glasruden. Hun stod forrest med panden trykket op mod ruden som et barn til juleudstilling. Han kom nok fra højre, så kunne hun se ham, så snart han kom. Det varede længe, hun drejede hovedet som til en tenniskamp, stod på tæer, prøvede at se. I mellemtiden gik midterdøren op, og der kom passagerer ud. Nogle af dem var amerikanere. Hvorfor kom han ikke? Pludselig var han der. Han så hende ikke. Han så søgende ud, ledte efter noget. Åh gudskelov, han så ud, som hun havde forestillet sig det. Det hvide tykke hår, den brune glatte hud, lyseblå skjorte, beigeternet jakke og beige bukser. Tak kære Gud, fordi han ikke har baseballkasket eller cowboyhat på, tænkte hun og foldede sine hænder foran ruden. Nu så han hende, en rødme skyllede op i hans solbrændte, vejrbidte ansigt. Han gik lige hen til ruden, satte hænderne på glasset, så hun kunne sætte sine hænder mod hans. Sådan stod de længe. Deres øjne strålede. Han gik hen og hentede sin bagage, kufferter på smarte hjul, elegante dragtposer til habitten, som ikke måtte krølles, alt effektivt og amerikansk.

Da han kom ud, tog han om hende så forsigtigt, som var hun af glas. Han trykkede hende ind til sig og rokkede hende i sine arme.

»Åh lille Ann, så kom vi så langt. Lad mig holde dig og kysse dig.« Hun var dybt bevæget, tårerne strømmede, han tørrede dem smilende væk med sit ærme og lagde sin varme, bløde mund forsigtigt mod hendes. Hun vidste, at han lugtede af vanille, af aftershave, af alverdens duft-tv-annoncer, fordi de havde advaret ham om, hvad der kunne ske, hvis han kyssede den kvinde han elskede uden at være beredt med børster, spray og skum. Hun mærkede hans primitive, besiddende erotiske kraft, da han langsomt stak sin bløde tunge ind i hendes mund.

Det var lykkedes. Bob og Ane havde kysset hinanden. Et himmelsk kys, der havde hævet dem mindst en meter op over jorden.

»Sådan et kys ville jeg gerne have taget hele vejen hjem igen for,« sagde han oprigtigt som en dreng, der aldrig lyver. »Men vi skal videre. Vi har dage og nætter. Åh, min lille kærlighed, det her er en gave, fordi vi er så opfindsomme og så dygtige og fordi vi har været så alene uden hinanden.« Han standsede op en gang til, smed kuffertvognen, dragtposerne, håndbagagen, løftede hende op og holdt hende ind til sig igen for at kysse, kysse hende i timevis. Han var hed, nu var pupillerne sorte.

»Nej, lige et øjeblik,« lo hun. Folk stod og gloede.

»Du må vente, til vi er alene.« Han så sig forundret om.

»Tænk, jeg troede, man kunne gøre alt i Danmark, det har jeg læst i et eller andet mandeblad. Folk er ligeglade. Her er fri sex, stod der.«

»Ikke i lufthavnen, og jeg er en gift kvinde, og du er en gift mand, og vi er helt forfærdelige og skal derfor skynde os over i indenrigshallen og gemme os i en lille maskine, inden vi bliver genkendt.«

»Nåh, men lad os så komme af sted. Hang on, baby,« råbte han kådt og kørte kuffertvognen på to hjul om hjørnet, styrtede af sted. Ane løb leende efter. Folk gloede stadig.

»Hvad nummer?« råbte han. »Afgangshal fire.« Han spurtede derhen, imiterede en sportsvogn der bremser, og han fik de mest morgensure københavnske forretningsmænd med mapper til at le med. Han var ustyrlig, vittighederne væltede af ham, han lo og holdt hende hele tiden knuget ind til sig.

»Hvad skal vi dog få otte dage til at gå med på det hotelværelse,« sagde han med sin høje stemme.

»Lad være at råbe.« Ane rødmede.

»Jeg har nogle gamle Tarzanmagasiner og et spil Mikado med. Hvad har du?«

Publikum fnisede. Ane var lige ved at blive sur. Det var ikke morsomt straks at blive rubriceret som et elskende par på en fræk ferie. Men han var svær at stå for. Han så sig tilfreds omkring i den lille afgangshal, hvor han var blevet midtpunktet. Han havde en magnetisk tiltrækning på folk.

»Jeg tror, de synes, vi er søde, ikke? Gamle, men søde. De håber, det går godt for os?« Han smilede til publikum og lignede den gamle, lidt hærgede bokser, som han var under professorforklædningen. »Jeg har ellers været meget genert,« sagde han og holdt begge hendes hænder.

»Kunne du ikke være det bare lidt endnu,« hviskede hun. Hun havde et øjeblik følt sig som en bugtalerdukke på bugtalerens arm.

»Men luften her i Danmark får mig til at give los. Jeg ved ikke hvad det er.«

Der blev kaldt til afgang på Ålborgflyet, og de stillede op i køen.

Hånd i hånd gik de ind i flyet. De satte sig ned, pludselig tavse, så bare på hinanden, glattede hinandens hænder uden et ord.

»Det er bare så smukt, som om du er en brud, jeg bortfører, vi havde ikke engang kysset hinanden, før jeg kom her. Men vi vidste, hvordan det ville være, ikke?«

»Hvorfor flyver vi ikke?« spurgte en irriteret herre foran dem.

»Det er security,« svarede en stewardesse. »Vi efterlyser ejeren af en kuffert. Vil dyrlæge Johannes Bjerg venligst hente sin kuffert, som står på en vogn ved udgangen!«

Ane blev iskold, ligbleg, hun var i chok. Johannes måtte være fulgt efter hende. Det var hans kuffert.

»Det er Johannes' kuffert, han er fulgt efter os.« Bob rejste sig kampberedt op i sædet.

»Så taler jeg med ham, og så bliver jeg måske nødt til at rejse hjem efter bare et kys.« Han så pludselig jaloux på hende. »Hvorfor er du så bleg. Hvad hvis han opdager det. Er du bange for at miste ham?«

»Nej,« hviskede hun ude af sig selv. »Men børnene, skandalen. Jeg går hen og ser, hvad det er.«

»Jeg går med.«

»Nej, du bliver siddende.« Fem minutter efter kom hun lettet tilbage. Det var hendes egen kuffert, hun havde bare ikke fået skiftet navnesedlen ud, og hun havde glemt den på bagagevognen.

»Åh gud,« stønnede han. »Heldigvis. Nu starter maskinen, flyv for helvede.« Han begyndte at massere hendes iskolde hænder og rystende arme og hviskede: »Når vi kommer frem, skat, tager vi et varmt bad, jeg laver varm suppe til dig og putter dig. Du har fået et chok. Vi venter med alt det andet til i morgen.« Hun lukkede øjnene og lagde hovedet på hans skulder.

»Det lyder skønt, men jeg tror ikke på den med at vente til i morgen.« Han lo henrykt.

»Det er det jeg siger, du er en kvindelig doktor Bryant, dig kan man ikke narre.« De lo til hinanden, og kærligheden gjorde dem tavse, til maskinen landede i Ålborg.

KAPITEL 11

»HVOR ER ALLE mennesker?« spurgte Bob og så sig omkring. »Sådan er her bare, her er ingen,« lo Ane. De kørte nordpå mod Blokhus i en lejet bil. Det var en frostklar dag. Der var ingen sne, men rimen havde pudret plovfurerne på de sorte marker. Solen stod lavt på himlen, og grenene på de nøgne træer bøjedes i samme retning af vinden, som om de søgte hjælp.

»Se det blege polarlys,« sagde han. »Jeg tror ikke, jeg kunne bo et sted som her. Lyset er for blegt. Her er ingen mennesker. Hvad var det, du sagde, havet hed?«

»Jammerbugten.«

»Moaning Bay,« gentog han leende. »Det er fanden til sted at føre en westernmand hen. I Colorado er lyset klart og strålende. Bedre vejr findes ikke. Lune somre der ikke er for varme, og i oktober skifter vejret, så får vi puddersne og hård frost. Stands. Stands!« Ane så forundret på ham og bremsede.

»Hvad er der? Er du dårlig?«

»Jeg må holde om dig og kysse dig, jeg må! Brems! Brems! Eller jeg smider mig ud ad døren.« Han greb for sjov fat i døren og åbnede den halvt. Hun bremsede leende vognen, holdt ind til siden. Han lagde sig halvt ind over hende og kyssede hende på halsen, han var varm, hed, og han masede for at få sin kæmpe muskuløse overkrop ind bag rattet, samtidig med at han flåede i sikkerhedsselens hængsler. Hun både lo og gjorde modstand.

»Hold dog op, hvorfor river du vognen fra hinanden,« sagde hun og skubbede ham væk. »Rattet har løsnet sig. Nu må du styre dig. Det er fuldstændig, som jeg har fået en gorilla ind i bilen. Er du altid sådan?« Han rødmede lidt.

»Hvorfor kan sædet ikke lægges ned?«

»Er du blevet komplet skør, det er en almindelig europæisk vogn, hvor folk sidder lige op og kører. Når de boller, foregår det enten på bagsædet, eller de venter, til de er kommet til deres hotel, og de finder slet ikke på det midt ude på landevejen ved højlys dag, når der kører store lastbiler med frit udsyn forbi. Nu kan du køre lidt, så kan jeg sidde og forstyrre din kørsel.« Hun steg ud ad fordøren. Det var blæst op, hun kunne næsten ikke lukke døren igen. Hun hev baskerhuen ned om ørerne. Han asede og masede for at få sædet tilbage, så han kunne få plads til sine Arnold Schwarzenegger-arme.

»Du træner vist for meget! Når du bliver gammel, falder musklerne sammen, og så hænger alt det der.«

»Baby, jeg er gammel og jeg har aldrig haft så mange og så store buler i mit liv.«

De kørte lykkeligt videre. Den uophørlige latter gjorde dem nærmest høje.

»Godt, at her heller ikke er noget politi, de ville tro, vi havde røget marihuana. Hvad hedder det på dansk?«

»At fyre en fed,« lo hun.

»Hvor er her uvirkeligt,« sagde han og så sig om. Det ligner ikke nogen steder jeg har været, og jeg har været over næsten hele verden. Hvad lavede de der shoshoneindianere inde i biludlejningsforretningen?« Han så spørgende på hende. Ane så forbavset på ham.

»Indianere, er du blevet skør. Her er sgu ingen indianere!«

»Jo, de der små mørke. De stod henne ved skranken. Det *var* shoshoneindianere, jeg kender dem. Min bedste ven, sherif Pete, og hans kone Gladys er øverste myndighed i reservatet oppe i Lander.« Ane begyndte at le igen.

»Det er ikke indianere. Det er grønlændere, mand, fra Grønland. Her er masser af dem. Danmark ejer Grønland.«

»Nåh, det troede jeg, vi gjorde,« sagde han forbavset. »Sig mig, drikker de der grønlændere ligesom vores indianere?«

»Selvfølgelig gør de det. I har taget deres land og ødelagt deres kultur, det har vi også gjort.«

»Der kan man se!« Bob tog sin stetsonhat af og så tankefuldt ud over landevejen. »Jeg troede ellers, det var noget venstreorienteret pis, undskyldninger fordi de ikke gad bestille noget. Men når det også gentager sig her, så må der jo være noget om det. Jeg får sandelig udvidet min horisont, jeg føler allerede som om jeg er på kursus.«

»Går du aldrig til kulturmøder på dit universitet. Du er trods alt professor?« Han skar ansigt.

»Nej du, når jeg er færdig med at undervise og at operere, så glæder jeg mig til at komme hen i træningssalen til min boksebold. Om vinteren står jeg på ski og går på jagt. Kulturmøder er ikke rigtig noget for mig. Det er mere tøsedrengene, der går til det. Ja, og dem, der gerne vil klatre op ad stigen. Vil jeg lege med indianere, så tager jeg bare ud til sherif Pete og hans kone, så går vi på jagt sammen, indianerne og jeg. En gang om året har vi en skydekonkurrence for Amerikas bedste skytter. Det er en stor ære at være med. Astronauterne er også med. Vi skal ramme en antilope i ét skud. Shoshonernes høvding er med til at lede ceremonien. Jeg har oplevet så meget derude, hvor det rigtig sker, ser du, så jeg får ikke rigtig noget ud af de der kulturaftener ud over at blive øm i røven af at sidde på stolen.« Han smilede kærligt til hende.

Ane lod sin hånd glide ned over hans glatbarberede, bløde kind med den blanke, brune hud. Hun var dybt forelsket i ham, et mærkeligt væsen. En helt anden art. Nogle gange lignede han en mand, der havde set alt. Det samme vurderende, vogtende blik som gamle hanaber havde i zoologiske haver. Men pludselig skiftede hans ansigt udtryk, og han var som en overgearet dreng til verdens værste fødselsdag, hvor moderen havde mistet kontrollen.

Det var mørkt, da de nåede frem. Bob og Ane steg ud. Han havde presset hatten helt ned i panden. Havet uden for hotellet havde rejst sig i mørkegrønne, meterhøje bølger med brusende skum. Stormen var fuld af isnåle og flyvesand. Han gik op ad den grå cementtrappe med det rustne gelænder, så på det forfaldne hotel. Pludselig slog han ud med armene, svingede hatten og råbte mod blæsten: »Jeg har fulgt min elskede til verdens ende. Dette er den yderste dag.« Ane fumlede med nøglerne, hendes hænder var blå af kulde. Han svingede kufferterne op, som var det små dametasker. Døren gik op og de stod i Hotel Blokhus' ferielejlighed indrettet til nøjsomme danskere. Da lyset blev tændt, fortrød hun, at hun havde valgt Hotel Blokhus. For en amerikaner måtte det være et chok, at folk boede sådan på et hotel. Hun hørte et brøl fra soveværelset.

»Nej, det er ikke sandt. Det kan ikke være soveværelset. Her står en smal briks i hver sin side. Det er ikke senge, det er hylder til syge mennesker uden muskler. Skal man elske, kan man kun ligge i retstilling. Se bunden, den kan overhovedet ikke holde, det er tændstikker og hvad skal jeg gøre, jeg er simpelthen for bredskuldret til at ligge der.« Der lød bulder og brag, og han stod i døren med den ene briks under armen.

»Har du revet den ud af væggen?« Ane så chokeret på ham.

»Selvfølgelig, der er grænser for, hvad man skal finde sig i. Nu river jeg også den anden af, og så sætter vi dem sammen som en dobbeltseng her midt i stuen.«

»Det er hærværk,« sagde Ane. »Vi kommer til at betale.«

»Hvad står sådan et par pinde i, det er ikke noget problem.« Han gik ned og hentede værktøj i bilen, og snart var han i gang med at bygge en dobbeltseng i opholdstuen. Hans brede kirurghænder arbejdede behændigt, ti minutter efter stod der en kasseformet seng. Han satte sig fornøjet i den, den brasede sammen.

Ane kom styrtende. Der lå splintrede brædder i en bunke. Hun så på ham.

»Vi bliver nødt til at flygte ved daggry og så bare lægge nogle penge.«

»Nej, nej. Jeg har fået en bedre ide. Vi laver en igloo. Det blæser jo ad helvede til fra The Moaning Bay. Han pegede på Ikea-lampen, som hang over det lave teaksofabord. Den drejede langsomt rundt i trækken fra vinduet som et skæbnesvangert pendul. Ane slæbte resterne af briksene op på hemsen og lagde dem i en bunke. I midten af stuen havde Bob slæbt madrasserne sammen, alle tæpper, dyner og puder. Han satte to stole ved siden af madrasserne og hængte vindjakker og tæpper over dem som et telt. Fornøjet gned han sig i hænderne.

»Sådan, skat. Det er et helvedes hotel, du har valgt, men far er hos dig. Jeg kan mærke, at der ikke bor nogen på hotellet, her kan være farligt, når natten falder på.« Han gik hen til sin kuffert og fremdrog en jagtkniv i skede, tog den ud og lagde den under hovedpuden. »Hvad ville du have gjort, hvis ikke jeg havde været med dig her, hvad?« Han kyssede hende og betragtede stolt sit værk. »En himmelseng-igloo, det er hvad det er.« Han gik hen til hende og så ømt på hende.

»Lille pige, du er jo helt våd af sved på panden. Nu tager vi det lidt roligt. Du sagde, du havde mad med?« Han gik rundt og så sig omkring og konstaterede manglerne: »Ingen badekar, ingen hjemmebar, et køleskab, ja, to kogeplader, en kaffemaskine, godt, tallerkener, glas. Hvad? Der er ingen toiletpapir?« Ane åbnede sin kuffert og fremdrog sit ferielejlighedsudstyr. I alle årene, hvor hun som trænet campist havde beboet alle Danmarks ferielejligheder og campingpladser med sin børneflok, havde hun haft en indbygget checkliste, som hun nu stykke for stykke pakkede ud, mens han lo.

»Jeg elsker Danmark, det kan jeg allerede mærke. Her er simpelthen skideskørt. Det er en virkelig udfordring for mandfolk på bryllupsrejse. Tænk, hvis min lille elskede ikke havde tænkt på toiletpapir, hvor uromantisk.«

Da der var gået en time, var ferielejligheden indrettet. De opførte sig som nygifte i gamle dage, der skulle vænne sig til hinanden, før de gik i seng. De talte ikke om det, men mens de legede og pjattede med indretningen, så de i glimt alvorligt og forelsket på hinanden, ængstelige for det, der skulle ske om lidt. Måske det blev en fiasko, hvor alle de store forventninger faldt til jorden. Hvad så? Så sad de her en uge ved verdens ende i det grimme cementhotel i hylende storm og gloede på hinanden. Ane dækkede bordet med sin ternede dug, hun satte vin, laks, frisk brød, smør, ost, skinke og kage på bordet, omhyggeligt foldede hun servietterne og tændte to lys. Han sad andagtsfuldt og betragtede hende, som affotograferede han hver eneste af hendes bevægelser. Han sad i stolen ved vinduet med fødderne oppe på sofabordet.

»Værsgo at gå til bords.« Hun lagde armene om ham. Han trykkede sit hoved ind mod hende, holdt det helt stille, knugede hende ind til sig og løftede ansigtet mod hende. Hun så, at han græd. Han tørrede flovt tårerne væk med knoerne.

»Jeg er så lykkelig, og jeg er så bange, jeg har mistet kontrollen. Jeg er slet ikke nogen mand mere. Jeg er bange, jeg kan sikkert heller ikke få den op at stå. Jeg kunne i bilen. Men nu ...«

»Vi skal spise, elskede. Vi to, vi kan alt, hvad vi vil,« hviskede Ane.

»Siger du det?« sagde han beroliget. Han så op på hende med sine intense, grå øjne, så tog han hendes forklæde og lod, som om han pudsede næse i det og duppede sine øjne. Ane rystede på hovedet og lo.

»Du skulle aldrig have været professor. Du skulle have været komiker. Du har et stort talent som entertainer, ved du det?« Han trak op i bukserne og gik hen til bordet.

»Jeg ved det godt. Men der er også mange ting, du ikke ved om mig, som jeg ikke har nået at fortælle dig. Ting, jeg først ville fortælle dig, når vi sad over for hinanden som nu.«

Ane rakte fadet med laksen over til ham. »Hvad for ting?«

Han tog hendes hånd. »I de otte dage, jeg har sammen med dig, vil jeg nyde hvert eneste sekund, som om det var den sidste dag, og jeg vil fortælle dig alt om mit liv, de gode og de onde ting. Alt det jeg er stolt af, alt det jeg skammer mig over. Der skal ikke være noget, du ikke ved om mig. Sådan vil jeg have det. Den storm, som blæser her, vil nok vare en uge, det kan jeg mærke. Når den er overe, kommer der en lang stilhed, for så må jeg rejse fra dig.«

Ane så ind i hans øjne, hun blev suget ind i hans udstråling og fik en uvirkelig fornemmelse af, at nu begyndte en del af hendes liv, som havde været forudbestemt.

»Da jeg rejste fra USA, vidste jeg, at det her er et råb om noget, jeg har overhørt i mit liv. Jeg må følge naturen, som jeg har set dyrene gøre det. Hvis du vidste, hvor jeg har grinet af midaldrende mænd, der har gjort nøjagtig det samme, som jeg gør nu. Jeg forstod ikke deres søgen, disse latterlige gamle mænd med de unge koner, og de gamle koner, som blev kasseret. Nu ved jeg, at har man ikke oplevet kærligheden i sit liv, så må man lede efter en kærlighed så stor, at den kan holde frygten for døden, for afslutningen, væk. Da jeg så dig første gang, råbte det så højt i mig, at jeg var bange for, at du skulle høre det. Der er hun, det er hende.« Han satte glasset ned og sukkede dybt. »Ann, jeg elsker dig.« Ane rejste sig og bredte armene ud.

»Jeg fryser, jeg må ind i iglooen.« Han rejste sig, tog hende i sine arme, og de begyndte at klæde hinanden af. Hun så beundrende på hans spændstige, brune hud og velholdte, muskuløse krop, der stod i kontrast til hans hærgede, barske ansigt og tykke, snehvide hår.

»Sikke en smuk krop du har,« sagde hun beundrende og lagde sig tæt ind til ham.

»Det er der aldrig nogen kvinde, der har sagt til mig før,« sagde han genert og lod sine varme hænder glide over hendes nøgne krop, som skælvede af kulde i det kolde værelse.

»Snart bliver du varm,« hviskede han. »Du er så blød, så hed, så varm, så våd, giv din varme kusse til mig.«

»Hvilket sprog for en professor fra det pæne Midtvesten. Man kan høre, at De er kommet ind på universitetet på et boksestipendium,« lo Ane forelsket og slog sine smidige ben omkring hans faste, behårede lår. Han kyssede hende leende over hele kroppen, og det sidste hun så, før hun lukkede sine øjne i forelsket fryd, var Ikea-lampen, som cirklede rundt i de varme luftstrømme, der steg op fra himmelsengs-iglooen på det kolde gulv i Hotel Blokhus.

Ane vågnede i sæt hver anden time. Hun så på sit ur. Den var tre. Hun kunne næsten ikke høre hans åndedrag.

»Sover du?« hviskede hun. Han svarede lysvågent: »Nej, jeg tror aldrig, jeg kan sove mere. Jeg har ikke tid. Jeg ligger bare og venter på, at du vågner!« Han lagde armene om hende og trak hende ind til sig.

»Når du sover, vrider du dig væk fra mig. Det må du ikke. Vi skal ligge i ske. Hvad er det?« Hans hænder trak i hendes natkjole, som hun lige havde smøget ned over sig, fordi det trak iskoldt fra vinduet. »Natkjole, det tillader jeg ikke. Det kan du godt holde op med. En gang for alle. Natkjole bruger vi ikke her.« Han holdt hende med sine kæmpekræfter, som var hun en dukke og hev først det ene ærme af, så det andet, trak natkjolen over hendes hoved, mens hun sparkede og sprællede. Så gik han hen og lukkede altandøren op, gik ud på altanen og smed kjolen ud over kanten. Som et flonelsspøgelse vinkede den farvel med det ene ærme, og stormen tog den og blæste den ud over havet i månelyset.

»Hvad fanden bilder du dig ind,« råbte Ane. Han så forbavset på hende. Han havde ventet, at hun ville synes, det var morsomt. Lige så stille sank han sammen med et flovt Pluto-grin på. Han satte sig ned som et barn og så mut på hende.

»Du elsker mig ikke!«

»Du er komplet skør. Jeg elsker min natkjole,« sagde hun og rullede sig ind i sin dyne. »Og du skal ikke behandle mig, som om vi spiller Shakespeares »Trold kan tæmmes«.« Hun var pludselig virkelig rasende og overtræt. Hun var landet med King Kong i en øde lejlighed i Blokhus. Han lagde sig ned på sin arm og så på hende.

»Shakespeare? Hvad hold spiller han på?«

»Gammel vittighed,« sagde hun og vendte sig om. De lå tavse.

Hun stod op, rodede i sin kuffert og trak en T-shirt på og krøb ned under dynen igen. Han så ikke på hende, hun kunne se, at hans kæbemuskler strammede. Han var såret og rasende. Hun så i et glimt, at han kunne være en farlig mand. Han havde levet for længe under et eller andet pres. Hun mærkede hans vrede og barnlige skuffelse som en atmosfærisk forstyrrelse og undrede sig over, at hun ikke var generet af det, ikke urolig, bare konstaterende. Hun havde aldrig følt den fysiske og psykiske nærhed med et andet menneske så intenst. Hun tog hans hånd, så på hans mærkelige hænder med de lige korte fingre, fingre som havde puder på fingerspidserne og velplejede negle, en hånd, hvor huden var brændende varm. Han vendte sit ansigt mod hende. Månen stod i en klar stribe ind ad vinduet som et spotlight, der ramte hans ansigt.

»Hvad nu, hvis mit sind er sådan, at selvom jeg har uret, er det dig, der må række hånden frem, også når det er mig, der har skylden?« Det var et barnligt spørgsmål, så barnligt og så alvorligt som gjaldt det livet for ham. Hans pupiller var sorte og store. Hun strøg ham over håret.

»Så bliver det vel sådan,« sagde hun og kyssede ham. Han sukkede så dybt, som en lang og forfærdelig pine slap sit tag i ham. Ane følte sig ude på livets overdrev. Det her var grænseoverskridende, et menneske, en mand, som gav sig selv helt og uden forbehold til et andet menneske. Hun følte, at hun var ude af kontrol med situationen, men alligevel et skridt foran. Hun lagde armene om ham og lagde sig tæt ind til ham, hans muskler vibrerede ganske let.

»Hvordan kan man være jaloux på en natkjole?« lo hun.

»Da jeg traf dig den dag i Oxford, skete der noget. Jeg sprang ud af mig selv, og jeg har ikke kunnet finde tilbage siden. Jeg tænker på dig dag og nat. Alt raser. Vi er i en umulig situation og alligevel vil jeg bekæmpe alt det, som skiller os, selv en natkjole. Jeg er bange for, at du ikke vil være helt min. Jeg vil eje dig. Du er min.« Han så på hende med et blegt, anspændt ansigt: »Jeg vil hellere sige alt det forkerte, det upsykologiske, det skamfulde, nu. Jeg kan ikke skjule for dig, hvad jeg tænker, hvordan jeg føler. Selvfølgelig kan du ikke holde det ud. Du er en europæisk selvstændig kvinde. Jeg ved det godt. Du vil ikke ejes, du vil være dig selv og samtidig give kærlighed, naturligvis, du er normal. Jeg er skingrende sindssyg. Men sådan er det altså. Jeg kan ikke gå på kompromis. Men nu har jeg sagt det, og så er det bedst at jeg rejser i morgen.« Han tog hendes hænder og kyssede dem.

Hun rejste sig, trak ned i T-shirten og gik hen til køkkenbordet og begyndte at smøre spegepølsemad, tage øl og snaps ud af køleskabet.

»Det er rent menneskeæderi, du er ude på, ikke?« sagde hun. »Godt, men du er 52 år, du har jetlag. Du har elsket fire gange i løbet af natten, du har ikke fået noget at spise, og du har myrdet en natkjole. Nu må du have noget beroligende. En natmad, en øl, og en snaps, så kan vi pakke i morgen.« Hun rakte ham en mad og en snaps. Selv tog hun snapsen og skyllede den ned. Han så på hende, gjorde det samme, tog sig chokeret til halsen og hostede; så rev han øllen ud af hånden på hende og drak den i ét drag, tog en halv spegepølsemad, lagde sig ned, og det så ud, som om han besvimede. Ane tog spegepølsemaden ud af hans hånd, trak tæppet op om ham. Stormen hylede i hotellets cementgange. Hun tog en øl til og lagde sig ned. Det her var et kultursammenstød af virkelig klasse. Hun puttede sin hånd ind i hans og lå længe og så op i stjernehimlen, så vågen og så nærværende havde hun aldrig været før.

Da klokken var ni, var Ane oppe og gik rundt i cowboybukser og stor sweater og lavede morgenmad. Han rakte armene ud efter hende og trak hende ned til sig og vuggede hende i armene. Han så ud ad vinduet.

»Det bliver alligevel lyst her. Se, der er rosa dér, dér lyseblåt, som går over i en gylden sky. Jeg troede, her var mørkt hele dagen,« sagde han og kyssede hende.

»Jeg har store planer, vi skal på sightseeing hos købmanden,« sagde hun og lo.

Da han havde taget brusebad, kom han ind i cowboybukser, et glitrende cowboybælte med en hest, som bukkede inde i en gylden stjerne så stor som en underkop. Han havde ternet skjorte på med hvid T-shirt indenunder og en rød plastickasket i nakken. Han stod med et glad grin og slog ud med armene.

»Er der noget galt, skat?«

»Nej, du ser godt ud.«

Han satte sig veloplagt ved morgenbordet. Hun øste hans røræg op på tallerkenen. Han så begejstret på den.

»Jeg vidste, at du kunne lave bløde røræg. I de 30 år jeg har været gift med Eileen, har jeg bedt hende om at lave bløde røræg, og hver eneste gang serverer hun dem helt hårde. Ser du, hun vil gøre alt for mig, lige undtagen det jeg beder hende om.«

»Kender du det?« Ane nikkede. Det kendte hun lige præcis.

Solen kom højere op på himlen, de spiste i tavshed og så af og til forelsket på hinanden og tog hinandens hænder.

»Jeg er lykkelig, og det føles, som om jeg har spist morgenmad med dig altid. Jeg føler mig hjemme på det mest fremmede og underlige sted, jeg nogensinde har været. Jeg kan ikke engang udtale navnet Bløkhuis,« sagde han.

Det bankede hårdt på døren. De for sammen, sad helt stivnede uden at sige en lyd.

»Der er telefon til fru Bjerg,« sagde en stemme uden for døren.

»Lad være at åbne,« hviskede Bob. »Måske er det en fælde.« Ane rejste sig og råbte:

»Jeg kommer nu.« Hun smuttede ud ad døren. En lærer i bordeaux-farvet træningsdragt stod udenfor med en nøgle til telefonboksen. Ane styrtede hen ad svalegangen. Det var Johannes, der ville høre, hvordan hun havde det. Hun fortalte om vejret, og det frygtelige værelse, og om hvor nødvendigt, det var for hende med al den stilhed, og hun sagde, at det ville passe hende bedre at ringe hjem ved middagstid, for så var hotellets telefonkiosk åben. Nu stod hun inde i et af kursuscentrets kontorer.

Hun var rystet, da hun gik op til deres værelse. Hun var fuld af skyldfølelse, bange for at blive opdaget, men det var for sent. Hun kunne ikke vende tilbage nu. På en dag og en nat var de blevet et par, faldet ubesværet på plads som to savnede brikker i et puslespil. Der lå de trykket ind i hinandens kanter og buer og dannede et mønster i et billede, ingen endnu vidste, hvad forestillede.

Bob rejste sig, da hun kom ind.

»Er der noget galt?« Hun satte sig på skødet af ham.

»Det her er skørt. Jeg føler, at de bryder ind i vores verden. Eileen med sit røræg, og Johannes med sin pludselige omsorg.« Han nikkede.

»Vi bliver nødt til at tale det igennem. Jeg fortæller dig alt om mit ægteskab, om hende, mine følelser før og nu, om mine børn, og hvorfor det er gået, som det er gået. Mit livs roman. Og du fortæller mig det samme. Når vi har læst de to bøger, lukker vi dem, og så er det vores ret at nyde de dage, de timer, vi kan få med hinanden. Det bliver hårdt indre arbejde, jeg er ikke vant til at tale om mig selv. Men til dig kan jeg fortælle det hele, tror jeg.«

Hun rejste sig og begyndte at tage af bordet, skylle af og sætte i det lille opvaskestativ i køkkenafdelingen. Han rystede dækkeservietterne ned i papirkurven.

»Det her er ikke bare et forhold, et sidespring. Vi troede det måske. Jeg troede det næsten, lige indtil jeg så dig igen i går.«

Han tog hende og holdt hende tæt ind til sig og begyndte at klæde hende af. Han bar hende hen i deres seng, kyssede hende blidt over hele kroppen, hentede bodylotion, gned hende ind over det hele uden at røre hendes køn, til sidst pressede hun sig op mod ham, og hans hænder kørte rundt i større og større cirkler for at gøre hende våd. Hun mærkede, at hans fingre ville trænge ind i hendes anus, hun strammede forskrækket ballerne sammen.

»Nej, det vil jeg ikke have, det må du aldrig gøre, jeg kan ikke lide det, det gør ondt.«

»Ingenting gør ondt, slap af. Jeg vil aldrig gøre ting ved dig, der gør ondt. En dag vil du kunne lide det. Jeg ved godt, du har haft mange mænd, men jeg kan mærke, at du er jomfru indeni. Du ser ikke sådan ud, du taler ikke sådan, du mærkes ikke sådan, men du er det.«

Han lagde sig over hende og trængte ind i hende, drejede hendes ansigt op mod sig og hviskede:

»Når du giver dig selv helt til mig, og jeg til dig, så er vi brændemærkede for evigt. Mærket sidder på os også efter døden. Sådan er det, jeg ved det. Han fastholdt hendes blik, løftede hende op, så hendes ryg var bøjet som en bue. Du er så smidig og så tynd. Han så forelsket ned over hende og foldede hendes ben om sig. Jeg elsker dig. Jeg har aldrig følt noget så varmt og brændende. Du er ikke sky og genert, men så bevidst om din krop, viser mig, at du kan lide sex. Du ved ikke, hvor bevægende det er for en mand.«

Ane følte sig skubbet ud i en voldsom form for sex, hvor hun ikke selv var med, men som hun alligevel blev tvunget ind i. Kroppens grænser forsvandt, og hun var på vej ind i et landskab, hvor hun ikke kunne lide at være, et ensomt landskab som i et surrealistisk billede, hvor der hele tiden skød ting op af jorden, der ikke skulle være der. Det var godt at være i seng med ham, men han var på jagt efter noget i hende, og hun vidste ikke, hvad det var. Til sidst rystede hun og skubbede ham væk. Hun var forvirret over sine følelser. Han strøg hende beroligende over ryggen, masserede hendes muskler rutineret, og hans fingre følte hende igennem, som om han vurderede et dyrs kvalitet og muligheder. Hun slappede af og følte sig gennemstrømmet af varme, der opløste følelsen af usikkerhed og frygt. Ane var en varm kvinde, seksualitet betød meget for hende, men hun havde altid haft en klar fornemmelse af, hvor hendes seksualitet var, hun havde været tryg ved den, som hun var tryg ved at spise og drikke. Nu var han ved at trænge gennem nogle hemmelige lag. Hun havde selv valgt, ville hun åbne og se hvad det var, eller skulle hun trække sig tilbage. I dette øjeblik valgte hun at trække sig tilbage i sikkerhed. Han lagde sin kind mod hendes for at trøste hende, fordi han vidste det.

»Hvad er der med dig?« spurgte hun og rejste sig op og så udforskende på ham. Han sukkede.

»Du går for tæt på mig. Du ved nogle ting, jeg ikke vil have, du skal vide. Hvad er det, du vil?«

»Jeg har levet tættere på naturen og på dyrene end på mennesker. Jeg lever i to lag. På universitetet, hos min familie. En rolle, som jeg både er og spiller. Når jeg er på jagt i Wyoming, i Alaska, eller i alle de år i Kenya, er jeg en anden. Jeg har haft perfekt lykkelige stunder i begge verdener. Men jeg har altid følt oplevelserne alene. Nu ved jeg, at jeg ikke er alene mere. Du vil kunne gå med mig over grænserne, gennem lagene.«

»Du foruroliger mig,« sagde hun alvorligt. »Jeg er helt normal. Mine følelser for dig er en almindelig kvindes forelskelse.« Ane pakkede dynen om sig.

»Der er noget, jeg må fortælle dig, for du kommer til at høre det alligevel. Jeg har store hypnoseshow på universitetet, bare som underholdning. Studenterne synes, det er morsomt, selvom jeg er ret grov.« Han lo af hendes forbavsede ansigt: »Men dig vil jeg aldrig kunne hypnotisere, du er for stærk, og jeg ville heller ikke bryde mig om det.«

»Jo, det ville du. Nu er vi på sporet. Det er vist dit højeste ønske,« sagde hun. »Jeg vil ikke være her i dette værelse længere. Vi må ud, hvor der er andre mennesker. Her er ved at blive for voodooagtigt. Kom nu, jeg har planer, vi skal til købmanden og på sightseeing.«

Han så op mod himlen. »Det bliver snestorm. Skal vi køre langt, må vi have tæpper og lygte med, mad og vand.«

»Vi skal bare til Ålborg,« sagde Ane.

»Jeg har set grøfterne her. Man må altid være forberedt. Han pakkede professionelt udstyret sammen og bar det ned i bilen. Til sidst skiftede han den røde plastickasket ud med den store grå stetsonhat.

Købmanden tog pokeransigtet på, da der pludselig blæste en cowboy ind i butikken. Kunderne stod med tunge, jyske ansigter. Der var stille. Bob gik rundt og kommenterede varerne med højtråbende stemme.

»Lad dog være at råbe,« sagde Ane.

»Det er da ikke mig, der råber, det er danskerne, der hvisker,« sagde han. Han udvalgte sig den største fisker, der stod i butikken, slog ham på skulderen og sagde: »Du taler engelsk, ikke?« Jo, det gjorde fiskeren da, han kom tit til Skotland. »Jeg er her med min kone på bryllupsrejse,« fortsatte Bob. Ane rødmede. Købmanden gav bolsjer og de andre kunders knyttede ansigter flovedes ved, at en cowboy med hvidt hår lavede noget så frækt som at tage på bryllupsrejse til deres købmand.

Fiskeren grinede og tog en lille blikæske op og bød Bob en skrå.

»Hvad er det?« spurgte han Ane.

»Skrå, en slags tobak til at sutte på.«

»Nåh ja, hot stuff,« sagde han anerkendende til fiskeren, og for at gøre sig populær tog han skråen og stak den ned i underlæben og begyndte at lave sine klovnegummiansigter for at få købmanden og kunderne til at grine. Først rullede de med øjnene til hinanden, så begyndte de at fnise, til sidst rullede latteren, og Ane hev ham ud af butikken. Han trak sin underlæbe ud og tobakssovsen silede ned ad mundvigene. Så tog han den ud med en kleenex og smed den ud ad vinduet.

»Du er god til at komme i kontakt med de indfødte, hvad?« sagde hun.

»Kan du ikke lære mig nogle rigtig frække ord på dansk,« sagde han veloplagt og prøvede at få resterne af skråen ud.

»Ikke tale om, du vil bare fyre dem af, når det ikke passer sig.«

»Hjemme hos os har vi også sådan nogle Hill Billy-typer som dem i butikken, de tygger tobak. Jeg føler mig snart helt hjemme,« sagde han. »Nu skal du se, hvordan vi vender vognen.« Han speedede op, rev i rattet, bilen slog et par piruetter, mens Ane skreg. Bob råbte: Yeehaa, let her buck, grinede med sin sorte skråmund, og de kørte videre mod Ålborg, mens de sang *You are my sunshine* tostemmigt.

»Er det her byen?« sagde Bob forundret, da de steg ud i Ålborg.

Hun slæbte ham hen på gågaden, og han vendte sig ugenert og kiggede efter folk, som grinede af hans stetsonhat.

»De har alle sammen gråt eller blåt tøj på. Kan I ikke lide farver?« spurgte han. »Og så ser de alle sammen så triste ud. Er her sket en ulykke?«

»Nej, sådan ser alle danskere ud, det er på grund af skatten og klimaet.«

»Der er slet ingen, der griner,« sagde han lamslået og som et barn gik han rundt og stirrede fuldstændig ugenert de forbipasserende ind i ansigterne. Ane trak af med ham.

»Nej, for der er ikke noget at grine af.«

»I har da pornofilm, har jeg hørt. Ann, jeg vil så gerne se en pornofilm. Jeg har aldrig set en. Forstår du, jeg holder mig meget for mig selv, når der er mandefester. Jeg gider ikke det der, og i en lille by kan man naturligvis ikke tillade sig at gå hen og se en, og jeg ved heller ikke, om de viser nogen. Man kan selvfølgelig købe videoer, men det kan jeg heller ikke tillade mig. Eileen ville også ringe efter politiet, hvis jeg så sådan én hjemme. Husk på hun underviser i bibelklasse, og sådan noget taler vi aldrig om.«

»Porno er det værste, jeg ved,« svarede Ane. »Det er altid kun mandeporno med nogle store blege, grimme fyre med bumser på ryggen, og pigerne ligner noget fra en charcuteriforretning. Det svupper, og man er ved at brække sig, fordi de er så ulækre.«

»Hvis jeg nu lover at se to herregårde, et museum og at gå tur i Vildmosen, alle de ting du sagde vi skulle. Kan vi så ikke bare gå en tur i en pornobiograf?«

»Først efter frokost,« sagde Ane. De spiste på Lyneborg Kro. Det var de rette rustikke omgivelser til at imponere ham. Han så sig beundrende om og blev pludselig forvandlet til en amerikansk gentleman. Han stod op, når hun rejste sig fra stolen. Han sad ret op og ned og strålede lykkeligt.

»Ann, jeg ser vores liv sammen. Jeg er så stolt af alle de ting, du kan og ved, du har så mange talenter, og så er du smuk og en dame. Ved du, at mange amerikanske mænds højeste ønske er en kvinde, som kan være en dame i dagligstuen og en luder i sengen? Han så barnligt på hende, mens han var i gang med sin sildemad.

»Luder og Madonna-myten, den er vist international,« sagde hun. Han lo.

»Du er en dame både i dagligstuen og i sengen. Det skal vi nok få lavet om på.«

»Så foretrækker jeg at være en luder i dagligstuen og en dame i sengen, sådan som du opfører dig,« sagde Ane. Hun lo endnu højere, da han et øjeblik så skræmt ud som et barn, hvis mor pludselig tager en maske på og bliver en helt anden.

»Jeg har lagt mærke til noget underligt,« sagde hun og tog hans hånd. »Amerikanere ligner altid børn i øjnene. Europæere er voksne.«

»Efter min mening er de kynikere,« sagde han. »De tror, de har set alt. Men det har de ikke. Vi amerikanere er mere nysgerrige. Vi skal virkelig have fingeren i syltetøjskrukken for at se, om det er sandt? I har mistet jeres uskyld for mange hundrede år siden.«

»Måske. Hvorfor har I svært ved at skelne virkeligheden fra film og tv. Det virker frustrerende på os, at I hele tiden forsvinder ind i en film, taler som en filmhelt, skaber situationer, der ligner noget, I har set før. Får I aldrig en mistanke om, at virkeligheden er anderledes?«

»Det er rigtig europæisk højrøvethed, jeg hører her. Når vi kommer hjem, skal jeg fortælle dig om den virkelighed, der var min, da jeg var barn og voksede op. For at leve med den må man have et idol, et billede at klynge sig til, og så en dag tager rollen, idolet måske over.« Han bredte sin damaskserviet ud på skødet og strøg over den.

»Hvem var dit idol, da du var lille?« spurgte Ane.

»Skipper Skræk,« lo han og stak rødbedegaflen i munden som pibe og lavede et perfekt Skipper Skræk-ansigt.

Efter frokosten gik de tur i Vildmosen. Det blæste stadig. Klokken var halv fire, og det var ved at mørkne.

»Der er højere til himlen, når der ikke er bjerge, og lige meget hvor vi er her, så kan jeg lugte havet i vinden,« sagde han og så sig omkring i det øde vinterlandskab. »Jeres natur har en speciel tone, man ikke finder andre steder. Sørgmodig, ligesom de folkesange du har sunget for mig.«

Og de gik ud over Vildmosen med hinanden i hånden, han snublede over de mange tuer med sine stive knæ, der var blevet skadet under rodeoerne. Ane fortalte om foråret i Danmark, som ikke pludselig sprang ud, et forår der kom sagte. Hun ledte efter det engelske ord for sagte. Men han forstod det først, da hun sagde, at foråret kom listende på kondisko. Hun fortalte om lærken, den lille uanselige fugl, der fløj i spiraler, og for hver spiral fik mere glæde i sin jublende stemme.

»Den kan hænge i lang tid helt oppe under himlen, man kan næsten ikke se den, kun høre den. Den er et af de første forårstegn, for det varer lang tid inden træerne og blomsterne springer ud.« Bob hørte alvorligt på, hvad hun fortalte.

»Jeg kan se det hele i widescreen og farver, når du fortæller det.« Han skød hatten om i nakken og så sig om: »Det er smukt, og det har en vægt, som jeg kan mærke i mit hjerte. For landet her er så stivnet af frost og kulde, at jeg føler, hvilken kraft der skal til at løsne vinterens greb. Sådan er det ikke hos os i Colorado. Der sker det som et under. Her er ingen kamp mellem årstiderne. Det vil du se, når du besøger min jagthytte i Wyoming. Den ene dag er træerne tyngede til jorden af sne, det fryser ned til 30 grader. Bjørnene er i hi. Men pumaen jager, vi kan se dens spor. Man ser sjældent vildtet. Kun hjortene kommer tæt på, for vi har en saltsten, som de kommer ned og slikker på om formiddagen. Fuglene er der, nogle få blå skader. Men en morgen vågner du. Solen brænder, sneen smelter næsten på en dag. Floden og bækken svulmer. Dyrene er pludselig alle vegne. Jordegern hopper rundt, der er ørreder i bækken, og sneen glider bare væk, og så ser du blomsterne fuldt færdige. De har bare stået neden under sneen og ventet. Solen bager, så jeg må have skjorten af, når jeg hugger brænde, så hænger jeg honningsaft op i beholderen på terrassen. Lige med et sværmer kolibrierne i alle mulige skønne farver. Det er et eventyr, det sker så hurtigt, at man næsten ikke kan følge med. Men nu ved jeg, hvorfor danskerne er klædt i brunt og mørkeblåt. I bliver ikke muntre og lette, før I har taget tilløb i spiraler ligesom lærken.« Han trak hende ind til sig. »Elskede, du skal ikke bo her, hvor man skal tage tilløb for at være glad. Du skal bo i Colorado, hvor blomsterne står parat under sneen.«

Og de kørte igen nordpå på de lange, lige jyske landeveje. Han sad med armen om hendes skulder, mens hun kørte. Det blev mørkt, og han sang den ene cowboysang efter den anden, lange vers med hjerte og smerte. Om cowboyen, der sank død om i sneen på vej hjem til sin elskede Mary Ann.

De kom op i den kolde ferielejlighed, og han tog snapseflasken ned fra køkkenhylden.

»Jeg drikker ellers ikke spiritus, men det har været en dramatisk dag. Dine fortællinger tager på mig. Det er, som om jeg gennemlever årstiderne og jeres historie på en dag. Jeg må have en af de små stærke til denne universelle oplevelse,« sagde han. Ane hældte op og han tømte glasset i et drag og tog sig igen til halsen. Ane stod ved køkkendisken i det lille værelse og rørte frikadellefars for at præsentere ham for nationalretten. Til sidst var bordet dækket med ternet dug, øl, snaps, frikadeller og rødkål.

Bob opførte et stand up-show på fem minutter, hvor han prøvede at sige rødkål og fuckadeller, som han havde døbt dem. Det blev et show om fuckadellens oplivende virkning på danskerne. Han fantaserede om, hvad der skete bag Blokhus' nedrullede gardiner, så snart de små brune klumper kom på bordet. »Hurra, fuckadeller« og alle gik amok, når de havde spist dem.

Ane lo, så tårerne trillede. Den mand kunne være blevet verdensklovn. De lo og lo, til de til sidst udmattede faldt i søvn efter at have elsket. Lige inden hviskede han i hendes hår:

»Det her er for meget, det er så intenst. Jeg elsker dig. Åh, hvordan skal vi blive normale, hvordan skal vi nogensinde kunne skilles igen.« De rullede sig sammen på madrassen i den lille lejlighed i Blokhus, og stormen udenfor blev bare ved og ved.

Ane vågnede stiv og øm. Klokken var ni om morgenen, og der duftede af kaffe. Bob kom ind, kyssede hende.

»I dag er det min bestemmedag, og jeg skal se spøgelsesborg og bagefter i pornobiograf. Han tog sin guitar og satte musik til. Ane rystede på hovedet.

»Bob, jeg er træt. Jeg er så øm og træt. Nu må du lige tage det i små doser, ikke? Jeg kan ikke tåle mere. Jeg har fået mellemgulvsbrok af at grine, og jeg har også ondt andre steder. Du skal nok få din bestemme-dag, men vi skal have en rolig start.« Hun vaklede stivfrossen ud i badeværelset.

»Skal jeg ikke komme og sæbe dig ind?« råbte han veloplagt, mens der lød guitarakkorder fra morgenbordet.

»Nej, for jeg ved, hvad det ender med. Du kan skænke min kaffe.« Hun kom ind i badekåbe og fremdrog som en tryllekunstner sit hjemmebagte franskbrød. Åh gud, forberedelserne til denne tur og forklaringerne om, hvorfor det var så vigtigt, at hun fik hjemmebagt brød med! Han tog en skive og snusede til den.

»Hjemmebagt, det har jeg ikke fået, siden jeg var barn. Du skrev, at du somme tider bager om lørdagen. Det smager skønt, bare smør godt med smør på. Lad mig dø lykkeligt i sværvægtklasse, til helvede med atleten.« Han spiste skive efter skive.

»Jeg synes, du ser bleg ud. Du er overtræt.« Han så bekymret på hende. Hun var pludselig lige ved at græde. Hun var stresset, udkørt af de store forventninger, af at have et andet menneske så tæt på hele tiden og af den voldsomme sex. Hun ligefrem rystede af udmattelse.

»Nu skal du bare se. Nu skal jeg ordne dig. Du er som en fin, lille fuldblodshest, jeg skal passe på. Læg dig hen på madrassen.« I det øjeblik hun lagde sig hen på deres madras, tænkte hun svagt: »Hvem der var hjemme med en god bog, en kop te og benene oppe i sofaen.« Han åbnede sin kuffert og fremdrog en medicintaske. Først gned han hvert eneste af hendes led og muskler ind i kamfersalve, hans hænder brændte, salven varmede, og han masserede punkter ved hendes ryg-søjle, så hun summede over hele kroppen.

»Du skal for resten til læge, så snart du kommer hjem. Du har nogle skønhedspletter, der kan udvikle sig til cancer. De skal fjernes. Der er ni, væk med dem, også den på brystet. Så har jeg lagt mærke til, at din kæbe knager lidt, når du taler. Der er to kindtænder, som skal ud, og så skal du arbejde med håndvægte, fordi du har et lille bump på ryggen, og i din alder skal man også passe på, at man ikke får slappe overarme. Det vil du takke mig for en dag. Du har en flot skikkelse nu, alt sidder, hvor det skal, men du er 40 år og skal passe på dig selv.«

Denne tale holdt han siddende overskrævs på hende, mens han masserede, bøjede og strakte hendes led, så tog han en sprøjte frem og fyldte den. Hun fløj op.

»Hvad fanden er det? Er du blevet sindssyg?«

»Tag det roligt, baby. Det er bare influenzavaccine, jeg har med til dig. Jeg vil ikke have, du bliver syg, bagefter får du lidt B-vitamin.«

»Jeg håber sandelig ikke, jeg vågner op i et bordel i Las Vegas,« stønnede hun. Hun mærkede ikke, han stak hende. Så sad han og strøg hende over håret, til hun sov.

»Du skal sove en time til, så får du appelsinsaft med proteiner og bagefter skal vi på spøgelsesborg og i den der biograf, du ved nok.« Han lagde sig ved siden af hende på albuen og lo.

Hun var varm og godt tilpas over hele kroppen. Det var skønt at blive passet og plejet. Hvad var det, Freud sagde: Egoets sygelige trang til at få omsorg. Hun døsede hen og vågnede godt tilpas en time senere. Hun klædte sig på. Sweater, slacks, lange ruskindsstøvler og et foret slag.

»Og nu til Spøttrup Herregård, som en af mine oldeforældre på mødrene side har ejet,« sagde hun stolt.

Ane sad ved rattet. Han fulgte med på kortet. De skulle sydvest for Rødding. Da Bob stod foran den lille kompakte borg, blev han imponeret. Han gik rundt om de gamle mure og rørte ved dem.

»Bygget i 1500-tallet. Jeg har aldrig set sådan en gammel ejendom.« Ane fortalte om den sidste katolske biskop Jørgen Friis, der ved kong Frederik I's død sagde, at han kunne godt tænke sig at være en djævel i helvede, så han rigtig kunne pine kongen.

»Det tror jeg på,« lo Bob. »Det lyder som en ægte katolik. Men han går sandsynligvis igen for sine onde gerninger.«

Ane citerede Hans Hartvig Seedorfs *Hver en sten er en levende tunge.*

Bob kørte bilen tæt på herregården, så han kunne sidde og betragte den, mens Ane fortalte om de mærkelige hændelser på Spøttrup, og han lyttede med barnlig begejstring til historierne, mens han spiste skinkesandwich, frikadellemadder, vitaminpiller, kolesterolnedsættende piller og blodtryksnedsættende medicin. Det hele blev skyllet ned med cola.

»I sydfløjens sal var der nogle riddere, der dansede en jomfru til døde. Da hun mærkede, at blodet vældede op i hendes mund, holdt hun hånden for, lidt efter segnede hun om og greb for sig med den blodige hånd. Den satte aftryk på væggen, som aldrig har været til at fjerne.«

»Sådan var maratondansene også til markeder, da jeg var ung. Det var alle de unge, som ikke havde nogen penge, der dansede, til de faldt om. Jeg har set det. Vi hang ind over rækværket og udpegede det par, der ville gå ned. Jeg vil se pletten,« sagde han, og de gik ind i salen og så pletten på væggen. Ved døren stod en gammel kone med armene over kors i sort frakke, prikket tørklæde. Bob lettede på hatten, hun nikkede.

»Spørg hende, om hun har set spøgelser,« sagde Bob. Ane gik modstræbende hen til konen, der stod og krammede sin plastictaske i hånden og så sig omkring.

»Min mand er amerikaner, han er meget interesseret i stedets historie. Er De herfra?« Konen rystede på hovedet.

»Men min bedstemor tjente hos Breinholt, og hun kunne fortælle! Man hørte tit børnegråd, og der var vognrumlen i gården. De andre ting tør jeg ikke fortælle om. Det skal man ikke, sagde bedstemor. Så lukker man det onde ind.« Ane oversatte. Bob nikkede.

»Sådan er det, dæmonerne skal ikke slippes ud. Når de er ude, er de svære at få på plads igen.«

»Der er sammenhæng i det her,« sagde han. »Jeg skød kød til de indfødte i en af de små landsbyer i Kenya. Medicinmanden sagde det samme som damens bedstemor. De folk ved, hvad de snakker om.«

Ane havde måttet kontakte turistrådet om morgenen, inden de tog af sted. Det var pinligt at bede om adressen på en pornobiograf. Men i

Ålborg var der en, der havde eftermiddagsforestilling. Der var otte mænd i biografen og Ane.

»Jeg gør det aldrig mere,« hviskede Ane. »Her er så ulækkert.« Hendes tilstedeværelse generede mændene, det kunne hun mærke. Der var en kineser, der sad og trykkede sig ned i sædet. Resten var en mandefrokost, der skulle have lidt sjov, og så var der Bob, som uanfægtet sad med hendes hånd i sin, som om de skulle se *Borte med Blæsten.* Han havde købt en stor pose popcorn og glædede sig. Filmen var tysk. En Gretchen med fede fletninger og brysterne uden for dirndlkjolen blev antaget i en højst mærkelig familie. Hun skulle servere morgenmaden, og hun kom ind og kniksede, og så rev de bukserne af hende og bollede hende fra alle sider. Bobs øjne blev først runde, så lo han lidt, og så blev han flov som en hund, da den amerikanske puritaner endelig fik tag i ham. Da Gretchen var ved at indføre en stor dildo i den gamle bedstemor, rejste han sig forarget.

»Nu går vi! Sikke noget svineri! Det er det værste jeg nogensinde har set, hvad får de mennesker til at foretage sig den slags ting, og så på tysk.« Ane var tavs. Han så skamfuldt på hende.

»Det må du undskylde. Det var modbydeligt. Bare jeg aldrig havde set det.«

»Du ville jo selv. Jeg havde advaret dig,« sagde hun. »Og du er selv ude om det. Den slags film virker modsat på mig.« De kørte tavse hjem.

»Vi skulle have nøjedes med spøgelserne,« sagde han.

De spiste på en kro. Stemningen lettede. Middagen var friske rødspætter med tranebærsyltetøj.

»Fisk med syltetøj, spøgelser og en frygtelig version af *Rødhætte.* Dette er i sandhed en mærkelig dag, elskede. Jeg ville ønske, at jeg kunne fortælle det til nogen, når jeg kommer hjem.«

»Når vi kommer tilbage til Blokhus, vil jeg gerne høre Eileens historie,« sagde Ane alvorligt. »Der må være en grund til, at du sidder her og spiser rødspætter med syltetøj. Jeg tror ikke på, at man kan bryde ind i et lykkeligt forhold, og jeg tror heller ikke på, at den ene part i et forhold er djævelen og den anden en engel. Når du fortæller Eileens historie, vil jeg have ordentlig besked. Ikke den om, at min kone forstår mig ikke.« Han så på hende med sine stærke grå øjne.

»Jeg trænger til at fortælle det, til at give ren besked om de gode og de onde dage. Det vil måske hjælpe mig med at rydde op i det virvar af følelser, jeg har i mig. Men først har jeg noget til dig, som du altid skal bære. Jeg kan ikke give dig en ring endnu. Men du får vores stjernetegn. Vi er begge Skorpioner.« Han lukkede en æske op og gav hende skorpionens stjernetegn i guld med smaragdøjne og en gylden kæde. Selv havde han en mage til. Han tog den højtideligt på og hængte den om halsen på hende, og hendes skandinaviske generthed overvældede hende, og hun blev utilpas over den amerikanske patos. Men hun nænnede ikke at le eller gøre nar. Hun bøjede hovedet og sagde rørt tak og følte sig som en lort, fordi hun pludselig var en kynisk betragter, der smågrinede. Det var synd, for han tog det så alvorligt, som var det et primitivt bryllup.

»Jeg har fået datoen indgraveret,« sagde han stolt. Han kyssede hende længe og varmt, og hun ønskede, at hun kunne fjerne den europæiske troldsplint og bare nyde den nye kærligheds faser, der førte tilbage til barndommens land med hjerter med pil igennem tegnet på fliserne. Til fireforestillingen om søndagen i Gentofte Kino, når Vangede-drengene råbte »Ismand« og Zorro kyssede sin udkårne og ridsede Z'et i egetræsporten.

KAPITEL 12

CHOKOLADEN I GRYDEN smeltede langsomt. Ane hældte mælken på. Flødeskummet var pisket, og han stod og så beundrende ned i gryden.

»Det dufter skønt. Jeg troede, man lavede kakao af pulver.« Han tog sin båndoptager og indtalte opskriften.

De havde været på tur langs stranden og var forfrosne. Det havde været en tur i stilhed uden samtale, for blæsten var så hård, fuld af isprikkende flyvesand, at de ikke kunne tale.

»Det er et morderisk klima, I har,« sagde han. Som dagene gik, var han sværere og sværere at få ud af lejligheden. Ane havde nye planer hver eneste dag, men måtte opgive dem. Han havde behov for at fortælle om sig selv og sit liv, at høre om hendes. Dagene formede sig som taledage og -nætter, hvor de kom længere og længere ind til hinanden.

Han satte sig i stolen og lagde benene op på bordet.

»Jeg er gået i hi, eller jeg er ved at forpuppe mig. Min eneste bekymring her i livet er, hvordan jeg på fredag skal finde dr. Bryant, kravle ind i hans krop, få ham ud til lufthavnen og op i maskinen.« Han så ulykkeligt på hende. Han var begyndt at sige vittigheder om afskeden, fordi den var ubærlig. De havde allerede fået små vaner og opførte sig som et nygift par, der havde et langt lykkeligt ægteskab foran sig.

Fremtiden blev ikke nævnt med et ord. Ingen af dem kunne finde på løsninger, planer. Timerne, hvor de havde hinanden nu, var for kostbare, og tiden gik alt for hurtigt. Gang på gang knugede han hende ind til sig.

»Lad tiden stå stille. Jeg er så lykkelig.« Om natten når hun vågnede, lå han og stirrede op i loftet med armene under hovedet, han så hærget ud om morgenen. Et sted indeni var han allerede rejst og pintes af savnet.

De havde planlagt at gå ud at danse den sidste aften. Der var julebal på en af Ålborgs store restauranter. Ane havde bestilt bord til dem. De skulle op klokken fem, køre til Ålborg for at han kunne nå maskinen, som gik direkte til New York.

Ane satte kopperne med den varme chokolade og det iskolde flødeskum foran ham.

»Vil du have rom i?« Han rystede på hovedet, drak forsigtigt af den varme chokolade. »Alt, hvad du laver er anderledes, alt smager bedre, selv en skinkesandwich. Jeg har ikke været i en rigtig bagerbutik i mange år, og jeg kunne stå inde hos den lille bager et par timer og bare lugte til duften af friskbagt brød. Det er, som om mine sanser er tilbage i tiden.« Han så over på hende. »Ann, i dag må vi tale om det. Hvad skal vi gøre?«

»Nu må du altså fortælle mig om Eileen,« sagde hun. Han tav et stykke tid, stillede sin kop, flyttede sin stol tilbage for at lægge lidt afstand som fortæller.

»Jeg skal fortælle dig Eileens historie, som også er min. Det bliver fuldt af smerte.« Han sukkede tungt. Sneen væltede ned uden for vinduet. Stormen var holdt op. På klitterne begyndte sneen at danne driver. Betonhotellets grå cement fik dyne på, og alle de rungende hotellyde på cementgangene dæmpedes, som om de sad i et lydisoleret rum. Han talte sagte og hæst, mens han af og til strøg sig over hagen og åbnede og lukkede sine hænder, som om de stivnede, mens han talte.

»Vi skal tilbage i tiden. Til Fort Collins. Jeg er tyve år, og jeg er ved at programmere mig selv til succes, til et andet liv. Jeg har ingen penge. Siden jeg fyldte tolv år, har jeg arbejdet som cowboy på forskellige farme. Jeg er god til heste, jeg har tjent nok til at få boksetimer. Jeg er kommet i klub, har vundet et par kampe. Men jeg stiler højere. Mit mål er college, det er så fjernt, at jeg ikke tør tale med nogen om det. Måske kan jeg komme ind på et boksestipendium. Jeg er en god atlet, træner dagen lang. Når jeg ikke arbejder på farmen, arbejder jeg på et bilværksted. Det er arbejde døgnet rundt. Det er en mani, jeg sover kun lidt. Langsomt har jeg trukket mig væk fra den bande, jeg plejer at se. Det kunne være gået galt for mig, ser du. Der skete mange ting, nogle af dem var halvkriminelle, voldelige. Det drejede sig om at lægge piger ned, tjene hurtige penge og spille op til hinanden. Et machosamfund I slet ikke kender til her. Jeg bor på farmen i et værelse lidt væk fra de andre cowboys. Det er konen på gården, der har sørget for det. Hun kan godt lide mig og tænker, at de andre vil ødelægge mig, hvis jeg sover sammen med dem. Hun er den eneste kvinde i miles omkreds. Når hun gør rent, vasker gulv eller står på en stige, kan vi se hendes kraftige, faste lår. Vi er konstant liderlige og gør det til en sport at finde ud af, hvem der ligger og onanerer et eller andet sted, så vi kan tage røven på ham.

Da jeg bliver 17 år, tager de mig med til byen. De tror, jeg er jomfru. Nu skal jeg blive en mand, siger de. De tager mig bare og propper mig ind i bilen. Vi kører til byens bordel, et lille træhotel, fuldstændig som du ser i cowboyfilm. De har købt en pige til mig. Det er min fødselsdag. Hun er kineser, yndig, lille, fin med marcipankrop og de sjove små, flade bryster, kineserpiger har. De har bildt mig ind, at jeg skal se godt efter kussen, for den sidder på tværs hos kinesere, siger de. Hun er på min alder. Hun ligger bare i sengen som en porcelænsdukke med rød blomst i håret. Jeg kan næsten ikke røre hende, men hun tager bare min hånd og spørger med sprød stemme, hvad jeg hedder. Så rører hun ved mig, og jeg lægger mig ned til hende. Hun spreder benene mekanisk. Hun har næsten ingen pubeshår, så jeg kan se hendes hvide skamlæber og det perlemorsagtige lyserøde inde bagved. Det ophidser mig. Jeg trænger ind i hende, vender ansigtet bort for ikke at møde hendes øjne. I samme øjeblik jeg er ved at komme, sparker gutterne døren op og vælter mig grinende af hende. Det er joken. Hun dækker bare sit hoved med armene som for at beskytte sig, og jeg kaster mig ud i det vildeste slagsmål. Der må fire til at holde mig. Da vi kommer hjem, pakker jeg og rejser.

I ugevis plages jeg af angst for at have fået en kønssygdom. Da jeg konstaterer, at jeg er rask, er jeg taknemlig, tager det som et fingerpeg, og jeg tvinger mig selv dag efter dag ind i den nye programmering. Jeg vil lave mig om. Jeg vil have en atletisk krop, og jeg vil på college og studere til dyrlæge. Det er meditation og mental træning, hvor jeg tvinger min hjerne og min krop til at adlyde min vilje. Kroppen ændrer sig, jeg løfter vægte, får kæmpemuskler, lider, stønner. Selvdisciplinen er hård, når jeg er mest træt, træner jeg, til jeg får blodsmag i munden. Jeg holder mig for mig selv for ikke at falde i med gutterne igen.

Jeg søger ind på Colorado State University og kommer ind på et boksestipendium. Nu lægger vi underlægningsmusik på historien. Frank Sinatra og Glenn Miller spiller i baggrunden. Musikken kører hele tiden, og vi drenge kan vælge mellem to typer, hvis vi vil frem. Vi kan vælge atleten, som specialiserer sig i et fag, men som samtidig dyrker sin krop og en helterolle. Han går kun efter de pæne piger, som man kan få til lidt af hvert på bagsædet, men som har en far med et haglgevær. Det er ikke få gange, jeg har pillet hagl ud af mine kammerater. De nåede lige at få et skud i røven, inden de sprang ud af soveværelsevinduet.

De pæne piger har normer, de holder fast i trusseelastikken, man må kun med fingeren og ingen sex før brylluppet. Måske et par enkelte gange, hvis man er ringforlovet, og brylluppet er fastsat. De pæne piger skal være kønne, men ikke opsigtsvækkende smukke. De er strengt opdragede og kan sy. De er feminine med blankt indadvendt hår, blanke pink læber, og de kan smile hvidt, bredt og blændende, og de kan spærre øjnene op og se beundrende på en mand. De kan lade, som om de lytter til en mands karrieredrømme. De taler helst ikke om sig selv, kun overfladisk sladder om veninderne og om, hvad de ønsker sig af fremtiden. De går på en knivsæg for at behage alle. Familien, lærerne, veninderne og fyren, de drømmer om. Deres identitet skifter som en kamæleon, alt efter hvilken fyr de kommer sammen med. Man skal se sig godt for. Jeg har allerede gennemskuet det. Men jeg skal have en fast pige, mens jeg studerer, så jeg kan blive gift, når jeg er færdig. Jeg må have en kone, som støtter mig. Men hun skal være nøjsom og sparsommelig.

Der er dage og nætter, hvor jeg er ved at opgive. Jeg har alle odds mod mig, ingen penge, intet sprog, ingen baggrund. Men jeg brænder som ild for mit fag, fordi jeg altid har levet med dyr. Jeg er tættere på heste end nogen andre. Jeg er ikke sentimental over for dyr. Du vil vel nærmest kalde mig grov, tror jeg. Men jeg er en del af deres verden, og der foregår det ikke som i menneskenes verden. Jeg kender deres vilkår og møder dem der. De fortæller mig med deres væsen, hvad der er i vejen. Men jeg har besvær med min hidsighed, jeg har ingen tålmodighed med forkælede, opsætsige dyr.

Omkring os i den lille universitetsby Fort Collins er et hierarki. Øverst de velhavende forretningsmænd, advokaterne, lægerne og tandlægerne. Der er en stor middelklasse, som lever sparsommeligt, men godt. Vi er hinandens vogtere, vi arbejder mod fælles mål og fremtid, pæne familier, pæne forhaver. Pæne folk holder sammen mod de andre. Jeg prøver indædt at være som de pæne, men ved, at de ikke rigtig accepterer mig. De ved, at jeg spiller en rolle. Jeg foruroliger dem. Det rygtes, at jeg er voldelig, at jeg kan hypnotisere, at jeg slår farlige heste ned med et enkelt slag.« Bob så over på Ane og drak af chokoladen. Hun betragtede ham intenst. »Desværre er det sandt,« lo han, tørrede sig om munden og stillede sit krus.

»Det er et intolerant lille samfund. Men det er også gode gamle dage med uhæmmet livsglæde. Der er hjælpsomhed, kirkebasarer, søndagskirkegang, det gode liv med hamburgere, cola, isbarer og lune æbletærter. Her er store biler. Alt koster så godt som ingenting. En mand er en mand, et ord er et ord. De kender én i banken. Man skal ikke vise identitetskort. Man har alligevel sin frihed. Vil man væk, tager man væk, vil man blive helt væk, kan man også det. To timer i bilen, lidt væk fra vejen, og så er man oppe i Rocky Mountains. Jeg tager væk, når jeg kan. Jeg tager i dagevis op i bjergene, camperer for mig selv. Jeg har også besluttet, at jeg vil være en god skytte. Det bliver jeg! Jeg vinder det ene mesterskab efter det andet. Og så dyrker jeg rodeo. Aktiviteterne hjælper mig op ad stigen. De er i overensstemmelse med de andre fyres idealer. Jeg kan til sidst det hele, men jeg har ingen venner.

Til en fest på universitetet møder jeg Eileen. Hun har et lysende smil. Hendes baggrund ligner min. Hun er nøjsomt opdraget i en farmerfamilie. Hun er, som man skal være, religiøs, holder fast i trusserne, bliver mopset, hvis man kommer for tæt på og ikke viser respekt. Hun er kærlig, og hun beundrer mig. Vi begynder at gå ud. Jeg er forelsket i hende. Hun er så smuk, og hun beundrer mig sådan. Men jeg er usikker. Hun forstår ikke min humor. Hun bliver sur, når jeg driller hende. Hun vil giftes, ingen sex før ægteskabet. Jeg går hårdt til den, men hun er ubøjelig. Det er prisen. Jeg er gået i fælden, føler jeg. Det kan være, der findes kvinder, som elsker en, og som giver sig selv uden at tænke på at få noget til gengæld. Det kan være. Men jeg er ikke sikker. De piger kan man sikkert ikke stole på, når man bliver gift med dem. Kan man stole på piger, som lader livslysten, livsglæden, humoren få frit løb. Ikke rigtigt, og hvordan vil de blive som mødre? Børn skal opdrages med fast hånd. Jeg tager op i bjergene, jeg går rundt alene, jeg tager på krybskytteri, jeg prøver at være sammen med nogle af fyrene på ture rundt i byen, men jeg kan ikke fange deres stil, deres jargon. Jeg er udenfor. Eileen er heller ikke med i de smarte pigers klub.

Jeg er 22 år og liderlig som bare helvede, og Eileen strammer skruen. Til sidst er jeg desperat, sidder på mit værelse med min kuglepen og skriver op som i et bogholderi. Eileens fordele. De er mange. Men tænk nu hvis hun er umulig at gå i seng med, hvis hun er hellig og synes, at det er noget svineri. Tænk, hvis der er noget i vejen med hende. Måske er den for snæver, måske er den for stor? Måske lugter hun eller har en eller anden sygdom? Jeg læser læge- og sexbøger og betragter hende som en detektiv, mens vi går hånd i hånd og taler fremtid og far, mor og børn.

Vores familier har vi ikke noget særligt forhold til. Hendes forældre kan vist godt lide mig. Jeg er jo pæn og er næsten færdig som dyrlæge. Det er fint, at deres datter får gode kår. Eileen og jeg udkæmper en magtkamp. Nu har hun fået fastsat brylluppet, men jeg har ikke fået lov endnu. Dagen før sætter jeg hende stolen for døren. Der bliver intet bryllup, hvis ikke jeg får lov at prøve. Rasende giver hun sig. Hun er jomfru, men det bløder ikke. Jeg må være taknemlig og takke hende, for hun er helt normal, blød og varm. Måske kan hun opdrages til at kunne lide det.

Dagen efter vores bryllup fortryder jeg det. Hun taler ikke til mig. Jeg skal straffes, fordi jeg ødelagde hendes bryllup, så hun ikke var ren. Nu er det min skyld, at Gud er vred på hende. Jeg har forført hende, og hun afventer nu Guds straf.

Det varer længe, før hun liver op og bestemmer sig til, at sex hører med til ægteskabet, og at hun lige så godt kan nyde det. I virkeligheden er hun lige så liderlig som jeg. Men aldrig skal nogen få hende til at indrømme det. Vi taler ikke om sex. Men det er det eneste, der ikke er noget i vejen med i vores ægteskab. *Nu* har hun bare en krop, som fylder mig med væmmelse, og som jeg skammer mig over.«

Ane så rødmen skylle op i hans ansigt, og hun modtog hans betroelser med kvalmende ubehag. Hun havde lyst til at gå. Hun ville ikke høre mere, men blev siddende.

»Du behøver ikke at fortælle mig så mange detaljer,« sagde hun stille.

»Det ved jeg godt, men jeg bliver nødt til det. For jeg fortæller for mig selv samtidig. Det er hovedrengøring, forstår du. Jeg kan ikke lade noget ligge ovre i hjørnet. Du kan brække dig over mig bagefter, måske gå din vej. Men jeg kan ikke mere bare tætne sprækkerne. Trykket er for stort.« Ane så svedperlerne på hans pande. Hans pupiller var sorte, og han stirrede ufravendt på hende. Hun rejste sig og satte sig på armlænet, ville tage hans hånd. Han skubbede hende væk.

»Sæt dig derover igen. Du må ikke røre mig nu. Jeg beder dig høre på mig, Ann. Jeg har aldrig haft en ven før. Eileen er lidt buttet til at begynde med, og så begynder hun at trøstespise. Jeg ser det komme lidt efter lidt. Hun spiser ikke ret meget ved måltiderne, men når jeg er væk, æder hun løs. Jeg tager til Afrika et halvt år til et ulandsprojekt i Kenya, hvor jeg skal være dyrlæge. Jeg er alene. Eileen og børnene skal komme senere. Det er en god tid. Det er det liv, jeg har drømt om. Jeg arbejder på et forskningsprojekt, og samtidig kan jeg gå på jagt, så meget jeg vil, storvildtjagt. Jeg skyder kød til de indfødte, som arbejder på klinikken.

Når jeg tænker over mit liv, så er der tre episoder med fuldstændig og komplet lykke. I Afrika en tidlig morgen, hvor jeg sad og så solopgang og ventede på vildtet. Luften var klar, der var stille, endnu ikke varmt, der duftede af kanel og krydderurter, en varm lugt med strejf af dyrefært nede fra sletten. Jeg er ikke religiøs på samme måde som min familie. Jeg går ikke i kirke. Men jeg kender Gud, og jeg mærker ham den dag som en bølge, jeg opfanger, en vibration. Han er lige ved siden af mig, og jeg har takket ham for det øjeblik hele resten af mit liv. Da jeg holder mine børn i armene lige efter fødslen, og de ser på mig, mærker jeg også den universelle lykke, og med dig er jeg lykkelig, fordi jeg har fundet, hvad jeg søger. Jeg har en rolig, sikker, lykkelig følelse. Lykken venter os. Men ligesom i eventyrene skal vi først prøves, og det bliver hedt som i helvede, når det her bryder løs.«

Han sad længe stille. Ane vovede ikke at afbryde med spørgsmål, for det var som om han ikke var rigtig til stede.

»Der går et halvt år, så kommer Eileen og vores to døtre. Da hun kommer ud af flyvemaskinen, får jeg et chok. Hun er blevet fed som en budding, hendes ben er stolper, maven bulmer. Hendes yndige ansigt er forsvundet i fedtpuder, og dér står hun med vores to smukke piger. Hun er monstrøs. Jeg føler, alle kigger på mig. Kvinderne i den engelske koloni. Du ved, hvordan de ser ud. Europæiske og amerikanske overklassekvinder bliver ikke tykke. De passer på sig selv ... Det har altid fyldt mig med væmmelse, når nogen ikke kan kontrollere sig selv. Det er noget uhyggeligt, noget psykisk, der vælter ud, så alle kan se det. Dér står *min* kone. Hun demonstrerer med sin krop, at hun trøstespiser, at hun er ulykkelig. At hun hævner sig på mig med sin fede krop.«

»Det gjorde hun måske,« sagde Ane. »De fleste med vægtproblemer har vrøvl med deres identitet.«

»Jeg er rasende, chokeret, ved ikke, hvordan jeg skal tackle situationen. Vi kører hjem, og om aftenen i mørket ligger jeg og græder, mens jeg lægger armene om hendes enorme mave. Næste dag tager jeg mig sammen. Jeg siger, at hvis ikke hun går på slankekur og bliver normal at se på, vil jeg skilles. Hun taber sig ikke, hun æder bare videre.

Der sker noget i Afrika. Hun indleder en form for modstandskamp, der skræmmer mig. Hun er så sød, så servil over for mig. Hun tilbeder mig og taler til børnene, som om jeg er Vorherre. Jeg kan ikke ramme hende på noget. Hun er bare sød og viger tilbage, når jeg raser.

Hjemme igen i Fort Collins begynder forfaldet. Huset rører hun ikke med en finger. Haven passer hun, og så sylter hun alle mulige mærkelige ting, der nu står på rækker og hylder fyldt med mug. De ligner noget fra en underjordisk Walt Disney-verden. I skabene er der rod. Det er, som om hendes indre vælter ud af skabene, når jeg åbner dem. Ting forsvinder, blot ikke mine ting, mit værktøj. Jeg har en kælder, hvor jeg fylder krudt i mine patroner, hvor mine våben og mit værktøj hænger. Jeg laver alting selv. Dér kommer hun aldrig. Vi har sjældent gæster. Jeg vil ikke være bekendt at tage dem hjem. Jeg har gjort det én gang, og jeg kunne se, hvor de undrede sig over hende og vores hjem. Men folk synes, hun er sød, hun underviser i bibelklassen, hun er sød mod børnene og børnebørnene. Hun har nogle religiøse tvangstanker om straf, og hun taler højt med Gud. Det er ikke usædvanligt hos os. Men der er noget galt, som ingen kan se. Hvor sød, kærlig og opofrende hun end er, så kender jeg hende ikke. Hun siger, hendes fejl er, at hun elsker mig højere end Gud.« Han lo genert.

»Det lyder ikke rart. Du må have gjort noget, som har frembragt den reaktion,« sagde Ane.

»Det har jeg. Vi har været gift i tredive år, fordi jeg er en pæn mand, der ikke svigter sin familie. Vi har haft dejlige timer med børnene, men nedenunder foregår der en magtkamp. Vores yngste barn, min søn, er offeret.« Han skjulte hovedet i hænderne, og Ane så, at han græd. Det her måtte stoppe. Hun kunne ikke bære at høre de ting om sin elskede. Det her var farligt område, en mose, hvor man kun måtte træde på tuerne. Han svedte; der bredte sig en våd plet på hans lyseblå skjorte. Han sad med bortvendt ansigt.

»Jeg skammer mig. Jeg slog den dreng for hårdt. Han var en blød dreng, han måtte lide for, hvad jeg følte, når jeg kom hjem. Jeg var rasende, inden jeg kom hjem, rasende over at se min fede kone. Men alligevel bundet til hende. Man lader sig ikke skille, fordi ens kone er fed, vel? Der blev mere og mere rodet og uorganiseret. Jeg var fanget i fælden, jeg blev olm, og min søn blev ikke det spejlbillede, jeg havde håbet at se i ham. Jeg ser ham ikke så tit. Han stak af hjemmefra, droppede studiet. Nu er han i hæren. Vi har væbnet fred i øjeblikket.«

»Hvordan slog du ham. Jeg kan se, det sidder i dig. Jeg kan ikke trøste dig. Jeg kan bare lytte. Måske kan jeg ikke tilgive dig det. Vil du fortælle mere?« Ane så på ham. De var begge to blege. Måske var det her afslutningen, tænkte Ane. Hun havde kvalme. Han behøvede ikke at fortælle mere. Hun vidste, hvad der kom. Han rejste sig og gik hen til vinduet.

»Han har glemt at lukke kaninburet. Vaskebjørnene har været der og dræbt alle kaninerne. Der er blod overalt. Jeg vil lære ham, hvad ansvar er, og han skal mærke, hvad kaninerne har lidt. Jeg slår ham med min livrem. Jeg har aldrig fortrudt før nu. I julen tvinger Eileen og jeg ham til at synge og optræde for os. Han gør oprør. Han har fået alle de ting, jeg har kæmpet for, og han vil ikke have dem. Han gider ikke. Jeg kunne ikke tåle det! Og i dag vil jeg så gerne være venner med min søn. Jeg kommer til at trænge til ham nu. Men det er for sent.« Han satte sig ned og græd. Ane gik hen til ham.

»Jeg hører, hvad du fortæller. Men jeg kan ikke acceptere det. Jeg må tænke mig om. Jeg hader voldelige mænd. Jeg forstår noget af det, for jeg har selv vold i mig. Jeg opdrager mine hunde og heste hårdt og bestemt, men de får altid forståelse og kærlighed. Mine egne sønner har også fået bank, når jeg blev hidsig. Jeg ved, hvordan det er at blive trængt op i en krog af had og irritation. Men du har i mange år anerkendt den side af dig, som noget at være stolt af, som en del af din mandighed! Der er ikke noget at være stolt af, Bob Bryant! Der er noget at skamme sig over!« Hun råbte af ham. Hun rystede af raseri over at stå som den strenge dommer og skulle se ham bryde sammen. Var det et spil? Var han ude på noget? Var det en fælde for at få hende til at ydmyge sig. Dominerende mænd havde det i sig. Hun mærkede færten af noget, og hendes eget raseri skræmte hende.

»Skal jeg rejse nu?« sagde han og så på hende. Hun rystede på hovedet. Hun gik ud og tog deres tøj, rakte ham skindjakken.

»Vi må gå en tur.« De gik tavse langs stranden. De holdt ikke hinanden i hånden. Ane standsede op.

»Hvor er din søn nu?«

»I Korea. Han er i militærpolitiet på en amerikansk base. Jeg har ikke talt med ham i månedsvis. Ikke siden han gik ud af college og løj for mig. Vi havde et opgør. Jeg smed ham ud.«

»Find ham og fortæl ham, hvem du er,« sagde Ane.

Om aftenen satte han sig hen ved vinduet og kiggede ud. Det var blevet mørkt, men han tændte ikke lyset. De havde ikke talt ret meget sammen siden eftermiddagens samtale. Der var ikke flere ord. I morgen skulle han rejse.

Ane gik ind og klædte sig om. Hun tog en lang sort nederdel frem og en hvid satinbluse med sløjfe. Hun stod og så på sig selv i spejlet og bestemte sig. Jeg vil være hos ham, så tit jeg kan. Jeg vil tænde lyset for ham, for han vil give sig til kærligheden og til mig uden forbehold. Hun følte sig varmet indefra af sin beslutning. Hun bandt sløjfen og syntes pludselig, hun lignede Mary Poppins. Hun lo.

»Jeg er ved at blive tosset. Det her er en vækkelse.« Hun gik ind i stuen, tændte lyset, gik hen foran Bob, der sad sammensunket og dårligt så hende. Hun tog hans hånd, hev ham op, drejede ham omkring og holdt ud i kjolen.

»Vil De med ud at danse, doktor Bryant?« Han smilede som et barn, der vågner af en ond drøm. Han rejste sig, tog hendes hænder og kyssede dem.

Da de dansede ud på dansegulvet i restauranten, hvor julefrokostbølgerne var ved at ebbe ud, spillede orkesteret *White Christmas*. Han holdt hende så tæt, som var de én krop. Ane lo. Han havde åbenbart taget et brevkursus i dans og var aldrig kommet længere end til engelsk vals med variationen promenade, open, change. Mens han så forelsket ned på hende, dansede han tre skridt vals, holdt armen stift ud og gik tre skridt åben promenade, så stolt som havde han vundet årets guldmedalje i standarddans. På den måde dansede han alvorligt videre, overbevist om at han var en ny Fred Astaire. Publikum på dansegulvet stirrede på dem, fnisede lidt. Han så kun Ane. Nogle par begyndte at efterligne dem. Tre valsetrin, tre trin promenade. Ane prøvede at få ham på andre baner ved at forsøge at dreje ham rundt. Han så stolt på hende.

»Nej, nej, de beundrer min stil. Om lidt danser de alle sammen sådan.« Han smilede til folk på gulvet, overdrev sin promenade med et stort grin. Publikum lo tilbage. »Yeah folks, thats the new style,« råbte han, og Ane rødmede, da det jyske dansepublikum i julefrokost-branderterne leende dansede efter dem med hans selvopfundne White Christmas-trin.

Hele natten lå de tæt omslyngede uden at elske. De vidste begge, at sorgen over at skulle skilles var for stor. Ingen af dem græd. Han strøg bare nænsomt over hendes hår og krop og så på hende som ville han indprente sig et billede.

De kørte af sted ved femtiden om morgenen. Det var en stjerneklar frosthimmel. Et nordlys flakkede pludselig over havet.

»En hilsen,« nikkede Bob. »Polarlight.« De kørte og kørte som i trance.

»Der er noget galt,« sagde Ane pludselig. »Vi kører den forkerte vej.« Han så chokeret på hende.

»Er du klar over, hvad klokken er, så når jeg ikke maskinen? Hvor er næste frakørsel.«

»Det varer længe,« sagde Ane.

»Det er da også satans,« råbte han. Raseriet steg i ham. En åre stod i venstre tinding og bankede. Han bremsede vognen op kørte ind til siden, sprang ud.

»Hvad skal du?« råbte Ane. Han gik ud i midterrabatten, hvor der var et lavt betonhegn. Han sparkede til det, så vurderende på den lille bil. Så gik han ind i vejkanten, sparkede lidt omkring i jorden, bøjede sig pludselig ned, slæbte en stor kampesten i armene hen til auto-værnet, løftede stenen op og kastede den af fuld kraft ned på værnet som krøllede halvt sammen.

»Er du sindssyg?« råbte Ane. »Hvad er det, du laver?« Hun så sig skrækslagen om. Der var ingen trafik. Han gjorde det en gang til. Så gik han tilbage til bilen. Han vendte den i et snuptag, kørte hen til værnet. »Du er en idiot. Tror du, du kan bære en bil,« råbte hun. Han åbnede døren.

»Gå lige ud, tag kufferterne. Vi skal den anden vej, ikke?« Ane gik ind i vejkanten med kufferterne, lammet sad hun og ventede på, at der skulle ske en ulykke. Med kæmpekræfter løftede han forenden af bilen op, så den hang hen over det krøllede værn, så gik han bag bilen, satte ryggen mod, svedte, stønnede, skreg og brølede. Pludselig vippede forenden, men halvdelen af bilen hang stadig oppe på det halve autoværn. Han svedte og ravede stønnende rundt om bilen.

»Hold op, du dør af det!« råbte Ane i panik. En gang til skubbede han. Med en skærende, skrabende lyd kom den lidt længere over. Han gik ind i bilen, startede den, den kørte fremad i et ryk, lydpotten blev flået af, der stod røg ud. Bilen stod pludselig i den modsatte vejbane. Han vinkede ud ad vinduet.

»Kom så, baby, send mig regningen, smid lige den lydpotte ad helvede til. Så er der afgang.«

I lufthavnen tog han hendes ansigt mellem sine hænder.

»Farvel, min elskede. Det varer måske lang tid, før vi ses igen, for nu bryder helvede løs. Men vi vinder.«

Han gik foroverbøjet og let haltende, og han så sig ikke tilbage. Da flyet lettede, så hun, han havde fået vinduesplads. Hun kunne se, at han pressede hovedet med det hvide hår og det brune ansigt mod ruden for at se, om han kunne få et sidste glimt af hende.

Ane kørte tilbage til Blokhus, pakkede det sidste, låsede døren til deres lejlighed og hængte nøglen på et søm i hallen. Hotellet var tomt, hendes trin rungede i cementgangene. For hvert skridt hærdede hun sig. Som et mantra gentog hun de ord, hun havde hørt sin livskraftige farmor sige: »Stryge ud og gå videre.« Da hun satte sig ind i bilen for at køre til udlejningsforretningen, følte hun et kort øjeblik, at hun skulle besvime over tabet af glæden, latteren og nærheden.

Hvordan skulle hun kunne lyve så meget, når hun kom hjem. Hun tvang sin bevidsthed over på sine sønner. Visualiserede dem som små og som halvvoksne, hvor de stadig trængte til hende.

Da maskinen mod København lettede, sad hun bleg og frysende med hovedet lænet mod vinduet. Fuldstændig absurd lød en melodi pludselig inden i hende *Den gang jeg drog af sted*. Den gamle soldatersang fra 1864 havde hendes far altid brugt, når han skulle samle sine børn. Efter hans død var hun af og til standset op med bankende hjerte, når hun hørte de første strofer for så at opdage, at hun var uden for en fugleforretning, hvor en beostær havde lært sangens første linier. Hun satte hånden mod ruden og spillede g-c-g-e-g-c, og da maskinen steg op over skyerne og himlen var blå og uendelig, sang hun den gamle march for sig selv med alle versene for at holde modet oppe.

KAPITEL 13

»FORESTIL DIG, AT jeg er i krig. Du er hjemme og venter på mig. Jeg kommer, når krigen er forbi, måske er jeg såret, men ikke alvorligt,« skrev han.

En måned efter Ane var kommet hjem, havde hun fortalt sine sønner alt. Hun ville også fortælle Johannes det, havde bare lyst til at gøre rent bord, flytte, være alene. Men månederne gik. I Bobs breve, som kom tre gange om ugen, kunne hun læse den samme ubeslutsomhed, hun selv følte. De ventede på det næste træk af den skæbne, som flyttede dem som skakbrikker. De indtalte bånd til hinanden, hede ord, reportager fra deres hverdag med lydkulisser og pauser, hvor de slukkede for båndoptageren, fordi de græd. Telefonregningen steg og steg.

Og i begges hjem var revolutionen begyndt.

Bob måtte vælge våben. Det våben, der skulle retfærdiggøre hans kamp for at slippe væk fra sit gamle liv. Som en rovfugl hang han over hjemmet og holdt øje med sit bytte, Eileen, som intetanende gik rundt med paryk og vide nylonbukser, mens hun syltede agurker og asier, som aldrig blev spist. Om aftenen sad de i hver sin plasticlænestol med bakkebord og så fjernsyn i isnende tavshed. I mange år havde han ikke nævnt hendes fedme, men det gjorde han nu. Års vrede og frustration kom ud, når han slog ned og hakkede i hende. Men hun var sej, havde meget at hævne. Nu havde hun den opmærksomhed, hun i så mange år havde trøstespist for at få. Tålmodigt hørte hun på hans kritik, som kørte dag og nat. Hun talte om, at han havde lovet hende foran Gud at elske hende i medgang og modgang. Hun mindede ham om, da de var fattige i kælderlejligheden, hvor hun støttede ham og tjente penge. Hun lagde udklip om mænds overgangsalder på hans skrivebord og opførte sig trøstende og servilt.

Når han gik om morgenen, drejede hun lettet om på det religiøse program på tv, smurte sig en sandwich med jordnøddesmør, tog et par glas hvidvin af den store grønne magnumflaske fra supermarkedet. Hun rullede gardinerne helt ned og talte med Vorherre, som Billy Graham lige havde sendt ind i stuen.

Fortrøstningsfuldt holdt hun fast om sandwichen, for hun vidste, at hun var stærk, udholdende og sej som det lavtvoksende krat på prærien. Eileen var velbegavet, men rollen som husmor, mor og kone til en betydningsfuld mand havde udvisket hendes identitet. Hun var uden for de førende damers cirkler. De kendte hende som venlig, men underlig. Hendes hjem var dårligt holdt, alt forfaldt. Spisekammeret med syltetøjet, vinballonerne med den søde vin fra Nappa Valley og glassene med jordnøddesmør, som hobede sig op i spisekammeret, mindede hver dag Bob om, hvem der havde overtaget. Han smed dåserne i en stor bunke i køkkenet som bevis på hendes umådeholdne æderi. Eileen så fraværende på ham. Så gik hun ud i sin have, satte sig på den lille traktor, der så ud, som om den var presset ind i hendes svulmende krop. Roligt og ordentligt kørte hun den rundt og slog græs. I haven var hun lykkelig, roserne blev passet, og ukrudtet blev luget. Hun kunne håndtere værktøj som en mand, men læbestiften var altid smurt udenfor.

Eileen og Bob havde to døtre, en søn og fire børnebørn. Pigerne havde slået sig ned i andre stater, sønnen var taget til udlandet. Eileen holdt dem lidt på afstand, det havde hun altid gjort. Hun havde opbygget en myte om, at hun og deres far var så lykkelige, at de helst ville være for sig selv. Bob elskede sine to smukke døtre, Eileen misundte dem deres skønhed, men især deres latter og flirten med faderen. Men til sin tilfredsstillelse så hun, at Cheryl, den yngste og smukkeste med engleansigt og blændende hvidt smil, var ved at bulne ud som hun selv. Af samme årsag, et krakeleret ægteskab, som det gjaldt livet at holde sammen på.

Eileen hentede det lasede strygebræt, slog det op foran fjernsynet, tog bunken med Bobs skjorter og begyndte at stryge dem omhyggeligt.

Det blev sommer, og deres sorg over ikke at være hos hinanden voksede sammen med jalousien. Ane vågnede klokken fire og græd over de lyse nætter, mens Johannes lå og sov ved siden af hende. Når han rørte hende, skubbede hun ham væk. Hun eksploderede af raseri ved hver en anledning. Johannes sivede bare væk, men hun begyndte at have dårlig samvittighed over for børnene på grund af stemningen i hjemmet.

Bob og Eileen tog op i jagthytten i Wyoming. Han savede stabler af brænde med sin motorsav. Han strejfede rundt i nærheden af de gamle kobberminer med de forladte dybe skakter. Han pressede Eileen med på udmattende vandreture, svedende småløb hun efter ham, mens han skridtede ud med rygsækken på nakken. Hans nakke lyste af had, og hun råbte grædende: »Vent dog på mig.«

Da Bob hørte, at Johannes og Ane havde lejet et stort sommerhus i Hornbæk, hvor de skulle bo med alle børnene og børnenes kærester i fjorten dage, hørte Ane ikke fra ham i lang tid. Hun var urolig, men besluttede ikke at lade sin uro ødelægge sommeren med børnene. Det blev måske den sidste sommerferie, hvor hun havde dem alle sammen samlet om sig. Hun havde skrevet til ham, at han ikke kunne skrive, mens hun var på ferie. I deres sidste telefonsamtale, inden hun tog af sted, lød han forpint og anderledes:

»Du må komme over til mig. Jeg må se dig her. Det er her, vi skal bo. Jeg kan ikke arbejde i Danmark, jeg må se, om du trives her, før jeg fortæller Eileen om os. Jeg siger dig det, som det er, som jeg tænker. Hun ved intet, hun har overhovedet ingen fornemmelse i den retning. Hun spørger ikke om noget, lukker sig inde og beder. Hun synker dybere og dybere ind i sin religion og betragter mig som en syg mand, besat af overgangsalder og stress. Jeg er en prøvelse, Vorherre har sendt hende, siger hun med himmelvendte øjne. Jeg kan ikke få nogen konfrontationer med hende. Hun går bare ovenpå og lukker sig inde. Ane, hun er så stærk, det er, som om hun kaster en forbandelse på mig. I de timer, hvor jeg tvivler på os, føler jeg, at jeg er syg. For fjorten dage siden holdt hun op at æde jordnøddesmør, pundene rasler af hende, selvom hun stadig drikker hvidvin.«

»Bob, hold op. Jeg kan ikke holde ud at høre alt det,« hviskede Ane i telefonen. Men han fortsatte.

»Hun sulter sig for min skyld, siger hun. Jeg siger, at det er for sent. Hendes fedt forsvinder, men det hele hænger i poser. Jeg har selv skabt mig det liv,« råbte han. »Sådan et liv troede jeg var godt nok til mig. Hvis jeg dør, inden jeg oplever det rigtige liv, hvad så? Hvad er det så, jeg har arbejdet og kæmpet for, siden jeg var ung?«

Han gjorde hende bange. Han var desperat og hun havde ingen at tale med om det. De havde kun hinanden i brevene, på båndene, i telefonen. Det fysiske og psykiske savn var uudholdeligt, som en psykose i fuld blomst. Virkeligheden var ved at forsvinde.

»Når jeg kommer hjem fra ferie, lægger jeg en plan,« sagde Ane trøstende. »Jeg lover dig, jeg kommer inden efteråret,« græd hun.

»Ann, jeg må lægge pres på dig. Jeg er så fuld af had. Jeg sidder og ser på hende om aftenen. I går kom hun og satte sig foran mig på gulvet, tog mine hænder og lagde dem på sine skuldre. Jeg måtte beherske mig, mine hænder var ved at lukke sig om hendes hals. Oppe i hytten går jeg ture og ser ned i skakterne. Når jeg arbejder med motorsaven, og hun kommer og spørger, om hun skal hjælpe mig med brændet, har jeg hele tiden planer, onde planer. Jeg prøver alt, selv at tale med Gud om det. Det har jeg aldrig gjort før. Men Gud skal også høre ens onde tanker ikke?«

»Du må ikke gøre noget, som kan ødelægge vores liv,« sagde Ane.

»Hvorfor lider du ikke, som jeg gør?« råbte han.

»Det gør jeg,« sagde hun stille og lagde røret på.

De fjorten dage ved havet i Hornbæk blev lykkelige. Ane var trådt et skridt tilbage fra sin familie. Hun var rejseklar, men syntes selv, hun var så tæt på dem som aldrig før. Det var en varm sommer med lange badedage ved stranden, store frokostborde, hvor børnene og deres kærester var samlet. Ingen der havde set dem ville tro, at dette var en familie i opbrud.

Johannes sad for bordenden i sit mærkelige sommerudstyr. Der skulle være over 30 grader, før han lagde den marineblå pullover og viyellaskjorten. Han løsnede kun en knap i halsen, sad med sin fluesmækker og slog om sig. Af og til kom han med sarkastiske bemærkninger til børnene, som skulle være kærlige. De var vant til ham, jo værre han opførte sig, jo mere grinede de. Drengenes veninder så af og til medlidende på Ane. Men da hun ikke så ud til at tage sig af hans absurditeter, tillagde de sig også en overbærende, let humoristisk tone over for ham.

På den måde kunne han efterhånden tillade sig alt. Ane holdt opmærksomt øje med ham. Der var ingen tvivl om, at han vidste, hvad der var ved at ske, at hun ville forlade ham. Men han valgte at se den anden vej på en prik i horisonten. Ane var overbevist om, at han klippefast troede på sin magt over hende.

Hun nød at lave de store frokoster til børnene med kolde og varme retter, når de kom hjem fra stranden. Røget sild med æggeblomme, radiser og purløg, karrysild og lune mørbradbøffer og hjemmelavet leverpostej, og grønne salater med hjemmebagt brød. Det var en flok smukke unge mennesker. En flok, det gik godt, ingen vanskeligheder med deres uddannelse, ingen sociale tilpasningsvanskeligheder. De var ikke engang forkælede. Det var superdrenge og velafbalancerede uneurotiske superpiger.

Lige inden de forlod huset, gik Ane en tur alene i plantagen. Det, hun var ved at planlægge, gjorde ondt. Hun så Jacob og Carsten alene i Danmark uden hende, selvom Bob havde planer om, at de skulle med deres mor til USA. Men i den time, hvor hun gik og besluttede sig, tænkte hun ikke på *ham*. Hun tænkte på den hverdag i USA, som måske blev hendes. Hun tænkte på, hvad hun havde budt drengene som små, da hun blev skilt fra deres far. De var snart voksne og skulle leve deres eget liv. Hun var 39 år og havde nu mødt sit livs kærlighed og åndelige udfordring. Hun græd, men vidste, at hun ville forlade dem for senere at vende tilbage og overtale dem til at tage med.

Hun elskede Bob, og han elskede hende betingelsesløst. »Der er altid en, der elsker mest,« lød det inden i hende. »Ved siden af går der en, der bare holder af.« Sådan var det ikke denne gang. De var til for hinanden.

Der var ingen i bilen, der kommenterede, at hun græd på hjemvejen. Børnene tolkede det som tristhed over, at ferien var forbi.

»Her er posten,« sagde Jonna og lagde tre breve foran Ane. Det ene var fra Sue. Ane havde skrevet til hende og sat hende ind i situationen, og Sue var solidarisk og inviterede hende til deres hjem i Missouri, så hun senere kunne mødes med Bob i St. Louis.

Anes mor og hendes to sønner, der vidste, hvad der foregik, så hende glide længere og længere væk. De vidste, at de ikke kunne standse hende, men at de bare måtte følge udviklingen og koncentrere sig om deres eget liv. Indtil nu havde de valgt at se på det som en affære, der blev overstået. Det var umuligt. De vidste, at hun inderst inde var borgerlig og havde faste ideer om, hvad man kunne og ikke kunne. Hun var opvokset i et trygt hjem med faste normer og kærlighed. Familien havde altid undret sig over hendes valg af mænd. I de to ægteskaber havde hun levet med sine højst forskellige ægtemænd i elleve år. Nu var hun i det ellevte år med Johannes.

»Din far var også gift med sine to foregående koner i elleve år,« sagde Jonna hovedrystende. »Det må være noget arveligt.« Jonnas første og eneste ægteskab havde varet til døden. Hun forstod ikke sin datter, men tillod sig ikke at misbillige det. Hun lod det bare ske. Ane undrede sig tit over Jonnas mor-holdninger. Hun vidste bestemt, at man i Jonnas fødeby Lemvig ikke troede på reinkarnation og karmaer. Det havde man ikke hørt om i indremissionens højborg. Men Jonna forholdt sig til livet og til sine børn, som om de havde en karma, de skulle gennemleve. Hun brød ikke ind, hverken vejledte eller opdrog, spurgte de hende om noget, fik de svar. Hun så bare interesseret og mildt forundret til, mens børn og børnebørn udviklede sig og levede deres liv.

Johannes havde igen trukket sig ind i sig selv. Han var ikke ret meget hjemme, arbejdede hårdt, og de vekslede bare bemærkninger om børnene og dagens hændelser.

»Jeg tager til USA om en måned og besøger Sue. Hun har skrevet og inviteret mig,« sagde Ane.

»Hvordan vil du få råd til det?« spurgte Johannes og smilede lidt overbærende.

»Jeg har solgt en Georg Jensen-kaffekande med flødekande og sukkerskål. Det sæt jeg arvede fra min tante Rigmor.«

»Tante Rigmor,« grinede han. »Så behøver du da ikke pudse det gamle møg mere.« Han lagde sig på sofaen, langsomt faldt hans øjne i og sendte hende et blåt tåget blik. Hun gik over og ruskede i ham.

»Er det din kommentar til det?«

»Hvad vil du have, jeg skal sige,« sagde han trodsigt. »Du gør alligevel, som det passer dig. Lad mig være i fred. Jeg er træt.« Han vendte sig og hun så rasende, at han var i stand til at falde i søvn med det samme, som om han havde fået en bedøvende indsprøjtning.

Hun tog bilen, kørte over til sin mor og ringede til USA. »Jeg kommer. Sue har inviteret mig til Missouri. Jeg bliver der en uge, så kan jeg være fjorten dage sammen med dig. Jeg sagde, at jeg havde solgt mit kaffestel.« Bob lo lykkelig.

»Husk at gemme det, elskede. Find en bankboks. Har du vekslet de penge, jeg sendte dig? Kaffestellet skal stå nypudset på skænken, når vi får vores eget hjem. Så sender vi også bud efter din gamle slægtskiste og alt det andet, du har fortalt mig om. Vi mødes i St. Louis. Åh elskede, kom snart. Jeg savner dig så forfærdeligt. Jeg sender dig en rejsebøn, den skal du sige, når du tager af sted, og du skal sige den hele vejen, så der ikke sker dig noget.«

Da Ane havde sat sig til rette i flyet til USA, foldede hun Bobs rejsebøn ud. Med hans hoppende, barnlige skrift stod der *I dag er en god dag, og Gud velsigner denne dag og denne rejse til Amerika. Jeg har ingenting at frygte. Min skytsengel går foran mig og bereder mig vejen.* Hun så ud ad vinduet, stoppede sin skandinaviske generthed væk og hviskede alvorligt Bobs rejsebøn, mens maskinen steg og steg.

»Jeg håber, at Deres veninde kommer og modtager Dem i St. Louis,« sagde den ældre dame, der havde været Anes medpassager. »Ellers må De hellere tage med mig og bo hos mig. Jeg har et stort hus, hvor De kan hvile lidt ud efter den lange rejse. Tænk fra Danmark!« sagde damen og klappede Anes hånd med sine hvide handsker. Ane takkede hende for venligheden, lænede sig tilbage og nød at være midt i et Amerika, hvor pæne damer stadig holdt sammen med andre pæne damer, så de ikke blev støvede, udmattede eller udsat for påtrængende mandspersoner.

Damen var klædt i beige silkesæt med flødefarvet bluse og elegante høje beige pumps. Hun var i halvfjerdserne med Elizabeth Arden-makeup, hun talte med overklasse-sydstatsaccent og havde anlagt en beskyttende chaperonemine over for Ane, lige fra det øjeblik hun satte sig ved siden af hende. De sippede iste, og damen præsenterede sig som mrs. Wilkins, enke efter en senator, nu magtfuldt overhoved for sin store familie. En elegant bedstemor, der tilbragte tiden med at rejse rundt og opdrage på sin familie.

Da Sue stod i lufthavnen og for hende om halsen med høje hvin, var mrs. Wilkins lige i hælene på Ane for at se, om det hele var passende. Hun gav Ane sit visitkort.

»Ring endelig til mig, hvis det skulle blive nødvendigt,« sagde hun. Hendes racenæse vibrerede med næseborene i retning af Sue. Ane rødmede. Man mærkede tydeligt en dunst af gin, der smøg sig rundt om Sue i den varme, fugtige luft. Heden var næsten uudholdelig, sveden sprang frem. Men Sues bil havde aircondition.

»Hvor er din bil vidunderlig. Hvad er det for et mærke?«

»Ford Lincoln,« sagde Sue og smilede med sit solen står op-smil. »Jerry fik den i går af sin mor og far, deres dejlige dreng. Han myrder mig, hvis jeg laver en ridse i den.« Hun kørte af sted. »Fortæl mig det hele, mens vi kører. Jeg har ikke sagt noget til Jerry, du ved, hvor hellig han er.« Sue udstødte pludselig et vildt hyl.

»Hvor skal vi have det skideskægt. Til gengæld for det jeg gør for dig, underholder du Jerry, så jeg kan slippe af sted og møde min nye elsker, der er hoteldirektør, ikke? Der kommer for resten også en engelsk dyrlæge og besøger os, og så skal du hilse på min datter, lille Vicky. Hvor var det skønt, at det lykkedes. Og så dr. Bryant, hvem skulle have troet, at han er sådan en slem dreng. Det bliver et chok på alle universiteterne, hvis *det* kommer frem. Han er nærmest en hellig mand herovre.« Hun kastede sit hoved med det platinblonde, store hår tilbage og lo og lo. Ane så glad på hende. Hun holdt så meget af hende, for hun var så livsglad og strålende, men samtidig gjorde det ondt. Man begyndte at kunne se, at Sue virkelig drak for meget nu. Hendes hænder rystede, og hendes øjne var anderledes, end Ane huskede dem.

Sue, som havde været et billede på den smukkeste, amerikanske heltinde i en westernfilm. Fregner på næsen, krystalblå øjne, hår som hvede, opstoppernæse og en lille kort overlæbe over den røde mund med de snehvide tænder. Ane havde set en plakat fra hun optrådte i rodeoer med westernridning. Sue speedede op og kørte ud på motorvejen. Den store elegante bil med de lysegrønne vinduer tordnede af sted.

»Det er underligt, jeg synes du passer bedre til at sidde på bukken i en diligence end i denne her bil,« lo Ane.

»Der er meget, jeg passer bedre til,« sagde Sue og tog sine solbriller på.

Sue sagtnede farten, da hun kørte ind ad indkørslen til deres ejendom. Det var en stor rødstensvilla i ranchstil med hvide skodder, store blomsterkrukker, hvide staldbygninger rundt om gårdspladsen med det tykke knasende perlegrus.

Jerry stod i døren med en lille pige i lyserød strutkjole, hvide halvstrømper, laksko og det smukkeste lange kastanierøde hår sat op i en stor chokoladeæskesløjfe. Hun rakte armene ud efter sin mor, der satte hende ned.

»Det er Vicky Baxter.« Pigen sagde goddag med et tillært stjernesmil og lod sine blå tindrende Sue-øjne spille. Jerry så stolt på sin smukke datter. Det var fars øjesten. Han bød velkommen.

Ane var betaget. Det var et ranchhus, som man så i de amerikanske boligmagasiner. Kæmpepejs, flydesofaer med rosa puder, Vickys kæmpebamser og Walt Disney-dukker overalt, sløjfer, plasticroser i opsatser, hvide og cremefarvede møbler. Skodderne var trukket for, airconditionen kørte med en summen. Udenfor lå terrassen og foldene i et flimrende solskin, en fugtig varme, der fik sveden til at springe ud af porerne. Man kunne ikke ånde udenfor. Varmen stod som en mur og pressede på. I foldene stod Sues quarterhorses tæt samlede under et træ, mens de langsomt slog med hovederne og halerne for at holde fluesværmene væk.

Anes gæsteværelse var lyseblåt og hvidt. Der var så meget statisk elektricitet af kunststofferne i gulvtæppet og de flæsebesatte sengetæpper, at hun fik stød, da hun pakkede sit tøj ud. Hun fik en klaustrofobisk fornemmelse. Man kunne ikke åbne vinduet på grund af heden, og luften tørrede øjne og slimhinder ud. Hun pakkede sit tøj ud, hængte det ind i skabet. Det var dansk sommertøj, for varmt til klimaet i Missouri.

Hun gik under bruseren og lod det kolde vand skylle rejsestøvet og sveden af. Hun hørte Jerry og Sues stemmer fra dagligstuen, de skændtes. Det var godt, hun kun skulle være her otte dage, atmosfæren her i dette hus var ladet med elektricitet. Da hun havde gjort sig i stand, gik hun ind i stuen, hvor Sue og Jerry straks skiftede scene, smilede perlesmil og takkede med kunstige stemmer for de gaver, hun havde taget med fra Danmark.

»Der kommer også en engelsk dyrlæge til middag. Det er sjældent, vi har europæiske gæster, så Sue vil lave noget rigtig amerikansk, ikke skat?« sagde Jerry og så vist på Sue. Hun rejste sig.

»Ja, men nu skal vi først have en drink. Ane må være helt udtørret.« Hun forsvandt ud i køkkenet. Hun havde taget en lang gennemsigtig værtindekjole på.

Jerry lænede sig tilbage, så på Ane med sine sorte stenkulsøjne og hviskede: »Jeg må tale med dig. Om lidt viser jeg dig staldene. Du skal ikke bede Sue om at gå med.«

Ane sagde ingenting. Hvad var det, der foregik? Hun følte sig uvelkommen og fanget. Og her blev hun nødt til at være i otte dage! Eller skulle hun tage på hotel, men hvordan skulle hun forklare det, når Johannes ringede? Sue kom ind med en bakke med dry martinies.

Ane smagte på sin martini og hostede. Det var ren gin med et par dråber citronsaft, isklumper og en oliven.

»Det er den tørreste, jeg har fået i mit liv,« lo hun.

»Det bliver en lang aften, så vi må i stødet. Ham fra England er røvkedelig,« lo Sue og faldt ned i en stol. Hendes tykke guldhår faldt i en krølle ned over øjet, hun pustede den væk og tændte en cigaret. »Skønt, at du er her,« sagde hun og tømte martiniglasset. Jerry sad og iagttog hende. Han havde ikke rørt sit glas. Så rejste han sig.

»Jeg viser Ann staldene, så kan du forberede maden. Bagefter henter jeg dr. Irwin. Han er til møde på universitetet.«

»Jeg vil med, når du skal vise Ann hestene,« sagde Sue.

»Nej, det er bedre, at du går ud i køkkenet,« sagde Jerry bestemt. Sue lavede øjne til Ane, rejste sig og gik ud. Vicky havde siddet og leget med den danske dukke, hun havde fået af Ane. Jerry tog hende op på armen og nikkede til Ane. Hun rejste sig, og de gik ud i staldene. Da døren var lukket til stalden, lænede Jerry sig mod væggen.

»Gå ind til din pony, skat.« Vicky gik ind til en shetlandspony, i hvis boks alt var som til en dukkehest.

»Jeg vil bede dig om noget, mens du er her, Ann. Sue drikker. Jeg kan ikke få hende til at holde op. Hun gemmer flaskerne og går til den, når vi har gæster. Det er et stort problem. Hun beundrer dig og lytter til dig. Kan du ikke prøve?«

»Jeg skal nok prøve, men jeg tror ikke, det hjælper. Hun skal i behandling.«

»Som min kone kan hun ikke. Det vil rygtes på universitetet. Og hvad med min far og mor?« sagde han og bøjede hovedet, mens han som en mut dreng stod og sparkede til nogle halmstrå på staldgulvet.

Vicky kom trækkende ud med sin pony. De lagde saddel på den. Jerry tog en stor stråhat, trykkede den ned over hendes røde krøller.

»Kun ride i skyggen under de store træer, skat. Hendes hud er alt for sart,« sagde han og så kærligt på Vicky, der trak sin pony ud af stalden. »Hvis der sker hende noget, så ...?«

Han gik hen i et hjørne af stalden, trak en lille let hurtiggående motorcykel ud.

»Måske skulle jeg ikke være kommet,« sagde Ane.

»Sue synes, du er så ladylike, måske vil hun høre på dig,« sagde han. Han trak motorcyklen udenfor, startede den og kørte ud ad vejen i rasende fart til de store folde for at jage flokken af quarterhorses ind i folden foran stalden, hvor de skulle vandes og sprøjtes for fluer.

Ane gik ud i køkkenet til Sue, der stod med en cigaret i munden og rørte i gryden med dampende chili.

»Den bliver hot,« lo hun. Hun så hurtigt ud ad vinduet på Jerry, som på motorcyklen var ved at indkredse flokken. Ved døren stod et par grønne gummistøvler. Sue trak en lille lommelærke op.

»Skulle du ikke tage den lidt med ro?« lo Ane.

»Jeg kan sgu ikke holde det her ud uden en lille en,« sagde Sue. Hun hældte lidt tequila i gryden og tog en mundfuld. »Jeg er spærret inde her. Jeg savner mit gamle, frie liv i campingvognen rundt til rodeoerne. Var det ikke for Vicky, var jeg skredet. Men bliver vi skilt, får jeg hende aldrig. Det ved jeg. Han er ved at samle vidner til skilsmissen om, hvordan jeg er. Det er det, han går og tumler med. Han har garanteret også haft fat i dig ude i stalden, ikke?« Hun så med sit intense krystalblik på Ane. Ane nikkede og tav.

»Hvis du prøvede at holde op?«

»Det kan jeg ikke, for fanden. Kan du ikke se det?« sagde Sue og slog håret væk, mens hun rørte videre i gryden.

»Hvad vil du så?« spurgte Ane.

»Når jeg har fundet en ny fyr, holder jeg op. Sådan er det altid. Jeg er varm på hoteldirektøren. Vi skal derned i morgen.« Hun lo. »Hvornår ringer du til Bob? Du må hellere ringe, mens Jerry er ude med hestene, ellers får han ondt i røven. Han lytter overalt og spionerer. Han tror, alle kællinger er ude på noget, og det er de jo også. Det er jo total krig mod dem fra den anden planet,« sagde hun og tømte tequilaflasken, rodede i vasketøjskurven og gemte den tomme flaske i en lyserød underkjole.

»Hvem fra den anden planet?« spurgte Ane.

»Mændene,« svarede hun, løftede gryden og anbragte den slingrende på køkkenbordet. Chilien skvulpede over.

»Du er skidefuld. Du bliver nødt til at gå ind og lægge dig, om lidt kommer dr. Irwin fra universitetet. Der bliver ballade.« Ane tog Sue i armen og fik hende ind i soveværelset.

»Åh skat, man skulle være lesbisk, så var det hele meget nemmere.« Ane lagde hende ind på sengen.

»Du må have den værtindekjole af, du har spildt på den,« sagde Ane og trak den af Sue. Hun så forskrækket på Sue, der lå på maven på sengen. Hen over ryggen var blå striber.

»Får du også tæv?« Sue svarede ikke, hendes blå øjne flød over med tårer, der løb ned over den lille perfekte fregnede næse og den pink svulmende dukkemund.

Ane gik ud i køkkenet, tog Sues forklæde med flæsevinger på. Sue måtte have drukket hele tequilaflasken. Hun så ud ad vinduet. Jerry var ved at ordne hestene.

Hun ringede op til Bobs kontor. Hun fik fat i ham, og han sagde: »Jeg har ventet her hele dagen. Har du det godt, min elskede. Om en uge er jeg hos dig. Nu er du på den rigtige side af havet. Så nær, så nær og dog så langt væk. Er de søde mod dig, skat? Pas på hvis du rider, se godt efter at det er en ordentlig hest. Der må ikke ske dig noget.«

»Bob. Det her går ikke! Her er problemer, store problemer. Jeg vil kun være her et par dage. Nu kommer han!«

»Hvem?« råbte Bob. Jerry lukkede leddet, sprang op på motorcyklen og kørte mod huset for fuld fart.

»De har ballade. Jeg ringer i morgen, når Jerry er taget på universitetet.«

»Jeg er bekymret, baby. Men rejs på hotel, hvis du synes.«

Jerry stod i døren. »Farvel. Nej, dr. Irwin er ikke kommet endnu,« afsluttede hun telefonsamtalen. Jerry trak cowboystøvlerne af og kom ind i køkkenet.

»Det var en, der ville tale med den engelske dyrlæge,« sagde hun.

»Hvor er Sue?«

»Hun sover,« sagde Ane.

»Nåh sådan,« sagde Jerry.

»Jerry, jeg synes, stemningen her er for ubehagelig. I har for mange problemer. Jeg har ikke lyst at blive her i otte dage. Det er ubehageligt både for mig og jer. Jeg tager på hotel i morgen.«

»Aldrig. Min mor ville aldrig tilgive mig det. Hun har glædet sig til at se dig, og der kommer også andre damer. Man ville sige, at vi er ugæstfri. Kan du træde til og optræde som værtinde i aften, hvis Sue ikke kan klare det. Hun må ikke vise sig, hvis hun er fuld, når dr. Irwin kommer. Du forstår det ikke. En kone er en mands visitkort. Min karriere kan blive ødelagt.«

»Jeg bryder mig ikke om mænd, der tæver deres koner,« sagde Ane.

»Hun havde nær brændt huset af, lå døddrukken og havde tabt sin cigaret. Hun var alene med Vicky. Så jeg tog min læderrem,« sagde han.

»Jerry for fanden, selv præsidenters koner kan have et alkoholproblem. Få hende dog på en afvænningsklinik.«

»Jeg vil skilles, og jeg vil have Vicky,« sagde han.

Det ringede på døren. Ane tog flæseforklædet af og åbnede hoveddøren. Udenfor stod en nobel æggehovedet englænder i stribet tøj med en sort kuffert i hånden.

Ane gik ud i køkkenet. Det var lykkedes Sue at stable sig på benene igen, og nu stod hun og lagde sidste hånd på chilien. De opadbøjede øjenvipper, der havde fået en tur i den lille sølvtang, indrammede Sues smukke øjne. De havde fået lidt ekstra glans af dagens alkoholindsprøjtninger. Hun havde skiftet værtindekjolen ud med en rødprikket countrykjole med artige ærmer og hvid krave. På fødderne havde hun højhælede laksandaler med ankelrem.

Da Jerry lindede på køkkendøren og fik øje på Sue i aftenens kostume, pegede han straks på skoene: »Er det nødvendigt at have de ludersko på?«

»Jeg kan godt tage dem af, hvis du synes,« sagde Sue ydmygt.

»Hvad synes du?« spurgte Jerry alvorligt Ane, som om han konsulterede en anstandsdame.

»De sko er sidste mode, og hvis din mor er så smart, som du praler med, Jerry, så har hun også ludersko.« Ane og Jerry sendte hinanden et blik, som om de så hinanden an i bokseringen før første omgang. Ane var ved at blive træt af hans undertrykkelse af Sue, selvom han kunne have sine grunde. Jerry gik ind til den engelske gæst, som sad med et hesteblad foran pejsen og en uforstyrrelig engelsk mine på.

»Den gik lige ind, hvad Ann? Hold kæft, hvor jeg elskede den.«

»Jeg agter at rejse i overmorgen, Sue. Det her er lidt for anspændt. Jeg har ringet til Bob. Jeg tager på hotel, og hvis der bliver ringet fra Danmark, siger du bare, at jeg er på udflugt, og at jeg ringer Johannes op.«

»Når du rejser, får jeg problemer,« sagde Sue. Hendes øjne fyldtes med tårer, der var ved at strømme ud over den sorte mascararamme. »Jeg må se at få ham hoteldirektøren på gaflen, ellers har jeg ingen steder at flytte hen. Jeg har ingen penge, jeg får kun til husholdningen. Jerry har alle kreditkortene. Jeg har bare mit tøj. Måske kunne jeg sælge min ring? Huset er også hans særeje, bilen det hele.«

Hun rørte langsomt rundt i den store gryde med chili. »Kan du huske ham den engelske dyrlæge med det sorte skæg, jeg havde en affære med i Oxford?« Ane nikkede og lagde de små tørre saltkiks til chilien på et lille sølvfad. »Han har skrevet lange breve til mig, han ville komme herover, havde vi aftalt, men jeg har ikke hørt fra ham i lang tid.«

Jerry stak hovedet frem bag døren med et hvidt smil: »Nåh piger, er I færdige?«

Ane og Sue gik ind i dagligstuen, og dr. Irwin rejste sig høfligt. De fik et lille glas sherry. Sue nippede og sagde: »Velkommen. Vi håber, De må få et par dejlige dage her i vores hjem.«

Jerry nikkede bifaldende, og de gik til bords. Han havde checket alt. Mors sølvtøj med monogrammet lå snorlige ved tallerkenerne. Krystalglassene skinnede, og den smukke beigefarvede kniplingsdug lå over den hvide damaskdug, sølvtøjet var nypudset. »Jeg er stolt af dig, Sue,« sagde han og nikkede til sin kone.

De satte sig i tavshed. Vicky i lyseblå lærredskjole med blankt silkebånd om livet, håret børstet i slangekrøller sad ved siden af sin far. »Skal vi sige bordbønnen sammen, Vicky,« sagde Jerry og foldede sine hænder. Den lille foldede sine. Dr. Irwin sendte Ane et hurtigt blik. Ane smilede til ham. Han bøjede andægtigt hovedet og så ned i dugen. Sue så stolt på sin lille datter, der med barnestjernestemme sagde taksigelsesbønnen højt. Udenfor mærkede den gamle collie, at der var vibrationer i luften. Den løftede snuden mod bjergene og stak i en lang tuden.

Sue og Ane begyndte at grine som to skolepiger. Dr. Irwin lo med. Jerry smilede stift og var irriteret over, at der aldrig var noget, som kunne gennemføres med stil i hans velordnede hjem. Det var, som om alle saboterede hans planer.

Chilien stod på bordet i den store sorte gryde. »Ja, vi ville gerne servere rustikt landkøkken for dr. Irwin. Vi lever enkelt her, som på en almindelig farm – tæt på jorden og vores heste,« sagde Sue og gav den en ekstra tand med sin Texas-accent.

»Ja, dr. Baxter, De har sandelig alt, hvad en mand kan ønske sig. En smuk, naturlig kone, det må være vidunderligt at have fælles interesser. Min kone er antropolog, og hun har ikke Sues sans for hjemlig hygge,« sukkede dr. Irwin og sendte Sue et beundrende blik. Hun sad ret op og ned for bordenden i sin rødprikkede kjole, smækkede øjenvipperne op og i og spiste net og pænt sin chili.

»Det, De fortalte om dr. Russell, var dog virkelig forfærdeligt,« sagde Jerry. Sue spærrede øjnene op. Dr. Russel var hendes ven med skægget fra Oxford. »Hvad er der med ham?« spurgte Ane dr. Irwin.

»Han er død. Han skulle aflive en hest med en sprøjte, så gled han, og sprøjten gik lige ind i armen på ham. De kunne ikke redde ham. Det var en curarelignende gift, hjertestop på stedet.« Sue stirrede hypnotiseret på dr. Irwin, så tømte hun sit hvidvinsglas og gik ud i køkkenet.

»Så er vi klar til næste ret,« sagde Ane hurtigt. Jerry kiggede efter dem.

»Nej, nej, hørte du det. Han er død, og vi havde lige aftalt at mødes, jeg kunne heller ikke forstå, at jeg ikke hørte noget. Sue begyndte at tude vildt. Ane ruskede i hende.

»Hold op. Du må ikke lade dig mærke med noget. Jerry banker livet ud af dig.«

Sue tørrede øjnene i forklædet.

»Hvad helvede. Jeg er lige blevet enke, kan man ikke få lov til at udgyde et par tårer?« De så på hinanden og begyndte at le hysterisk. Jerry stod i døren.

»Bliver det til noget med desserten?« spurgte han, og hans øjne begyndte at blive faretruende sorte.

»Jager du med mig, får du chilien lige i sylten,« råbte Sue. Han lukkede hurtigt døren.

Ved kaffen ebbede dagens drama ud. Mændene fik cognac. Dr. Irwin trak sig tilbage fulgt af Ane. Han skulle sove i Vickys værelse, hvor han flyttede bamser og kæledyr ned på gulvet. Utrygt så han sig omkring i det flæsepyntede værelse. Ane stod i døren og sagde pænt godnat.

»Jeg får mareridt. Måske vågner jeg i morgen og er blevet bøsse af alt det tyl. Har du set, at der også er tyl omkring toiletsædet?« Han lo til Ane, som om de var de eneste hvide hos de indfødte. Han fremdrog en stribet flonelspyjamas, lagde den på sengen. Ane lo.

»Lad bare være. Jeg ved, du har din gamle kostskolebamse med. Tag den nu op.« Han gik hen og lukkede døren bag Ane, gik tilbage til sin slidte læderkuffert, lindede på låget og begyndte at grine; han rodede i kufferten, og pludselig stak en enøjet plysbamse sit hoved ud af kufferten.

»Hello,« sagde dr. Irwin med bamsestemme.

Sue og Ane red tidligt ud om morgenen. Det var køligt, og endnu var støvet lidt fugtigt i foldene. Sue underviste Ane i den amerikanske westernstil. Vicky var med dem på sin lille pony. De red i skyggen af de store træer op på en bakke.

»Jeg elsker det her sted,« sagde Sue og så sig omkring. »Det er bare den forkerte mand, som har stedet og mig. Jeg troede, jeg ville falde til ro, men det er ikke mig, han vil have, men den, han tror er mig.«

»Du har selv lagt fælden ud,« sagde Ane. »Du spillede jo hende den anden for at få ham på krogen, ikke?«

»Havde jeg noget valg?«

»Det har man altid. Jeg vil ikke længere leve på kompromiser. Der må være et andet liv uden de evindelige kvindekompromiser. Jeg vil hellere leve alene. Jeg tror, vi er den sidste generation af kvinder, der springer over, hvor gærdet er lavest for at få en komfortabel tilværelse.«

»Aldrig, det bliver ved og ved,« sagde Sue og satte sin hest i en kort galop. Hun sad godt i sadlen, smidig og smuk. Ane red efter hende. Den lille pige galoperede stolt og sikkert ved siden af sin mor med sin lange pisk og sine små hvide handsker.

Ane satte cowboyhatten længere ned i panden, solen brændte, og fluerne begyndte at genere.

»Når vi har badet, spist og hvilet os, skal vi til byen. Man venter os på hotellet klokken tre, og bagefter skal vi hente dr. Irwin på universitetet.« Sue smilede forventningsfuldt og tørrede sveden af panden med et ternet lommetørklæde.

»Du er skør, tænk hvis det bliver opdaget. Jerry myrder dig.«

»Hvad med dig selv?« grinede Sue, skridtede ind på gårdspladsen, sad af og smed tøjlerne til staldmanden, som havde holdt øje med dem fra hegnet.

Sue gik ind i køkkenet, der lå besked fra Jerry: »Dr. Irwin skal hentes klokken fem. Kør forsigtigt. Hav en god dag. Jerry.«

Ane var ubehagelig til mode. Hoteldirektøren var en latinsk, slibrig herre med turkisfingerringe. Hun undrede sig over Sue, som via sit ægteskab befandt sig adskillige trin over den ubehagelige mand, som sad og fyrede den ene sjofle vittighed af efter den anden, som om han underholdt to ludere. Ane blev mere og mere sur. Sue hældte på.

»Kan du ikke lige sidde og kigge i nogle blade og tage en drink. Jeg skal lige se den nye suite,« sagde Sue og blinkede, mens hun tog sin taske.

»Gu vil jeg ej! Tror I, jeg vil sidde her, mens I knepper,« udbrød Ane pludselig rasende. Hun følte, hun blev beskidt bare af at sidde på det elendige hotel, som lugtede af rengøringsmidler og kunststoffer. Hoteldirektøren stod ugenert og gloede op og ned ad hende.

»Hvad med at vi alle tre går op,« læspede han.

»Ja, hvad med det,« fnisede Sue i sin brandert, omfavnede Ane og gav hende et vådt kys på halsen. Hun var allerede godt beruset.

»Nu går du med mig,« sagde hun og hev i Sue.

»Hold kæft, en snerpe, hvorfor har du taget hende med, baby?« hvislede han ondt.

»Skrid, din klamme stodder,« sagde Ane. Hun hviskede lavmælt til Sue: »Kommer du ikke med, bliver jeg virkelig sur på dig. Han er en dårlig fyr, kan du ikke se det. Du skal have noget meget bedre.«

Sue så sig tilbage, så tømte hun sit glas: »Måske har du ret. Jeg roder rigtig i det.« Hun standsede og råbte: »Min veninde siger, du er underklasse. Det er du sgu også!« Så gik de. Sue gik ud til den store Lincoln og åbnede døren.

»Du kan ikke køre,« sagde Ane forskrækket.

»Jeg kører bare langsomt.« Sue startede den store vogn. Hun hikkede et par gange og tog sit kniplingslommetørklæde op. Ane var stiv i nakken af nervøsitet og parat til at gribe ind. Hun besluttede sig til at rejse næste dag. »Vi kører ud på universitetet. Jeg skal vise dig det. Det er så smukt. Så kan vi hente ham Irwin lidt før.«

»Du må først være lidt mere ædru,« sagde Ane. »Skal vi ikke gå en tur.«

»Er du skør, der er der ingen der går her. Det kan man ikke i varmen.« Gaderne var tomme. Bilerne parkerede lige uden for forretningerne, og de elgante damer sprang fra de airconditionerede biler lige ind i de kølige forretninger. Det var kun sorte, som gik eller stod og hang på gadehjørnerne i den lille forstadsby.

Sue kørte ganske rigtigt langsomt, 30 kilometer i timen, af og til faldt hendes øjne halvt i. Ane gav hende et ordentlig puf og bandede over, at hun var havnet i denne situation. De kørte ind ad universitetets lange elegante alle med de store træer. Universitetsbygningen lå fornemt tilbagetrukket oppe på en høj. Den var bygget af røde sten med hvide vinduer, spir og tårne for at ligne et rigtigt slot. Foran bygningen var en kunstig sø omkranset af siv. Store hvide gæs med lakrøde næb og et svanepar svømmede dekorativt i søen. Sue kørte langsomt rundt om søen. Ane så pludselig et hoved stikke op af vandet i den dybe sø, et stort skildpaddehoved.

»Er der skildpadder i søen?« spurgte hun.

»Ja, og de er morderiske,« sagde Sue og så ud. I det samme trak skildpadden en gås ned under vandet.

»Gud, så du det?« råbte Ane. »Det er det rene Loch Ness-uhyre.«

»For satan! Det gjorde den sgu også, gåsen drukner,« råbte Sue bestyrtet. Hun slap rattet, lænede sig ud, og der lød et splintrende brag. Den store, nye blanke Ford Lincoln var kørt ind i et af alleens træer. Ane blev kastet tilbage. Sue blev ramt og knækkede sammen som en dukke over rattet, blodet løb ned ad panden. Ane masede sig forbi, prøvede at åbne døren. Et par studenter kom løbende ned over fløjlsplænerne. Endelig fik Ane døren op. De hev Sue ud. Hun lå besvimet på jorden med den ene arm foran ansigtet som en fin Barbiedukke. Ane var uskadt havde bare fået vredet nakken og et slag i ribbenene.

En læge fra universitetet kom styrtende og undersøgte Sue. Hun vågnede, rejste sig halvt og så på vognen.

»Ann, jeg bliver myrdet.« Så lagde hun sig ned igen. Ambulancen hentede hende, hun vinkede og kyssede Ane farvel.

»Der er ikke en skid i vejen med mig, men det virker dramatisk, og så bliver Jerry måske ikke så vred.« Hun smilede et træt skolepigesmil og lagde sig tilbage på puden og takkede publikum, der stod tæt om hendes båre.

Da kranvognen kom og skulle have bilen ud fra træet, væltede den om på siden, og langsomt som et kæntrende skib gled den med en skrabende lyd ned i grøften og lå sammenpresset som en harmonika med hjulene i vejret. Studenterne og rektor stod andagtsfulde og så på den som en kær afdød.

»En helt ny Ford Lincoln,« sagde de ærbødigt.

Dr. Irwin var kommet løbende. Han tog Anes arm.

»Jeg skal nok informere dr. Baxter,« sagde han modigt. En halv time efter var Jerry på pladsen, hvid i hovedet med kæben skudt frem. Han havde sit kamera med og tog uafladeligt billeder, mens redningsfolkene arbejdede. Billeder, der selvfølgelig ville blive brugt til den tilstundende skilsmissesag og kampen om lille Vicky.

»Jeg behøver ikke at spørge dig, om hun var beruset,« sagde han. »Jeg kender lægen, som tager blodprøver.«

Sue kom hjem fra hospitalet samme dag med en lettere hjernerystelse. Hun lå bleg i sin seng.

»Nu skal jeg på vandvognen, for han har fundet alle flaskerne. Måske sender han mig på en klinik. Han har planlagt at afsyre mig.« Hun græd hjælpeløst og holdt fast i Ane med en dirrende hånd, sveden haglede ned ad hende. Ane satte sig hos hende.

»Jeg tager af sted nu, det her går ikke. Sue, det er på høje tid, at du tager dig selv i nakken. Tag dog imod hjælpen, når du endelig får den tilbudt – kom af sted til den klinik. Du vil højst have abstinenser et par uger, værre er det ikke endnu. Du kan klare det.«

»Jeg drikker for at få fred, kan du ikke forstå det, for at slippe for at mase mig ind i hende, der ikke er mig, hende de alle sammen vil have!« Ane holdt hendes hånd.

»Jeg kan ikke hjælpe dig, Sue. Jeg skriver til dig. Pas på dig selv, vær din egen mor. Det er det eneste, jeg kan sige til dig. Kæmp for dit barn.«

Sue rejste sig op og lagde sine marcipanhvide arme med de brune hænder om halsen på Ane.

»Farvel, hils Bob. Sikke et underligt liv. Jeg tror på dig og din lykke. Vil du gerne også tro lidt på min?« Ane nikkede.

Ane havde taget en taxa til et gammelt hotel i St. Louis, og hun sad nu på sengekanten i et billigt værelse og stirrede på telefonen. Her var varmt, støvet stod og vibrerede i solen fra vinduet. Hun følte sig fortabt, bange. Hvad nu, hvis Bob ikke var der, hvis de ikke kunne finde hinanden? Ingen måtte vide, at hun var der. Hvad nu, hvis alt gik galt. Skulle hun ringe hjem til børnene og fortælle, hvor hun var? Hun foldede hænderne og gav sig til at tænke intenst på Bob. Han skulle være på sit kontor nu. Hun ville ikke engang kunne efterlade en besked. Hun stirrede på telefonen, prøvede at få den ind som et meditationsbillede. Alt skulle lykkes gennem den. Så tog hun den, drejede nummeret i Colorado. Åh gud, han tog den.

»Skat, hvor er du? Jeg har lige ringet til Jerry, han sagde, du var rejst. Jeg er helt ude af det. Hvor er du?«

»På Ramada Inn i St. Louis.«

»Jeg kommer, selvom det er et par dage før beregnet. Jeg har planer. Du drømmer ikke om det. Har du sporty tøj med? Ellers køber vi noget. Jeg kan være der om seks timer. Jeg vil træde ind ad døren på slaget, ligesom Passepartout i *Jorden rundt i 80 dage*. Vent bare, baby. Jeg flyver af sted. Jeg ringer, hvis der er problemer undervejs. Jeg er så glad, der er ikke det, jeg ikke kan klare. Alle forhindringer bliver ryddet af vejen.« Han lød sejrstolt, fuld af kampmod. »Du må ikke gå uden for hotelværelset. Der kunne ske ting, bliv der, drøm om hvad vi skal lave, når vi ser hinanden. Min elskede, det var godt, du slap væk fra Baxters, der var dårlige vibrationer. Det ender galt, jeg kunne mærke det. Jeg elsker dig, jeg elsker dig. Jeg kommer og udfrier dig om seks timer.«

KAPITEL 14

HELE DAGEN LÅ hun som i trance på sin seng og stirrede op i loftet. Hun drak af og til lidt vand af karaflen og suttede på et stykke chokolade, turde næsten ikke sove, hvis nu telefonen ringede. Timerne gik langsomt. Hendes hjerte bankede hurtigt, hver gang hun kom til at tænke de frygtelige ord »Hvad nu hvis ...«

Hvordan skulle hun kunne tage hjem til Danmark, hvis hun ikke fik set ham? Til sidst gik hun ud og tog bad, men holdt hovedet ud fra bruseren, så hun kunne høre telefonen eller en banken på døren.

Hendes nerver sitrede over hele kroppen. Hun tog et par hvide slacks og en lysegrøn silkeskjorte på. Varmen fik hendes makeup til at flyde ud. Klokken nærmede sig otte. Hun kendte ham, hun vidste, at kom han for tidligt, ville han vente for at kunne træde ind ad døren præcis på det aftalte tidspunkt. Da den var fem minutter i, kunne hun ligesom et dyr, der får færten, mærke, at han var i bygningen. Hun stillede sig lige ved døren, hjertet bankede vildt. Skridt for skridt mærkede hun, at han kom ned ad gangen. Hun flåede døren op og kastede sig i armene på ham. Han lo og løftede hende op.

»Du kunne mærke, at jeg kom, ikke? Jeg kunne også mærke dig. Åh, elskede! Ni måneder, ni forfærdelige måneder.« De satte sig på sengen med hinanden i hånden og begyndte at stryge hinanden med hænderne, trøstende, bekræftende. De var tavse, når de ikke hviskede kærlighedsord til hinanden. Deres hænder gik uden om de erotiske zoner, kun berøring, kun nærhed. Alt andet kunne vente. Han holdt hende tæt.

»Jeg er blevet ældre. Men du ser yngre og bedre ud. Det her er slemt for mig, det slider på min sjæl og på min krop. Jeg har aldrig kunnet vente, og jeg har ikke kontrol over situationen.« Han så undersøgende på hende.

»Du har ikke fået noget mad. Men det får du nu. Jeg har ordnet det hele.« Han ringede på telefonen, og fem minutter efter stod en japansk tjener med et rullebord uden for døren. Der var sølvfade og lysestage. Lykkelige sad de med hinanden i hånden og spiste hummer, oste, druer, brød og drak hvidvin. De tændte for radioen og dansede tæt kind mod kind til den smægtende countrymusikkanal. Først ud på natten gik de i bad og sæbede hinanden ind, gik op i den store seng og begyndte langsomt at elske, så let og vægtløst som fugle, der svæver på luftstrømme.

»Min krops grænser forsvinder,« hviskede Ane. Han så og så i hendes øjne for at fastholde billedet af den kærlighed, han altid havde søgt. Det blev morgen, før de slap hinanden og sov.

Da Ane vågnede, stod han på gulvet og var ved at pakke ud. Hun rejste sig og stirrede målløs. Der var et telt, et spritapparat, en sovepose og en automatisk pistol.

»Nu skal du ud og se Amerika,« sagde han og spændte sit bælte med den gyldne stjerne og den bukkende hest.

Uden for hotellet holdt en Cherokee-jeep. Han læssede hendes kuffert og sit eget udstyr, satte sig ind, lagde pistolen i handskerummet.

»Hvorfor skal vi være bevæbnede?« spurgte hun uroligt.

»Vi skal op i bjergene, hvor der ikke er mennesker. Det er klapperslangeland, baby, og der er folk ude i sumpene, som ikke rigtig kender forskel på dit og mit.« Han sendte hende et stolt smil.

»Efter min mening skulle der holdes en stor magnet over USA, som sugede alle jeres våben op i en stor slamsuger,« sagde hun, slog spejlet ned og lagde læbestift på.

»Hjælper ikke,« grinede han. »Du skal bare se mig skyde med flitsbue, og jeg er heller ikke dum med et baseballbræt. Det ligger i os. Der er ingen, som skal true vores ejendom eller familie.«

»Vil du høre en forudsigelse?« sagde Ane, da de kørte ned på den brede motorvej med kurs mod Arizona. Han nikkede. »Det ender med stammekrige og store massakrer,« sagde Ane forarget, mens hun lindede på handskerummet og så på den automatiske pistol.

»Ja, lige netop,« sagde Bob. »Derfor er det godt, at din tilkommende mand er en mesterskytte og kan gøre det grove arbejde, hvis de kommer ind på vores lille territorium.« Ane sukkede. Han hævede stemmen, hun kunne se, at han var ved at blive ophidset. »Men I havde ikke noget imod, at vi var der med skyderen i Europa, da I var i vanskeligheder, vel? I har altid ondt i røven af måden, vi passer vores egen butik på.«

»Ja, vi er også taknemlige, men kan du ikke se, hvad den skyder også er skyld i nu? Hvad med al den vold, alle de mord I har. I er selv ved at få for meget, så meget at de mere eftertænksomme af jer smider fjernsynet ud, fordi det giver angst at se reportagerne. Jeg forstår det ikke,« sagde Ane. »Det er en form for massepsykose. Her sidder jeg på vej mod Arizona med en højt begavet mand, som jeg elsker, og så er der en pistol i handskerummet til at slå folk ihjel med.«

»Du har glemt, at jeg har to rifler på bagsædet,« lo han. »Ann! Vi skal ikke diskutere det her. Vi kommer bare op at skændes. Lad du politikerne om det. Den amerikanske pionerindstilling ændres ikke på et par generationer. Det er et adfærdsmønster, som er nedarvet fra far til søn. En rigtig mand er en mand, som forsvarer sin ejendom og sin familie. Det er vores myte, den måde vi overlevede på. Vi kender ikke andre måder. Man kan ikke få en bullterrier til at opføre sig som en cockerspaniel, vel? De fleste indvandrere var nogle, som af en eller anden grund ikke kunne tilpasse sig i Europa. Mange af dem var nogle slamberter, der ville slås for en ny eksistens. De havde ikke noget at miste. De kæmpede, de snød, de stjal, de myrdede, og de lærte deres sønner deres måde at overleve på. Nu kommer de nye indvandrere. De er ude på det samme. Det er alles kamp mod alle. Du har ret. Der bliver stammekrig. Jeg har levet i Afrika. Jeg levede ude i naturen, ikke som de andre hvide. Jeg hører det store ur, der tikker. Naturens ur. Den hvide mand er en truet dyreart. Når hans særpræg og livsform bliver truet, vil han først kæmpe, så vil han blive svagere, mindre robust over for sygdomme, han vil få besvær med at avle børn, og der vil komme en blandingsrace, der er bedre egnet til at overleve. Der vil komme et nyt og anderledes samfund, når den hvide mands samfund er krakeleret.

Men vi kan bare leve i vores tid, i vores minut. Jeg er en hvid mand. Jeg har endnu mit territorium. Jeg sidder her med min elskede på vej ud for at vise hende det bedste jeg har. Jeg har den bedst mulige udrustning til denne tur. Sådan er det, og sådan bliver det,« sagde han og så på hende med sit intense blik.

Hun tav og fik en knugende fornemmelse af, at han altid ville være et skridt foran i et ukendt land, hvor han kunne se tilbage i en fortid, der var hendes nutid. Han var så anderledes. Hun kunne ikke forliges med mange af hans holdninger. Hun var bange for dem. De bragte ondt med sig. Men bag dem var så megen smerte, så megen længsel mod det bedste, livet kunne give, kærlighed og livsglæde. Han tog hendes hånd og kyssede den ømt.

De kørte hele dagen, spiste i vognen. Kaffekoppen stod på en hylde under forruden. Den fyldte hun, mens han kørte koncentreret. De havde allerede fordelt opgaverne imellem sig, som om de havde været på langtur sammen mange gange før.

Landskabet begyndte at ligne et surrealistisk maleri med de røde kantede klipper. De nærmede sig Arizonas grænse. Der var lange stræk, hvor de ikke så en eneste bil, et eneste menneske. Klipperne stod skarpe mod den blå, skyfri himmel. Landskabets storhed og skønhed var som et uendeligt rum, hvor civilisationens lyde var dæmpet ned. »Vi må hellere slå lejr, før det bliver mørkt. Det gør det hurtigt,« sagde han. Han kørte bilen hen under nogle klipper. »Der er ikke langt til navahoindianernes reservat, der kører vi ind i morgen.«

Det var tørt og varmt. Vinden knitrede af sand. De slog teltet op i læ af bilen og klippen.

»Jeg går ud og samler optændingskviste,« sagde han og rejste sig.

»Det tager forhåbentlig ikke for lang tid,« sagde Ane og så sig omkring. »Jeg er ikke meget for at sidde her. Tænk, hvis du farer vild og bliver væk. Jeg aner ikke, hvor jeg er. Hvad skal jeg sige, hvis der kommer indianere og spørger, hvad jeg laver i nærheden af deres reservat? De har det måske ligesom du har det med det, der er dit.«

Han lo og gik af sted, mens han sparkede lidt op i jorden og samlede tørt græs, lidt kviste fra de lave buske. Det så professionelt ud, og Ane var afslappet, så længe hun kunne se ham. Lidt efter kom han tilbage.

»Nu skal du se. Om lidt har vi varme bønner og bacon. Jeg har også brød med. Et simpelt måltid. Men det bliver godt. Jeg har også lidt vildt med, så vi kan komme lidt hjortekød i bønnestuvningen. Jeg har købt en helt ny smart lille lejrovn. De sagde i forretningen, at den var svensk. Det tyder da på kvalitet, ikke?« Ane nikkede. For ham var alt skandinavisk bare det bedste.

Han lagde bålet til rette med krydsede smågrene, lidt papir, lidt tørt græs. Han så ikke på hende, mens han gjorde det. Hun fornemmede, det var et ritual. Manden laver bål, kvinden ser på. Han begyndte at rode med det. Ane sad ubevægelig. Ilden blussede pludselig op.

»Sådan,« sagde han tilfreds og gned hænderne. I samme nu gik ilden ud i den lille ovn med gryden. Han sendte hende et hurtigt, skyldigt blik. Hun gjorde sig umage med at lade som ingenting. Han gik rundt om bålet og ovnen, som om han planlagde et angreb.

»Der er noget i vejen med den ovn,« hvæsede han. »De har solgt mig noget forpulet lort!«

»Har du læst brugsanvisningen,« sagde hun.

»Baby, jeg har lavet bål og ligget i bivuak i masser af år. Jeg behøver ingen brugsanvisning til et skide bål.«

»Nej selvfølgelig,« sagde hun og rullede tæppet om sig. Det var blevet mørkt og det røde sand under dem føltes pludselig fugtigt. Han begyndte forfra, rød i nakken, undersøgte ovnen, som skulle fungere som kogeplade. Han kiggede på den, og hun begyndte at le. Han lignede en chimpanse, der for første gang så noget nyt legetøj.

»Skal vi ikke bare sætte gryden direkte på ilden,« sagde hun, »eller spise bønnerne kolde?«

»Nej, den ovn skal fungere,« sagde han. »Jeg vil have varm mad, ikke brændt mad.« Han knaldede sin næve ned i jorden. Hun rejste sig, gik ind i vognen. I hendes kuffert lå en flaske snaps. Hun havde haft på fornemmelsen, at hun på et eller andet tidspunkt ville trænge til en opstrammer. Hun tog termokanden, hældte kaffe i koppen, så en dobbelt snaps, mørkt puddersukker, fløde fra bilens kølekasse. Selv tog hun fire store slurke af flasken, før hun gik hen til cowboyen ved det ulmende lejrbål, der nu kun var gløder. Han tørrede sig i ansigtet med en sodet hånd.

»Her er en lille dansk opstrammer.« Han tog en slurk, hostede. Hun satte sig foran ham, stødte sit krus mod hans. »Skål, drik det nu, så bliver du den helt gode blanding af en atlet, en skandinav og præriens behersker, måske hjælper det også på ovnen.« Han drak det og smilede genert.

»Det er altså flovt, ikke? Jeg skulle lige vise dig, hvordan man gjorde.« Han arbejdede videre med middagen, mens Ane hældte på ham fra snapseflasken og kaffekanden. Det havde sin virkning. Efter to timers råb og skrig, spark og stenkast, boblede bønnerne svagt, mens han stod og viftede med et håndklæde og manede over dagens ret. De spiste af gryden med to træskeer. Han var efterhånden ret beruset, men lykkelig, spiste skefuld efter skefuld, rev med tænderne i det seje hjortekød. Ane lagde soveposerne på plads, og han kom med den automatiske pistol i en slingrende gangart.

»Den skal du lægge under hovedpuden.« Ane lagde den under hovedpuden.

»Læg dig nu ned. Jeg tager opvasken,« lo hun.

Hans ben segnede pludselig under ham, og han faldt omkuld på soveposen.

»Jeg er ikke vant til at drikke,« lo han.

»Nej, det kan jeg se,« sagde hun. Han puttede hende ned i soveposen, slog armene om hende og begyndte at synge *On top of old Smokey*. Ane lagde sit hoved på hovedpuden. Han faldt i søvn i andet vers af den gamle cowboysang. Hun smuttede ud af teltet, slukkede de sidste svage gløder af bålet, vaskede den lille bulede gryde og satte den ind i bilen. Så gik hun ind i teltet, tog revolveren med to fingre og lagde den i bunden af bilen, låsede den og smuttede ned i sin sovepose. Hun lagde sig på maven og kiggede ud. Himlen funklede af stjerner, langt borte hylede en prærieulv. Hun så på ham, mens han sov. Han holdt armen beskyttende over sit hoved, hun tog den væk for at se på ham, armen var tung som en kølle. Men i drømme smilede det grove ansigt med de stride øjenbryn. Hun lå længe og så på ham som på et sjovt dyr, hun ville studere. Og hun lo, da hans læber i søvne sagde smaskelyde, som et barn der skifter drømmetilstand.

»Jeg studerer fænomenet den amerikanske mand,« hviskede hun og strøg ham over kinden. Hun holdt hans hånd, så op på Venus, som blinkede stor og skøn lige over dem. »I den europæiske mand befinder der sig et indre barn, men det er skjult under mange lag. Den amerikanske mand har kun et tyndt betræk. Drengen er lige indenunder.« Hun tog sin lommebog og skrev i lyset af sin lommelygte. Hun følte sig godt tilpas, følte at hun havde tingene under kontrol, så længe hun var i betragterens rolle. Hun lå og lyttede efter nattens lyde, så gav hun sig til at lytte til sin indre stilhed og faldt lykkelig i søvn midt i Arizonas ørken med Supermand bedøvet af dansk kaffepunch.

De kravlede stive ud af det lille telt næste morgen. Bob så ned ad sig.

»Jeg har alt mit tøj på. Kunne du ikke have taget mine støvler af? Det er da det mindste en kvinde kan gøre, når hun har drukket sin mand under bordet.«

»Jeg vidste da ikke, hvad man plejer at gøre her i klapperslangeland,« sagde hun. »Jeg troede, rigtige mænd sov med støvlerne på.« Han lo, tog et stykke tyggegummi fra lommen, tyggede lidt på det, tog det ud, kyssede hende forsigtigt og puttede tyggegummiet i munden igen.

»Jeg må vist indrømme det. Jeg vil hellere på motel. Hvad med et dejligt varmt bad, en stor dobbeltseng?« Ane stod og hev en skive klægt, amerikansk franskbrød op af en pose.

»Jeg vil have små pandekager med tyk sirup og en lille krydret pølse til, spejlæg let stegt på begge sider, en stor kop kaffe, og så skal jeg ligge i et badekar en halv time.«

»Hvad venter vi på?« råbte han, gav den svenske ovn et spark, så den fløj op i en bue og landede i sandet.

»Farvel til ørkenen,« råbte han. Ane åndede lettet op, da bilen startede og de kørte ud ad den brede ensomme landevej. Hun så at benzinmåleren var ved at nærme sig nulpunktet. Han fulgte hendes blik. »Bare rolig, skat. Der er en tank lige om hjørnet. Stol på far.« Ane vendte sig om og kastede et blik på deres lejrplads. Den lille ovn lå og blinkede i solen. De røde tårnagtige klipper lå som kulisser i en film om verdens skabelse.

»Her er så smukt og så øde. Vi er bare små insekter i dette landskab,« sagde Ane.

»Ja, det er noget andet end Danmark,« sagde han stolt. Han pegede på kaffekoppen på hylden under vinduet, og som en lydig kone fyldte hun den straks.

Benzintanken lå ikke lige om hjørnet. Den lå en halv dags kørsel væk. Reservetanken var nu også brugt op. Men dér lå den, et forfaldent skur med bliktag og reklamer. Texacostjernen lyste. De rullede ind. Ane stod ud af bilen. Bob fyldte på, mens hans øjne skarpt fulgte de rullende tal. De gik ind i butikken. En ung mexicaner hilste venligt på dem. Bob komplimenterede hans ordentlige lille butik, og manden sendte ham et hvidt smil. Bob lagde pengene på disken. Mexicaneren så på ham med løftede øjenbryn.

»Nej, det bliver tredive dollars mere. Der blev fyldt helt op. Jeg har sedlen her.« Han viste en seddel med tågede blå tal. Bob smilede stadig venligt.

»Din maskine tæller nok forkert, knægt. Jeg ved nøjagtig, hvor meget jeg har fyldt på. Jeg har skrevet det op. Du har fået, hvad benzinen koster her i Arizona, det har jeg også checket; selvom du ligger midt ude i ørkenen, er det ikke pænt at snyde folk. Det er virkelig ikke pænt.« Han grinede lidt til den unge mand og vendte sig om for at gå. Ane var trukket hen mod døren. Det trak op til ballade. Hun var ikke i tvivl om, at Bob havde ret. Mexicaneren sprang hen foran butiksdøren.

»I kommer ikke ud uden at betale! Bob begyndte at grine, lænede sig mod disken, så på Ane og brød sammen i et kæmpe latteranfald. Hans latter var så smittende, at Ane nervøst lo med. Bob lagde hovedet på disken, grinede og slog på disken med hænderne, som om han havde hørt den sjoveste historie. Mexicaneren sagde ikke et ord, langsomt trak han en kniv frem, holdt den frem for sig, som om han ville skære dem over på tværs.

Ane blev tør i munden, hendes ben blev kolde og stive. Bob sprang frem, slog med et hårdt slag kniven ud af hånden på mexicaneren. Ane samlede den lynhurtigt op. Mexicaneren holdt på sin arm og sparkede et højt karatespark efter Bob. Bob tog ham i hans livrem, åbnede døren og smed ham hen ad jorden. Ane stod som frosset fast.

»Ind i bilen,« råbte Bob. Han satte sig ind i bilen, hev Ane ind, lukkede døren. Mexicaneren hægtede sig på bilen, han holdt i den bageste kofanger med den ene arm, den anden var tydeligt brækket. Han råbte og skreg spanske eder og forbandelser.

»Hold bare fast, knægt, for nu går det stærkt.« Han speedede bilen op, og mexicaneren blev slæbt med et stykke, så rullede han rundt, kom på benene og for ind i butikken.

»Duk dig, han henter garanteret sin revolver,« sagde Bob. Ane smed sig ned. Bob speedede op og siksakkede med bilen. Ane dukkede op igen og kiggede bagud.

»Han er der ikke.«

»Nåh, så er han inde for at ringe efter gutterne,« lo Bob. »Men det varer et stykke tid, inden han kan klø sig i røven med højre arm. Sådan er det måske ikke at fylde benzin på i Danmark?« Han fik et nyt latteranfald.

»Åh, lille elskede. Du er vel nok kommet på en spændende tur, hvad?«

»Han kunne have stukket os ned. Man ville aldrig have fundet os. Vi er her jo overhovedet ikke, vel?« Hun tog en vandflaske og drak begærligt, så rakte hun ham flasken. Han drak, tørrede sig om munden. Hun kunne se, at han var virkelig godt tilpas. Adrenalinet drønede rundt i ham. Det her var bedre, end han havde drømt om.

»Da jeg var lille, gik jeg med aviser om morgenen. På lønningsdagen lå de store drenge på lur efter mig. De havde også knive. De tog mine penge, sommetider skar de i mig, bare for sjov. I dag skærer de ikke i mig. Nu er jeg en meget stor dreng,« sagde han fornøjet.

»En skør gammel dreng,« sagde Ane. »Hvor langt er der til motellet?« spurgte hun træt. Bob så på hende med et forundret smil.

»Det ved jeg da ikke, måske er der et, måske ikke. Hvem ved? Det er det, der er det spændende.«

»Jeg vil i bad. Jeg synes, jeg lugter,« sagde hun. Han snusede til hende.

»Det gør du også, du lugter af hundyrangst. Det er helt, som det skal være. Bare slap af. Om lidt bliver du menneske igen. Så ligger min lille pige i skumbadet på det fine motel.« Ane så forventningsfuldt frem mod den lige, lange motorvej. I det fjerne flimrede noget hvidt.

»Er det et fatamorgana eller er det et motel?«

»Det er et motel. Holiday Inn med swimmingpool, aircondition på værelserne. Alt hvad du kan ønske dig.« Hun begyndte febrilsk at gøre sig i stand. Et øjeblik havde hun længtes hjem til det fredelige, lille stræde i Skovshoved. Nu følte hun sig pludselig let og fri, som om oplevelserne, intensiteten, skurede hende ren inde i hovedet.

De kørte ind på motellet. I receptionen stod en ung mand i terylenejakke og stribet slips. Han udførte med et stort smil det amerikanske hilseritual, som stadig forvirrede Ann, fordi hun som dansker følte sig forpligtet til at besvare de overfladiske hilsener: »Hvordan har De det?« »Kan De have en god dag?« »Hvor er det dejligt at se Dem?« Hun blev konstant overrasket, når forbipasserende spurgte, hvordan hun havde det. De første par dage havde hun troet, at hun måske havde en dobbeltgænger, som amerikanerne mente at genkende. Nogle gange havde hun følt sig forpligtet til at svare og var kommet med en længere udredning om, hvordan hun havde det. Nu havde hun vænnet sig til det. De høflige tirader var beroligende hilseritualer. Alle flosklerne: »Hvor ser De godt ud i dag?« »Jeg er vild med Deres kjole, Deres sko, Deres hår.« »Det er, som om jeg har kendt Dem altid,« var variationer over det optimistiske pionertema »En fremmed er en ven, du ikke har mødt før.«

Hilsenerne og det hvide automatiske chimpansesmil virkede varmende, afstressende. Hun smeltede lidt efter lidt. Den ukuelige, amerikanske optimisme smittede. I begyndelsen havde det irriteret hende at se og høre på de naive amerikanske rollespil, som alle tog alvorligt og levede efter: Gode mænd efter onde mænd. Man er sin egen lykkes smed, og far, mor og børn-spillet, som familierne dyrkede så indædt. Nu rørte det hende smerteligt i hjertet, som om hun var vidne til uskyldige børns leg, børn som endnu ikke havde opdaget, hvad der lurede uden for havelågen.

Bob bad om at få motellets bedste værelse. Stolt åbnede han døren til den pink suite med det hjerteformede badekar og det lyserøde væg til væg-tæppe.

»Se, det er et hotelværelse. Det er synd, at I danskere ikke ved noget om ægte hotelkomfort.« De fyldte det hjerteformede badekar, og da Ane sænkede sin ømme krop ned i det lunkne, skummende vand og så ind i sin elskedes lykkelige øjne, besluttede hun, at hun ville forsvare Amerika fra nu af og i al evighed.

Næste morgen købte de vandrestøvler. Hun prøvede dem.

»Jeg tror, jeg går bedre med kondisko.«

»Ikke der, hvor vi skal hen i dag,« sagde Bob hemmelighedsfuldt. Motellet gav dem sandwicher med, og han satte kursen mod Arizonas bjerge.

»Vi er i nærheden af navahoernes reservat.« Ane nikkede. Hun forestillede sig indianere i en indhegning, hvor de gik udklædte rundt som på et frilandsmuseum. Herude i ørkenen bestod landskabet igen af røde klipper, sand og forrevne småbuske. Solen bagte, luften var tør og varm.

»Du skal se udsigten fra klipperne,« sagde han. De tog støvlerne og rygsækkene på, og langsomt gik det opad på en smal, stenet bjergsti. Ane havde gået i bjerge før på afsatte stier. Hun havde redet uden frygt i bjerge i Spanien. Men her var hun i en natur, hun ikke kendte, med en mand, som kunne finde på, hvad det skulle være. Da hun var ti år, havde hun fået en kampesten ned over sin tå. Drengen var fire og skulle vise hende, hvor stærk han var. Siden den tid blev hun altid lettere urolig, når drenge skulle vise sig.

Bob standsede.

»Her er en sprække i klippen. Pas på.« Hun standsede chokeret og kiggede ned i en klipperevne, så stor at man skulle springe over den. I dybet var skarpe afsatser. Hun kunne ikke se, hvad der var på den mørke bund.

»Den springer jeg ikke over!« sagde hun. »Jeg vil kun gå på stier. Jeg vil ikke klatre i bjerge, kun gå. Jeg bliver svimmel, når jeg ser ned i den revne.«

»Jamen, jeg bærer dig over,« sagde han smilende. »Se mig, nu springer jeg over på den anden side.« Han bredte armene ud, som om han skulle til at flyve og satte i et stort spring over klipperevnen.

»Jeg gør det ikke, Bob!« Hun vendte om. Han kom flyvende over klipperevnen igen og landede lidt snublende.

»Jo, du gør.« Han tog hende i hånden. Hun fik sved på panden og begyndte at ryste. Hun hadede sig selv for at være sådan en idiot, som bare fulgte med. Hun stod og kiggede lige ned i kløften.

»Lad være at se ned. Kig op.« Han hoppede over igen, tog hendes arm. Hun tog sig sammen, sprang ud over klippekanten, han hev hende i armen, og de faldt begge på den anden side. Hun gav sig til at tude.

»Jeg gør det aldrig mere! Jeg har højdeskræk. Hvordan kommer vi nu ned?«

»Vi skal ikke ned. Vi skal op,« lo han. Han rakte hende en coladåse.

»Vi giver klippen en nyt navn. Tudeklippen. Crying Rock.« Han lo. Hun drak halvdelen af colaen og smed dåsen lige i hovedet på ham.

»Du skal ikke sidde og le, når jeg er bange! Det vil jeg ikke finde mig i!«

»Det starter godt, må jeg sige. Smider du altid med ting. Jeg skal bare vide det, så jeg kan tage stålhjelm på, når jeg kommer hjem til min lille danske kone.«

»Hold din kæft!« snerrede hun. Han vendte sig vredt.

»Du skal ikke sige hold kæft til mig!«

Han skridtede forud op ad en snoet sti, og hun gik rasende bagefter. Hun kunne ikke engang vende om, for hun kendte ikke vejen, turde ikke springe over klippespalten alene. Hun gik fra sten til sten, og det gik op, op. Pludselig kunne hun høre, at han hev efter vejret. Hun var i virkeligheden i bedst form.

»Nåh, gamle dreng, kniber det med kondien?« sagde hun og så ham ind i ansigtet. Han var bleg og svedte, og hun blev bange.

»Jeg har lidt med blodsukkeret,« sagde han. »Luften er tynd heroppe.« Hun tog hans hånd.

»Sæt dig ned. Vi spiser lidt chokolade og tager den med ro, går langsomt ned. Det er fordi, du har været så anspændt.« Han satte sig, spiste chokolade, tørrede sveden af panden. Han tog hendes hånd.

»Undskyld.« Klippeafsatsen dannede stol og bord. »Vi har stol og bord,« smilede han, pakkede maden ud af rygsækken og trak vejret dybt. De satte sig på afsatsen. De kunne se milevidt.

»Men det er ikke så flot, som hvis vi havde nået toppen,« sagde han skuffet. Ane så ud over landskabet, klippeformationerne mindede om en kæmpe skulptur.

»Det er meget smukt. En anden verden. Jeg skal først vænne mig til at se landskabet.« Hun tog en bid af skinkesandwichen. Der lød en hvinende lyd og et lille smæld, en lille skarp sten faldt ned fra klippevæggen.

»Et haglgevær!« sagde Bob og trak hende om bag klippen.

»Åh, hold op. Der er ikke et øje. Du ser syner,« lo hun. »Det er måske indianerne, som overfalder os.« Han holdt hende for munden og nikkede nedad med hovedet. Nede mellem klipperne gik to unge indianerdrenge i cowboybukser og blomstrede skjorter. De havde rifler hængende over skulderen, bag dem hoppede en lille glathåret hund med løftet snohale.

»De skyder kaniner,« hviskede Bob. »Jeg tror, de har set to hvide kaniner, de gerne vil give et skud hagl i røven. Vi må være kommet ind i reservatet.«

»Jeg har da ikke set noget hegn,« hviskede Ane tilbage, mens de kravlede hen på stien.

»Reservatet er på størrelse med jeres Fyn. Troede du, det var en zoologisk have?« De gik ned igen. Ane var rystet.

»Hvad havde du gjort, hvis de havde ramt os?«

»Det kommer an på hvor,« grinede Bob og slog sig på lommen, der bulede. Ane så skæftet af pistolen stikke op. »Tror du, de skød på os med vilje?«

»Det er da klart, to kaniner med rygsække! Det ville alle have troet på. Du vil opleve ting i indianerreservaterne, som måske fjerner nogle af dine romantiske forestillinger.« Han gik bekymret hen mod bilen.

»Bare Sorte Fjer og Liggende Bjørn ikke har brækket vinduesviskerne og hugget radioen, da de kom forbi.« Bilen var intakt.

»Synes du ikke, vi oplever meget, Ann?« spurgte han smilende og startede bilen. Han purrede op i sit hår.

»Hvad helvede!« Han holdt et lille blykorn i hånden. »Et hagl. Ja, de kan sgu stadigvæk. Er der også hagl i sandwicherne?« spurgte han. Hun rakte ham en i folie.

Ane var begyndt at tænke på familien. Hun måtte se at få ringet hjem. Hvad nu hvis Johannes ringede til Sue og fik at vide, at hun ikke var der? Det ville hun ikke byde børnene. Johannes ville også blive urolig, selvom han sandsynligvis ville være tilfreds med at få bekræftet sin mistanke om, at der var ugler i mosen. Men højst sandsynligt tænkte og gjorde han lige det modsatte af, hvad en normal mand ville gøre. Han var altid foruroligende uforudsigelig.

Motellet havde en indhegnet swimmingpool. Poolen var ucharmerende. Der var grå fliser, ståltrådshegn, ingen beplantning, gule parasoller, gule liggestole med plasticpuder, en vippe og den blågrønne pool. Ane kom i badekåbe og sin nye blå badedragt. Bob lå og betragtede hende. Hun så sig om.

»Tag nu den badekåbe af,« sagde han. Hun holdt den tæt om sig. Hun var tynd, og de kvinder, der lå rundt om poolen, lignede buddinger. Aldrig havde hun set så mange tykke kvinder.

»Ja, det er sørgeligt, ikke? Sådan så de ikke ud, da jeg var ung. De har været på Eileens diæt, jordnøddesmør, franskbrød, masser af cola, småkager, ingen motion, og så nedstammer de fra hollandske og tyske landarbejderkoner. Det giver gode lår.« Bob rejste sig og så sig om, som om han var på marked.

»Det er særlig slemt i dag. Måske er det de tykkes klub på udflugt. Tag nu den badekåbe af, så jeg kan nyde deres misundelige ansigter.« Han grinede og lagde sig ned, mens han betragtede hende frydefuldt.

Ane tog badekåben af, og de begyndte at le. Hans hvide tykke hår faldt ned over panden og hans grå øjne lyste.

»Jeg er så lykkelig, det gør næsten ondt. Tænk, at du er her i solen hos mig i den blå badedragt. Jeg kan røre ved dig, tale med dig, svømme med dig, elske med dig. Du kan komme nærmere på mig end mit eget åndedræt.« Han strøg hende over låret.

»Jeg kan se, hvilken farve du får, når du bliver rigtig solbrændt, som gylden hvede,« sagde han. Ane lå og så op i den blå himmel. Det var eftermiddag, solen stak ikke længere. Hun lukkede øjnene og følte sig flydende, lykkelig, vægtløs. I det fjerne kunne hun høre plask og skvulp, når buddingkvinderne sprang i.

»Kan vi ikke blive her et par dage,« sagde hun. »Her er så skønt i solen. Vi må slappe af. Du så så træt ud oppe på klipperne. Er du blevet helbredsundersøgt for nylig?«

»Mit blodtryk er lidt for højt, men jeg kan ikke klare at savne dig så meget. Når jeg får fortalt Eileen om os, kan du så ikke komme og bo her sammen med Jacob, indtil vi får ordnet skilsmissen? Jeg tror ikke, jeg kan være alene under retssagen. Du aner ikke, hvad der sker. Fort Collins er en lille by, og universitetsmiljøet er lukket, et hierarki, som jeg har levet og kæmpet i, siden jeg var 30 år. Mine børn vil højst sandsynligt vende sig fra mig. Måske vil de ikke se mig mere.« Hans stemme knækkede over. Ane så overrasket på ham.

»Hvis de elsker deres far, vil de selvfølgelig se dig. Det vil være et chok for dem, ligesom det bliver et chok for mine børn og min familie. Du skal heller ikke sige noget til Eileen, før du er klar, men vi må prøve at ses, så tit vi kan.«

»Du må ikke sige det,« sagde han. »Jeg kan ikke holde det ud længere. Jeg ved bare ikke, om mine børn elsker mig højt nok. Nogle gange tror jeg, pigerne gør det. Jeg ved ikke engang, hvordan de har det med deres mor. De elsker hende uden tvivl, men de forstår hende sikkert ikke. De har accepteret, at sådan er deres mor. Eileen lever i sin egen verden.« Han lagde hovedet på armene.

»Eileen både hader og tilbeder mig. Hun kan ikke klare sig uden mig. Selvfølgelig vil jeg betale alt for hende. Vi har været gift i over tredive år, men jeg ved ikke, hvad hun vil lave, for jeg ved ikke, hvad hun laver nu! Hun er hjemme hele dagen. Huset ligger mørkt med nedrullede gardiner, der er beskidt overalt. Børnenes værelser står, som den dag de flyttede ud. Der er spindelvæv på deres stilehæfter, bøger og gamle legetøj. Som om tiden gik i stå, da de flyttede.

Hun passer haven og roserne. Hun rører ikke hestene. Dem bryder hun sig ikke om. Men hun livede op, da jeg bad hende læse korrektur på min bog om operationsteknik på heste. Hun er velbegavet, men vi har aldrig diskuteret, om hun skulle arbejde. Det gør man ikke, når man er i vores æske,« sagde han med et usikkert smil. »Vi er delt op i æsker på universitetet. Livsstilen er en del af hierarkiet. De ældre professorers koner arbejder ikke, medmindre de selv har en akademisk uddannelse. Det er ikke længe siden, at man blev betragtet som venstreorienteret, hvis man var udearbejdende professorkone. De andre koner er meget aktive. De har en skiklub, en tennisklub, litteraturklubber. De spiser frokoster, går på indkøb sammen. De har velgørenhedsbasarer og venindesamvær. De passer gamle og syge. Men Eileen underviser i bibelklassen i søndagsskolen og ser fjernsyn, hun kan sy og elsker at spare. Jeg tror, hun har masser af penge sat ind på sin egen bankbog.« Ane lo.

»En dag stikker hun måske af til Rivieraen, og du går bare og tror, hun er hjemmedrikkende husmor med kontaktproblemer. På en måde har jeg medlidenhed med hende, og kvindesagssiden af mig synes afgjort, at det er din skyld. Men det er ikke mit problem. Der må være grænser for min forståelse.« De så smilende på hinanden.

»Somme tider er vores tanker forbundne som tvillingers. Vi er stadig mand og kvinde. Måske har vi været søskende i en tidligere tilværelse.« De tav længe. En sort familie kom ind ad den lille havelåge ved bassinet. De havde oppakning med, parasoller, en grill, køletaske og grilludstyr. De gav sig til at pakke ud, og der blev tavst omkring dem. Buddingkvinderne og deres mænd fik udtryksløse ansigter, når de så på det sorte par, luften blev langsomt ladet med elektricitet.

Den sorte familie gav sig til at fyre op i grillen, røgen slog hen over gæsterne langs poolen.

»Må de det?« spurgte Ane.

»Jeg kender ikke reglerne,« sagde Bob. Den sorte familie begyndte at riste pølser.

»Nu bliver vi røget ud,« sagde han og begyndte at pakke tingene sammen. »Jeg er i mit fredelige hjørne i dag, mit blodtryk er lige faldet. Det skal ikke op igen. Jeg pakker sammen, vi nikker venligt til den sorte familie, som er ude på ballade, og så går vi ind og passer vores.«

De rejste sig, tog deres håndklæder. Da Ane var ud for den sorte mand, så han provokerende på hendes røv og sagde højt: »Lækker dulle!« Bob standsede lige ud for ham.

»Du har en heldig dag i dag, mand. En anden dag kunne du have risikeret at få din egen pølse stegt på grillen for den bemærkning til min kone.« Den sorte mand så først provokerende og hadefuldt på ham, så grinede han.

»Jeg troede, det var din datter, mand. Cool, mand! Bob gav et o.k.-tegn med tommelfingeren. Manden vendte sin lyse håndflade frem i en hilsen. De to mænd så vurderende på hinanden. Så lo de lettet. Konen vendte surt pølserne.

»Går du altid ind i minefelter?« spurgte Ane, mens hun skyllede sin badedragt.

»Næh, det er kun, fordi du er kommet. Du er åbenbart katalysator for mandeballade. Jeg har aldrig problemer med de sorte. Jeg har boet så længe i Afrika. Vi forstår hinanden udmærket. Jeg lider ikke af omvendt diskrimination som mange af mine kolleger. De er så bange for at diskriminere, at de går og slikker dem i røven, og samtidig er de skidebange for dem. Men de vil ikke have dem med til deres selskaber. De sorte har et sprog, jeg forstår, jeg har et sprog, de forstår. Jeg har det bedre med mine sorte studenter end med de hvide. Mange af de hvide hader mig. Det gør de sgu!« De gik ind i brusebadet sammen. Han begyndte at sæbe hende ind. Hun lagde armene om ham.

»Efterhånden har jeg en fornemmelse af, at de alligevel ikke bliver så

overraskede over dig på universitetet, den dag du lukker låget op på din
æske og klatrer ud.«

KAPITEL 15

»JEG ER FLYTTET fra Sue. Der var ballade. Nu bor jeg på et motel. Men jeg rejser fra St. Louis som planlagt på lørdag,« sagde Ane. »Du kan bare hilse Johannes og sige, at jeg har det godt. Jeg har mødt nogle sjove mennesker og skal hen og besøge dem de sidste dage. Jeg ringer hjem igen. Går det godt med jer alle sammen og hundene?«

Bob hang ind over hende og studerede jaloux hendes ansigt. I de sidste dage var han blevet mere og mere tavs. Han var plaget af jalousi, ville vide alt om hendes samliv med Johannes. Når hun fortalte det, gik han ud af stuen med hænderne for ørerne, men kom ind igen og tvang hende til at fortælle videre. Hun følte det samme, når han fortalte ærligt om de gode tider, da børnene var små. Udflugterne til jagthytten i Wyoming. Hvordan han selv havde bygget den store hytte uden hjælp fra nogen. Han havde båret de svære bjælker på nakken, støbt kælderen, lavet køkkenet, badeværelset, det hele. Hytten var bygget inde under en klippe i læ for snemængderne om vinteren. Ane lå i hans arm, mens han fortalte om sin elskede Ørnerede, om den blå himmel, Rocky Mountains, Elk Horn og de stille jagtmorgener, hvor han sad på sin klippe og ventede på wapitien, den eftertragtede kæmpehjort, om bjørne og pumaer.

»En dag skal jeg vise dig det hele. Mit paradis. Jeg elsker den hytte. Jeg tager tit derop alene. Man kan ikke komme dertil om vinteren uden bæltebil. Jeg har en holdende i en lade på Silver Spur Range. Når det er snestorm, kører jeg efter kompas. Jeg har installeret to katteøjne på træerne til mit land. Når kompasset viser den rigtige position, tænder jeg projektørerne, så de rammer katteøjnene. Min nærmeste nabo er bjørnen og pumaen, der bor lidt oppe ad bjerget. Mennesker møder man først halvtreds kilometer derfra, der er ingen telefon. Men jeg kan sende på en radio, hvis det er nødvendigt. Det lyder mærkeligt, men jeg er parat til at give Eileen alt andet end den jagthytte for at få min frihed.«

De så på hinanden og sagde som med en mund: »Det bliver selvfølgelig det eneste, hun vil have.« De lo forbavset, og så blev de stille. Det var første gang, de nævnte skilsmissens konsekvenser.

»Bliver du også fuld af tvivl?« spurgte han ulykkeligt. Ane nikkede, hendes øjne fyldtes med tårer.

»Vi er begge to forsigtige, vi er begge to mistænksomme. Det skal vi være. Vi har børn, du har børn og børnebørn. Vi har to ægteskaber. Du har slidt og slæbt hele dit liv, skabt dig en formue. De flår dig i skilsmisseretten, fordi du har været gift i tredive år og pludselig vil giftes med en yngre kvinde. Jeg har min karriere. Jeg vil skrive, men kan kun skrive på mit modersmål. Selvfølgelig kan jeg skrive her. Men hvad med min familie, hvad med drengene? Skal jeg forlade alt det for dig, som jeg ikke engang kender rigtigt, fordi vi bor på hver sin side af kloden og må mødes i hemmelighed?« Han tog om hende og holdt hende tæt ind til sig.

»Men vi gør det alligevel, ikke? Vi ved jo, vi gør det, for vi elsker hinanden. Jeg kan ikke leve, jeg kan ikke dø uden at have prøvet at være rigtig lykkelig. Jeg er lykkelig med dig, selvom jeg pludselig kan blive slået til jorden af et øjebliks tvivl og ulykke, som da du ikke ville springe over klippespalten og ikke ville følge mig op på toppen for at se det bedste, jeg kunne vise dig. Udsigten og mit lands storslåede natur.« Han tog med hænderne om hendes ansigt og så fuld af smerte på hende.

»Jamen, du er en mand, jeg er en kvinde. Ingen af forskelligt køn kommer så tæt på hinanden. Kønnet sætter sine grænser, det er ikke meningen, at vi skal være ens.« Han så forbavset og lettet på hende.

»Jeg har mine meget store begrænsninger. Jeg kan lave mad og bage, skrive, tegne, ride, tale mange sprog, passe dyr og børn, jeg kan strikke, ikke sy. Jeg er talblind, men har forstand på penge. Mere kan jeg ikke, og jeg vil heller ikke lære det. Jeg har en blokering, der siger, at det ikke er nødvendigt. Uanset hvor højt jeg elsker dig, nægter jeg at hænge ud over afgrunde, dykke, flyve i ballon, være i små tillukkede rum, spille bridge, sy dit tøj, ordne have, køre traktor.«

Han tog blok og blyant frem. »Det lyder som en kontrakt. Det er fornuftigt, jeg begynder at ane nogle konturer, som ikke skræmmer mig. Tænk, at jeg kunne glemme kønnets genetiske grænser. Nu skal du få min liste.»Jeg vil ikke lave mad, gøre rent, ordne vasketøj, jeg smider mit tøj på gulvet, jeg folder ikke sengetæppet sammen. Når vi går i supermarked, bliver det ikke mig, der kører indkøbsvognen. Det ser bøsset ud, synes jeg. Jeg vil heller ikke bære din taske, og jeg vil selv have lov at bestemme farverne i mit tøj, selvom du synes, de ikke er europæisk acceptable. Jeg vil gå med min kasket.«

Ane råbte op: »Nej, her må en tilføjelse til. Jeg må kun gå med min røde baseballkasket i USA, ikke i Danmark.«

Bob skrev ned: »O.k., men så må du heller ikke have vide posebukser på og gå uden bh i USA, så man kan se dine brystvorter.«

Ane sagde: »Det kommer an på hvor i USA. Kan vi ikke sige bh i Colorado og ingen bh på Vestkysten?«

»Under ingen omstændigheder uden bh. Mændene tænker ens i Colorado og i Californien.«

Da eftermiddagen var gået, var kontrakten klar. De havde været i drugstoren efter en ny blok.

»Nu er den på størrelse med *Borte med Blæsten*,« lo Bob.

»Ja, og den kan revideres,« sagde Ane. Hun gik ud på toilettet og lukkede døren omhyggeligt efter sig. Den blev åbnet igen af Bob.

»Skrub så ud,« sagde hun rasende. »Du ved, jeg hader, at der er nogen i badeværelset, når jeg er på toilettet.«

»Jeg er ikke nogen,« sagde han aggressivt. »Jeg er din elskede mand, og du skal ikke have hemmeligheder for mig.« Hun rejste sig rasende, trak trusserne op, skubbede ham ud, smækkede døren og låsede den. Han råbte drillende inde fra stuen.

»Jeg kan høre det, jeg kan høre det.« Hun lukkede op for vandhanen. Da hun kom ud, grinede han og udstødte et tarzanhyl. Der blev banket på væggen inde ved siden af.

»Der er en hel del, der skal indføres i den kontrakt,« sagde hun. Han rejste sig og løftede hende op.

»Vi siger, at døren skal stå på klem, bare på klem.«

»Aldrig i livet,« råbte hun. »Det her er ikke kærlighed. Det er amerikansk imperialisme.«

»Der er meget andet, jeg vil, men det taler vi om, når vi er blevet gift,« sagde han og lagde hende ned på sengen. »Vi har to dage endnu, elskede, kun to dage endnu.« Han kyssede hende blidt over hele kroppen.

De sidste dage var fulde af smerte. De græd, vågnede om natten, talte om fremtiden, om planerne. De hørte højlydt musik på countrystationen i Arizonas landskab, som brændte sig ind på Anes nethinde, som om hun aldrig skulle se ørken, himmel og bjerge mere. I den lille souvenirbutik hos indianerne købte han to tynde sølvkæder med turkiser.

»Forestil dig at jeg kysser din nakke, hver gang du tager den på,« sagde han. De blev på motellet, for de orkede ikke at spilde dagene med at rejse fra sted til sted.

Den sidste aften dansede de tæt sammen til motellets jukeboks. Folk rejste sig og begyndte at danse. Hotellets direktør kom hen til dem.

»Det må I ikke. Vi har ikke danselicens.«

»Det har I nu,« sagde Bob og stak ham et par sedler. Der sad en lille mongolpige sammen med sine forældre. Hun rejste sig med den evnesvages uskyldige våde smil og styrede direkte hen til dem, rakte sine små hænder op. Bob og Ane tog dem og dansede med hende, mens hun lo lykkeligt.

»Vores kærlighed er magnetisk,« lo Bob, tog pigen, kyssede hendes kind og hendes lille våde leende mund, og Anes hjerte elskede ham for det. Ingen dansk mand ville nogensinde kysse et evnesvagt barns våde mund foran sin elskede. Gæsterne klappede begejstret, og hele natten stod det lille motels bar og restaurant på den anden ende.

»Dr. Bryant! De og Deres kone har tilført hotellet så meget,« sagde direktøren fidelt, da de tog afsked.

»Ja, det kan jeg se på regningen,« sagde Bob.

Da de stod ved gaten i St. Louis, kyssede han hende for sidste gang. Hans ansigt var hårdt, uden en tåre. Ane kunne ikke bære at se det. Han hviskede bare: »Lad være at vende dig om, når du går ind, gå bare.«

De stod samlet i en lille folk, da hun kom ud gennem tolden i Københavns Lufthavn. Hun havde ikke ventet at se dem alle sammen, og synet af dem fik hende til at standse op som for rødt lys. Johannes bøjede sig og tog hendes kuffert: »Nåh, der er du igen.« Johannes' drenge gav hende et knus, mens hendes egne først aflæste hendes ansigt og kropssprog for at se, hvad der var sket, inden de rørte hende. Hun fik en snert af skyldpisken, smilede og holdt om dem for at berolige dem. I bilen hjem talte hun hektisk om oplevelserne hos Sue.

De havde lavet stort tebord, da hun kom hjem. Frisk birkesbrød, basellagkage med chokoladecreme, marcipan og høvlede chokolade-spåner. Det var det rituelle måltid, de spiste på børnedagene. Hun så på Johannes og de glade drenge omkring bordet, på hundene som klistrede sig op ad hendes stol, og hun prøvede at tage det hele i besiddelse. Men følelsen af at være hjemme var der ikke, kun en rastløs dirren. Jetlag gjorde hende altid hyperaktiv. Hun pakkede ud og overrakte gaver. Hun gav Johannes en stor dyr hestebog. Han lagde den til side uden at se på den, uden at sige tak. De så længe tavst på hinanden.

Om aftenen rejste hun sig, tog hundene og satte dem ud i bilen.

»Ville det ikke være bedre, om du fik sovet ud,« sagde han. Hun rystede på hovedet:

»Jeg har uro, hvis jeg nu holder mig vågen i de ni timers tidsforskel, kommer jeg hurtigere over det.« Hun kørte op ad motorvejen. Hun ville op til en strand, se og høre havet. Hun kørte op til Tisvilde, sin barndoms ferieland, og parkerede bilen.

Solen var ikke gået ned endnu. Hun klatrede op på udsigtsbænken med hundene, sad længe og så ud over havet. Det var en kølig, blæsende aften, der duftede af fyrretræer fra hegnet, og den specielle sommerluft i den lille by, som lugtede af vanille, vafler og jordbæris. Hun gik ned igen over klitterne, så op langs den hvide strand. Hun ville gerne bare et øjeblik have sin barndom igen. Far og mor med den sorte madkasse. De plejede at ligge på den brunternede rejseplaid og betragte deres børn. De var tryghed, et sted man kunne søge hen, når man trængte til det. Madkassens blanke skuffer blev trukket ud, og hver skuffe var en overraskelse: nypillede rejer i ordentlige rækker, røget sild med rygeost og radiseknapper, varm æggekage med bacon.

Hun satte sig i den stride marehalm med hundene omkring sig. Hun var træt, hentede et tæppe fra bilen, ville bare sidde lidt. Hun vågnede med et sæt. Det var blevet mørkt, hun frøs, og labradoren skubbede til hende. Hun var stiv og øm, da hun rejste sig. Hundene løb logrende og lettede foran hende. Det havde været en uvant oplevelse. De sprang ind i bilen og satte sig med profilerne vendt samme vej for at antyde, at de var lidt fornærmede over den underlige strandtur.

Det var tungt at køre hjem. Skulle hun tale med børnene først og så med Johannes? Hvad ville hendes mor sige? Måske kunne hun bo hos hende, indtil hun havde fået et fast job og en bolig.

Det var først nu, at det gik op for hende, at hendes kærlighed til Bob ikke havde noget at gøre med, at hendes forhold til Johannes var slut. Han havde bare været en katalysator. Hun forlod ikke sin mand og sine børn for hans skyld. Hun gjorde det for sig selv. Da hun havde tænkt tanken til ende, rettede hun sig, følte sig bedre tilpas. Hun havde ikke overblik over situationen, anede ikke hvad hun skulle gøre med job, bolig og med Jacob. Men hun havde samlet sine tanker og sat fokus på at komme ud af sit ægteskab.

Da hun kørte ind i indkørslen stod Johannes i køkkenvinduet. »Jeg var lige ved at køre ud at lede efter dig.«

»Vi har været urolige for dig, mor,« sagde Jacob.

»Jeg satte mig på stranden på tæppet, og så faldt jeg i søvn. Det var Penny, som vækkede mig.« Hun klappede hunden.

»Du er ved at blive en rigtig vagabond, hvad!« sagde Jacob.

Hun tog bad, lå længe i det varme vand og bestemte sig til at tale med Jacob. Hun satte sig på hans seng.

»Jeg kan lige så godt gøre rent bord. Jeg vil skilles fra Johannes. Jeg har det ikke godt. Vi har ikke noget sammen mere. Jo, vi har glæden over jer børn. Men han ødelægger noget i mig.«

»Du gør det selv. Du kan da bare lade ham leve sit eget liv. Du gør jo alt, hvad der passer dig, og han siger ingenting. Det er dig, der optrapper konflikterne. Han er skør, men lad ham tosse rundt. Bare du er her, så er han glad. Han er fuldstændig ligeglad med, hvad han spiser. Han er ligeglad med, om du køber tøj og ting, lever fuldstændig i sin egen verden. Der er da mange kvinder, der ville misunde dig det. Lav dog noget andet end at sidde og vente på, at han gør et eller andet absurd, som kan såre eller fornærme dig. Det er som om, du nyder, når han er rigtig grov.«

Ane vidste, han havde ret, men hun følte sig alligevel såret og svigtet. Jacob som var der hver dag. Han måtte kunne forstå, hvordan det hele var for hende. Men hun så, at han var blevet en mand, og at han havde sin egen mening. Hun følte gråden stige op i halsen.

»Du har ret, men jeg kan ikke blive ved at pege på mig selv og sige, at det hele er min skyld. Det er det ikke, Jacob. Vi fungerer ikke sammen. Det er ved at blive en magtkamp, som kvæler mig, jeg er ikke så psykisk stærk som Johannes. Det kan ikke være meningen med mit liv, at jeg skal lave helt om på mig selv, for det er umuligt at lave om på Johannes.« Hun begyndte at græde og lænede sig mod sin søn.

»Undskyld, at jeg gør det her mod jer. Men jeg må gøre det.« Hun gik ud ad døren og ned i stuen, hvor Johannes sad foroverbøjet med foldede hænderne. Hans hoved var bøjet, og han så ned i gulvet, som ventede han på, hvad der ville ske. Hun stillede sig foran ham.

»Jeg vil sige det, som det er. Jeg vil skilles. Jeg har mødt Bob Bryant igen i USA. Vi er forelskede. Han er gift og vil sikkert ikke forlade sin kone for min skyld. Men selvom vores forhold er umuligt, forlader jeg dig. Jeg kan ikke leve mit liv med et menneske, som har så svært ved at vise sine følelser og tanker, som du har. Jeg føler, jeg kommer på krogen hos dig.«

»Hvilken krog?« spurgte han og så uforstående på hende.

»Hvorfor har du aldrig læst mine manuskripter? Hvorfor siger du aldrig tak. Hvorfor siger du aldrig undskyld? Hvorfor ringer du aldrig hjem. Du laver forsvindingsnumre, jeg sidder med klienter i telefonen. Det hele roder, og du taler bare om din frihed. Nu får du den.«

Hun sagde sætningerne stille, for hendes hals var tør af angst. Men det føltes godt at sige dem. De spørgsmål havde hun stillet så mange gange og aldrig fået svar. Nu var det anderledes, for kom der et svar, var det for sent.

»Kan vi ikke tale om det, når du har fået sovet. Du har været vågen i halvandet døgn. Du er ikke dig selv.«

»Jeg flytter, når jeg har fået noget at bo i, og når jeg har fået et fast job.«

»Du går ingen steder.«

Hun kunne ikke sove. Hun gik ud i køkkenet, åbnede køleskabet, tog en flaske snaps, så gik hun op i soveværelset med et glas og gav sig til at drikke. Hun faldt i søvn, vågnede og begyndte at brække sig. Hun lå ude i badeværelset og brækkede sig hvert minut. Jacob og Johannes så hun i en tåge.

»Hun har alkoholforgiftning,« konstaterede Johannes.

»Skal hun så ikke til udpumpning?« spurgte Jacob. Han bøjede sig ned over hende. »Mor dog.«

Johannes gik hen til sin reol, tog en lægebog, målte indholdet af snapsen op, vendte sig mod Jacob.

»Den dødelige dosis er ikke overskredet, hun brækker resten op.« Jacob slæbte hende i seng og vaskede hende, og han blev der hele natten og vågede over hende. Om morgenen rejste hun sig op i sengen og tog sin søns hånd.

»Skal vi ikke sige, det var dengang mor drak en halv flaske snaps og fik kuller?« Han nikkede og rejste sig.

Ane tog over til Jonna. Hun gav sin mor et amerikansk guldarmbånd med små charms i form af drenge- og pigehoveder, så man kunne huske sine børnebørns fødselsdage. Jonna hørte tavst på sin datters planer.

»Hvordan vil du klare dig? Jeg kan ikke hjælpe dig økonomisk, medmindre jeg sælger huset. Og der er ikke kommet nogen breve fra USA.« Ane kunne ikke lade være at le, det jyske fornægtede sig ikke. Jonna så økonomisk sikkerhed og status i rollen professorfrue i det fjerne.

»Mor, i øjeblikket er jeg ligeglad med brevene. Jeg er midt i en frigørelse, og jeg har det bedst alene uden at have andre følelser blandet ind.« Hun rejste sig og følte sig stærk.

»Jeg bliver glad igen, mor,« sagde hun. Jonna sukkede og så forpint ud.

»Når bare det ikke går for hårdt ud over drengene,« sagde Jonna stille.

Men brevene, båndene og telefonsamtalerne fortsatte. Han havde endnu ikke talt med Eileen og følte sig skyldig, svag. Han var urolig over, at hendes frigørelsesplaner udviklede sig så hurtigt. Jalousien nagede ham. Hun havde fået et job i et ministerium som journalistisk medarbejder, hun havde lejet et primitivt bondehus i Hornbæk, indtil hun fandt noget bedre, hun kunne betale.

»Det var ikke sådan, det skulle ske. Jeg kan ikke forestille mig dig alene i et hus, på en arbejdsplads, hvor mændene jagter dig. Mænd betragter fraskilte, der bor alene som »nemme!««

»Hvad fanden vil det sige, at man er »nem?« råbte hun i telefonen. »Det her er Danmark.«

»Undskyld, elskede. Jeg er så urolig og jaloux. Jeg har mistet overblikket. Jeg udskyder det hele tiden, ligesom der står i damebrevkassen, når de svarer den gifte mands elskerinde. Jeg skammer mig. Det er ikke mig. Men jeg venter hele tiden på det rigtige tidspunkt.«

»Kør bare dit eget løb,« hviskede hun og følte pludselig selvmedlidenheden skylle over sig. Hun rystede den af sig, da hun havde lagt telefonen. Den havde hun ikke brug for nu.

Brevene begyndte at hobe sig op, før hun åbnede dem. Irriteret noterede hun, at han gentog sig selv. Hun var rørt over desperationen i brevene. Hun længtes efter ham, men skuffelsen over, at han ikke magtede at gøre sig fri, sved.

Hun var begyndt på sit job i ministeriet, hvor hun sad foran bunker af informationsmateriale. Kontoret i den gamle bygning var fredeligt med udsigt til den grønne gård. Møblerne var pæne, valgt med god smag. Tæppet lysegrønt. Det bankede på døren, en ældre kontorchef stak hovedet ind. Han lignede en gammel afpillet fugl med skarpe øjne og et næb, der kunne gennembore den sejeste regnorm.

»Nåh, De har tæppe over hele gulvet, og De er ikke engang akademiker?« sagde han og hakkede med næbbet. Før Ane fik svaret, havde han lukket døren igen. Hun begyndte at le, og telefonen ringede. Det var Bob. Hun havde svært ved at holde op at le og omstille sig og fortalte om episoden. Han lo med. Men begyndte igen.

»Jeg havde aldrig troet, at jeg hellere ville have dig hjemme hos den gamle slyngel til Johannes. Han er i alt fald mere uskadelig end liderlige politikere og senile embedsmænd.«

»Du ved ikke, hvad du siger. Havde vi fjernsyn, skulle jeg vise dig dem. Danske politikere er ikke som amerikanske. De ligner landmænd, jeres socialarbejdere eller nogen, som er ansat på et posthus. Der er ingen tjekkede rige drenge med store biler, modeller og mafiavenner i folketinget, ikke en eneste.«

»Vil det sige, at danske politikere ikke er korrupte?« råbte han aggressivt.

»Ja, jeg har kun hørt om to skandaler af den slags. Vi interesserer os ikke for, hvem de ligger i med, medmindre det er nogle virkelig kendte flotte damer, og det er det aldrig. Vi er også ligeglade med, om de er bøsser, eller om de kvindelige ministre er liderlige. Det eneste der interesserer os er, hvornår vi får lavere skat, og det eneste som virkelig forarger os er, hvis de er så fulde, at de ikke kan passe deres arbejde eller kører spritkørsel.«

»Det var satans. Det vil jeg se, før jeg tror det.«

»Du kan jo bare komme,« sagde hun drillende. Der blev en pause.

»Jeg savner dig. Vores latter, vores samhørighedsfølelse. Jeg ved godt, at du er ved at miste respekten for mig. Det kan jeg ikke holde ud. Vi må ikke miste hinanden. Vi har så meget. Vil du ikke sige, at du tror på os?«

Hun hviskede det i telefonen, og hendes forelskelse brød frem igen. Hun mærkede det som et budskab, der rørte hendes hjerte, fordi han var en mand, der gav sig betingelsesløst til et andet menneske og som talte så åbent om sin svaghed og sine følelser.

I det næste brev skrev han: »Jeg ønsker at være en mand af ære. Æresbegrebet betyder alt for mig. Jeg vil ære dig, fordi du er min elskede og mit livs kvinde, og jeg vil ikke behandle Eileen dårligt. Det skal ikke siges om mig, at jeg ikke sørgede godt for hende. Jeg har det som en tyr i arenaen. Jeg står og ser mig om, hvor skal jeg angribe. Der er for mange i min arena. Jeg har mistet overblikket. Jeg kan ikke se fjenden. De er alle sammen forklædt. Jeg ved ikke, hvor faren kommer fra. Er Eileen min fjende? Jeg troede, det ville være nemt, hvis bare jeg kunne betale mig fra det. Jeg kan give hende et liv, der ikke bliver social deroute, måske vil hun engang takke mig for, at jeg gav hende et nyt og mere tilfredsstillende liv. Tænk, så naivt har jeg gået og tænkt tingene igennem. Men jo mere jeg ser på hende og fornemmer hendes seje vilje og stålsatte martyrsind, jo mere bange bliver jeg for hende, jo mere hader jeg hende.

Ane skrev tilbage. »Du har været en tyran, og du har gjort hende til en slave. Slaver er stærke, udholdende og nådesløse, når tyrannen falder. Tænk på det!« Hun fortrød ikke, hvad hun havde skrevet, for det var sandheden, og skulle de videre, måtte de være beredte. Og han modtog brevet og stod ved det, som den mand af ære han var.

KAPITEL 16

TRE DAGE OM ugen kørte Ane op til det lejede bondehus i Hornbæk. Selvom hun luftede ud hver dag, lugtede det stadig af frilandsmuseum. Der var en lille stue med brændeovn, et toilet med brus, køkken med halvdør ud til en lille brolagt gård med låge ind til Hornbæk Hegn.

På første sal var to værelser med jernsenge og bulede madrasser. Ane tændte op i brændeovnen, drak te, tændte lys, vandede de røde pelargonier i vinduerne og gik lange ture langs stranden med hundene. Hun faldt til ro. Om torsdagen og i weekenden kørte hun hjem for at være sammen med børnene. Johannes kommenterede aldrig situationen. Det eneste han havde bedt hende om var at lade være at indsende separationspapirerne. Han talte helst ikke med hende, men meddelte sig gennem børnene. Hun havde hørt rygter om, at han havde en affære med en af ridedamerne, og hun var lettet.

Arbejdet i ministeriet morede hende. Hun holdt af at gå rundt med sine pressemeddelelser og studere livet i ministeriet. Der var fredeligt, trygt, der lugtede af skole med nyferniserede gulve. Her var ministerielle betjente med hvidt hår og uniformer. De lignede ældre danselærere og passede på, at alt gik rigtigt til. Kontordamerne havde stil og værdighed. Alle havde deres små vaner og rettigheder. Der var færdselsregler overalt, et hierarki, hvor man aldrig skændtes, men kun talte med lave stemmer. Der var en konstant hvisken i korridorerne, og der skulle kun pirkes lidt til embedsmændene, før de begyndte at fortælle historier om hinanden. Departementschefen havde arrangeret sig som Ludvig XIV og havde en madame Pompadour som meddeler og rådgiver.

Ane var begyndt at sætte pris på dem. Hver dag skubbede hun den tunge grønne port op, hilste på portneren og gik ind i et spændende ekstemporalstykke. Der var nye intriger og sammensværgelser, men hendes rolle var nem, hun skulle bare være diplomatisk budbringer, og for dem hørte hun til uden for muren.

Hun kørte op til Hornbæk ved firetiden og havde rigelig tid om aftenen til at skrive sine pressemeddelelser og sine artikler. Hun havde brug for roen og de mange ensomme timer for at kunne overskue sin situation. I de sidste dage havde hun været urolig. Bob havde ikke ringet på den sædvanlige tid, der var ikke kommet nogen bånd, heller ikke nogen breve. Hun havde ringet på skiftende tider til hans kontor, men ingen svarede.

Da der var gået ti dage, hvor hun ikke havde hørt fra ham, ringede hun universitetets sekretær op og spurgte efter ham med bankende hjerte.

»Dr. Bryant er ikke på universitetet. Vi kan desværre ikke oplyse mere,« sagde en kølig sekretærstemme. Ane lagde telefonen, hendes ben rystede, hun var tør i munden og hun mærkede angsten skylle ind fra alle sider. Hvad var der sket? Var han syg? Var der sket en ulykke? Var han taget på ferie med Eileen i stedet for at bede om skilsmisse?

Hun kørte ud til sin mor. De satte sig ind i spisestuen og så på hinanden.

»Han er måske bare ude at rejse.«

»Han ville sige det til mig, sådan er han ikke. Han ved, hvor urolig jeg er.« Jonna gik hen og strøg hende over håret.

»Min lille pige.« Ane græd og lagde hovedet mod sin mors store, vuggende bryster.

»Tror du virkelig, at det er den gamle historie om, at han har fortrudt og nu bare fortsætter med konen, som om intet var hændt.«

Jonna så væk. Hun løj aldrig. Indremissionen sad i hendes sind og ikke engang den hvideste nødløgn kom over hendes læber.

»Jeg ved det ikke. Jeg kender ham ikke. Hvis jeg var dig, ville jeg lade være at skrive og ringe, bare se, hvad der sker. Vær stærk. Bed Gud hjælpe dig.«

»Hold op, mor. Hvis der nu er noget, jeg kan hjælpe ham med. Han ville gå gennem ild og vand for mig.«

Hun tog hjem, panikken havde grebet hende. Hun kunne ikke tænke klart, ikke koncentrere sig. Det var en uro og en ængstelse, hun ikke havde troet eksisterede. En vedvarende tilstand af pine og forvirring. Om natten lå hun vågen og fantaserede sig til, hvad der mon var sket. Om morgenen gik hun hvileløst omkring, turde dårligt forlade huset, hvis nu telefonen ringede. Hun kørte ind til byen og sad som lammet foran telefonen på sit kontor. Hun havde fortalt børnene om tavsheden, at brevene fra USA var holdt op. De så medlidende på hende og prøvede at opmuntre hende.

Hun følte, at det hele skred for hende. Hun havde ikke kræfter til at stå imod, det gik bare nedad mod en depression, hun ikke kunne styre. Hun opsøgte sine venner og talte med dem om det. Til sidst mærkede hun, at de blev trætte af hende, som om hun var rejsende i ulykke. De brød sig ikke om at se hende i den situation, som de opfattede som fornedrende.

Da der var gået tre uger, ringede telefonen i ministeriet. Det var ham. Han talte med svag stemme.

»Elskede, jeg er på hospitalet. Jeg har haft en blodprop i hjertet. Jeg er oppegående nu. Der har været nogen om mig hele tiden. Jeg har ikke engang kunnet smugle et brev ud. Jeg har ligget med slanger og rør over det hele. Der blev en lang pause, hvor Ane bare græd. Hans stemme var brudt.

»Jeg var ved at dø. Mit hjerte bristede ligesom Jern Hans' i det eventyr, du fortalte mig.«

»Hvad nu?« spurgte Ane. »Hvor syg er du?«

»Jeg er invalid, vil du have en invalid?«

»Ja, jeg vil,« råbte Ane

»Nej, jeg tror ikke på dig, du kommer smør på bremsen i min rullestol og kører mig ud over kanten. Farvel Bob.« Han lo og hostede.

»Tør du satse på mig nu?«

»Ja!«

Hans breve begyndte igen. Den næste onsdag klokken tre ringede han
med fanfare i stemmen. »Jeg har sagt det. Jeg kommer til Danmark om
en måned, når jeg er helt rask.«

»Hvad sagde Eileen?«

»Hun sagde, at hvis jeg forlod hende nu, begik hun selvmord og at
Gud aldrig vil tilgive mig, hvad jeg gør.«

»Gudskelov, det er helt normalt,« sagde Ane. Han lo og lo.

»Jeg er fuldstændig enig. Tænk, hvis hun havde sagt din lede
stodder, skrid bare, jeg beholder jagthytten og flår dig for hver en
krone i skilsmisseretten.« Han fortsatte fuld af kampmod.

»Ane, min lille danske kone. Nu kommer jeg og frier rigtig til dig.
Du ved ikke, hvor svag jeg føler mig. Men jeg skal nok kæmpe mig op
igen. Du skal få at se, hvad jeg kan.«

Der gik fire måneder. Da hun kørte fra Hornbækhuset i den kolde
aprilmåned bad hun hele vejen til Gud om, at han havde klaret rejsen.
Da hun så ham, kunne hun dårligt kende ham. Han lignede en
udhungret hanløve. Huden var suget ind under de store kindben, håret
var blevet tyndere, hans store skuldre og overarme var nu kantede af
musklerne, alt fedt var forsvundet. Han stod på den anden side af
glasruden i ankomsthallen, og de lagde hænderne sammen på hver sin
side af ruden. Hans øjne var forpinte, indtil han så, at hun stadig
elskede ham. Han søgte bekræftelsen i hendes øjne med et blik som et
såret væsen, der venter nådestødet. Hun kunne ikke holde det ud, det
gjorde så ondt, så ondt. Han var så bleg og svedig, da han kom ud. De
sad bare og holdt om hinanden, til hans stressrystetur var ovre.

»Jeg skal bare mærke lykken igen, så kommer jeg mig,« hviskede han
og lagde kinden mod hendes.

De kørte ud af byen, og hun kørte langsomt. »Bare stå på sømmet,
jeg er ikke død endnu,« grinede han, og de kørte ad Strandvejen til det
lille fiskerhus i Hornbæk.

»Hvad hedder huset?« spurgte han og pegede på det gamle navneskilt.

»Sømandens Hvile,« sagde hun.

»Godt nok. Det har sandelig også stormet i Biscayen,« lo han og tog kufferten ud af hendes hånd og smed den ind ad døren.

Hun skænkede en stor snaps og rakte ham den.

»Velkommen hjem, sømand.« Han drak den og hostede.

»Ja, nu er jeg ikke så atletisk mere, så nu kan jeg godt drikke. Åh, det udvider årene.« Han tømte glasset, løftede hende op og bar hende op ad trappen til det lille kammer med jernsengen og den bulede madras.

»Kan du tåle det. Du dør ikke, vel?« Ane så bange på ham.

»Det kan godt være, men så får de et helvedes mas med at få kistelåget på,« lo han.

Om morgenen satte han sig andagtsfuldt ved morgenbordet. Hun havde hentet varmt duftende morgenbrød fra bageren. Morgenen var kold, men solen skinnede, og de første erantis og krokus stod gule og lilla mod den hvide mur. På morgenbordet på hendes plads lå en lille sort æske. Spændt som et barn iagttog han hende for at se, hvad hun sagde, når hun opdagede den.

Hun åbnede den, og det var en brillantring. Hun tog den på og så lykkeligt på ham, samtidig med at hun tænkte, om hun nu så lykkelig nok ud. Hun følte sig altid på usikker grund, når han gjorde noget traditionelt amerikansk. Smykker havde aldrig kunnet begejstre hende. Hun interesserede sig ikke for dem, var bange for at tabe dem i vasken eller at glemme dem.

»Tak, elskede, hvor er den smuk.« Hun holdt hånden frem for sig. Han tog hendes hånd og trak hende over til sig.

»Vil du gifte dig med mig, når jeg bliver skilt? Måske får vi kun et kort liv sammen. Men vi vil føle, at det er et langt liv. Tør du sige ja efter det, der er sket?«

Der var ingen tvivl i hendes sind. Hun sagde ja, og de gik ned til stranden og stod med hinanden i hånden og så ud over havet.

»Når jeg tænker på Danmark, dit land, hører jeg altid havet og vinden. Nu lugter her af forår, en svag brise. Nu kommer lyset og lykken med min unge danske kone. Havets salt og vejret her får sårene til at hele, så de til sidst kun er hvide ar med følsom hud på,« sagde han og knugede hende ind til sig.

Carsten, Jacob og Irene, Carstens kæreste, kom om eftermiddagen. »Det skal nok gå,« sagde Bob trøstende, da han så hvor nervøs hun var. Drengene så forundrede på ham. Jacob var som hypnotiseret af hans udstråling. Det rørte Ane dybt at se, at Jacob satte sig tæt op ad ham. Drengen så og så på ham, som om han aldrig havde set en mand før. Han lagde sin drengede arm ved siden af Bobs brune arm, hvor musklerne lå som tove. Helt åbenlyst sammenlignede drengen sin arm med mandens. Bob så det, tog om hans arm, smilede til ham, og Jacob rødmede og var som fortryllet. Carsten var forbeholden og betragtende. Men Bob gav signaler om, at han anerkendte og respekterede Carsten som en mand i intellektuel øjenhøjde. Irene var vagtsom, men forholdt sig afventende. Hun lænede sig op ad sine formødre, gode nordsjællandske tunge kvinder, som ikke lod sig hyle ud af underlige mandfolk.

De gik ud i haven, og drengene begyndte at fortælle ham om Danmark og Hornbæk. I haven stod en flagstang. Den var nymalet med guldknop. Bob gik hen og kiggede op ad den, så klatrede han op så smidig som en abe. Drengene var ved at falde om af grin. Han vinkede til dem fra toppen af flagstangen.

»Mageløs udsigt, drenge.« Ane rystede på hovedet. Irene foldede armene over barmen og smilede et lille smil.

»Jeg tror, de kunne lide mig,« sagde han genert, da de var taget tilbage til byen. Han sad tavs og stirrede frem for sig. Hun gik hen til ham, han så hende ikke, hun ruskede ham og hendes hjerte begyndte at banke. Uroen, ængstelsen var nu blevet en del af deres hverdag. Han vågnede op.

»Det er dejlige drenge. Jeg kan se, hvordan det går dem, når de bliver voksne. Jeg kan se alt foran dem.« Han så på hende med det mærkelige blik han fik, når han var i voodoostemning.

»Jeg kan ikke lide, når du har de clairvoyante oplevelser,« sagde hun. På hende virkede det, som om han havde lette epileptiske anfald, den samme stirren og muskelstivhed som hun havde set hos nogle af sine hunde, når de led af epilepsi.

»Sig mig engang. Har du nogensinde eksperimenteret med stoffer?« Hun så mistænksomt på ham.

»Nej. Jeg er bare almindelig tosset. Sådan har jeg haft det, fra jeg var dreng, men jeg udviklede evnen i Afrika. Jeg vidste ikke, jeg kunne hypnotisere, før jeg tilfældigt opdagede, at jeg kunne hypnotisere dyr. Senere prøvede jeg på mennesker.«

Ane satte sig over for ham, drak sin kaffe og så på ham over koppen. Han lo.

»Jeg ved også, hvad du tænker nu. Ja, hvorfor har jeg ikke hypnotiseret Eileen for længst? Jeg har også gjort det, her for nylig. Hun stod og så på sneen, der føg uden for hyttens vindue, så hypnotiserede jeg hende et kort øjeblik. Men jeg gik ikke videre med det. Jeg fik besked et eller andet sted fra om ikke at fortsætte. Men måske prøver jeg en anden gang.« Han strakte sig. »Nu er sømanden træt igen.« Han lagde sig på slagbænken under de røde pelargonier og faldt i søvn.

Ane tog ringen af og lagde den i vinduet. Hun sukkede bekymret og så på ringen, der lå og blinkede i solen. Stenen var sat på en lille edderkoppeagtig fatning, og ringen var spinkelt hvidguld. Hun så på sin tilkommende amerikanske mand, mens hun langsomt vaskede tallerkenerne af.

På skrivebordet lå separationspapirerne. Dem ville hun sende ind, når Bob var rejst. Hun havde givet ham en islandsk sweater, største størrelse, og den strammede om hans overdimensionerede overkrop, men han nægtede at tage den af og gik med baskende arme som en pingvin.

»Denne gang skal du se alle vore seværdigheder,« sagde hun og foldede planen ud. Han spurgte ivrigt og noterede ned.

»Jeg skal fortælle børnene om det hele, når jeg kommer hjem. Det kan være, de kommer og besøger dig. Måske kan de se noget mistænkeligt ved dig, som jeg ikke kan.«

»Så jeg skal synes!« sagde hun.

»Ja, var det ikke, hvad der skete i går med dine sønner?«

»Havde du behøvet at klatre op i flagstangen,« sagde hun.

»Ja, jeg syntes, det brød isen,« smilede han.

De kørte til Kronborg og han gik op og ned ad bastionerne og hørte om Shakespeares Hamlet.

»Jeg forstår det ikke rigtigt,« sagde hun. »Hvordan kan man være professor, æresdoktor ved Oxford Universitet og så kun vide noget om hesteben, jungler, rodeoer, tyrefægtninger, storvildtjagt og voodoo? Hvorfor ved du ikke en pind om arkitektur, kunst, litteratur og teater. Har du en kulturel faldlem inde i hovedet, eller underviser de jer ikke i den slags?«

»Jeg kom ind på et boksestipendium, skat, og siden har jeg været specialiseret. Jeg har aldrig interesseret mig for det, og jeg er aldrig blevet tilbudt det. Ingen i min familie kender noget til det. Ja, undskyld, men vi griner vist også lidt af det.«

»Selvfølgelig griner I af noget, I ikke forstår!« sagde Ane og trak ham ned i kasematterne. Han stod foran Holger Danske.

»Det her forstår jeg udmærket. Ham kender jeg. Han er ligesom Superman, Skipper Skræk og Batman. Han kommer og hjælper, når nogen er i nød. Gode gamle Holger,« sagde han og klappede stenfiguren på knæet.

De havde madkurv med og spiste dansk smørrebrød på bastionerne, hvor blæsten stod lige ind fra Sundet, og skibene sejlede forbi. Ane fortalte om danmarkshistoriens konger, om krige, kanoner, kærlighed og lidelse. Han sad fuldstændig opslugt, tog en gang imellem en bid af sin mad, men han så opmærksomt på hende hele tiden, som om han var bange for at gå glip af en eneste sætning. Hun kom til at le af hans ansigtsudtryk.

»Synes du, det er spændende?«

»Det er utroligt at høre, jeg sidder her på et slot, og du ved præcis, hvad her er sket for mange hundrede år siden. Jeg ved ikke engang, hvem min oldemor var, kun at min familie kom fra Skotland og Holland. Selvfølgelig kender jeg mit lands historie. Men jeg har aldrig rørt ved slotte, ved fortiden.« Hans store hænder gled rundt om bastionens sten.

Efter frokost kørte de videre til Louisiana. Han var genstridig som en dreng i danseskole, lige så snart han kom indenfor.

»Næh, så skulle du se de cowboybilleder, jeg har derhjemme. Man kan se, hvad det forestiller. De er malet, så man tror, man står ude på prærien, man kan lugte hestene. Se, det er kunst. Det her er skøre folk, som smører deres sjæle ud på lærredet. Hvad rager deres sjæle mig? Hvis du skal være helt ærlig, Ann, prøver du så ikke på at se noget, nogle snobber har fortalt dig, du skal se?«

Ane trak ham hen foran Carl-Henning Pedersens maleri *Mennesker og havet*.

»Hvad ser du, når du ser det her?«

»Jeg ser et slot med tre tårne tegnet af et barn. To monstre i gult og to dårligt tegnede skibe. De er i eventyrland og sejler forbi monstrene, under havet er der en rødglødende hest med vinger på. Det er helt tydeligt, at manden har haft brandert på. Se, hvor det gynger, se brækfarverne.«

»Ikke så højt,« sagde hun.

»Det er min mening, den vil jeg da have lov at sige højt. Se dig omkring, Ann, kan du ikke se, at de bare går og spiller kloge. Se ham der med hestehalen, der går frem og tilbage foran billedet med halvt-lukkede øjne.« Ane trak ham videre.

»Du kunne se, at det gyngede i det billede. Du kunne se det. Det er begyndelsen.« De fortsatte fra rum til rum. Han standsede pludselig og pegede.

»Den der, den kan jeg forstå. Det ved jeg, hvad er. Du behøver ikke engang at fortælle mig, hvad den hedder, og jeg er ligeglad med billedhuggeren.« Det var Alberto Giacomettis *Homme qui marche*, mand der går. Bob gik hen til ham, vendte sig mod Ane.

»Det er en mand, der er kommet væk fra dem, han hører til. Et ensomt menneske, der går i slagger, som har lidt meget. Hans krop er forbrændt. Men han skal nok komme videre, for han er målbevidst.« Bob stod længe og så på skulpturen. Han var bevæget.

»Han gør mig ked af det, han minder mig om den vandring, jeg skal på. Kom!« Ane trykkede hans hånd og de gik. Da de kom til udgangen, stoppede han.

»Der er lige noget, jeg skal prøve,« sagde han. Ane anede uråd.

»Nej,« hun trak ham i armen.

»Jo,« sagde han leende. Han gik ind i den store sal, der var ingen mennesker, han tog sine sko af, satte dem lidt skævt for hinanden i et hjørne, tog Ane i hånden, gik hen i en krog af lokalet. »Nu skal du se, hvad jeg mener?«

Der kom et yngre par ind i salen. De gik rundt, så på billederne, standsede op foran de to brede, nypudsede sko med runde næser. Med alvorlige ansigter gik de rundt om dem, slog op i kataloget, bladede, undersøgte om der stod nummer på. Bob stod og lo lydløst, så gik han pludselig hen til parret.

»Undskyld, jeg glemte mine sko. Han vendte skoene i hånden, og sagde oplysende til parret: »Kunstneren er ukendt. Privateje!« De så forvirrede på ham, mens han tog skoene på og omhyggeligt bandt snørebåndene. Ane trak af med ham.

»Det er sidste gang. Jeg tager dig på museum.«

»Vil du love mig det?« »Men ham den ensomme mand var forbandet godt lavet.«

De næste dage skinnede solen varmt, og foråret brød frem. Jacob og Carsten tog Bob på sightseeing, og de lo og undrede sig, som havde de fået besøg af en marsmand. Dagene var lykkelige. Det lille bondehus var illumineret af levende lys. Ane lavede store måltider, vennerne og hendes familie kom for at se ham. Han var det strålende og mærkværdige midtpunkt. Hun havde skrevet til Johannes, at han var der. Bob forestillede sig hver dag, at en rasende Johannes ville dukke op, for han var jo ægtemand endnu. Men Ane vidste, at Johannes ventede.

Bob og Ane lå i deres seng med hinanden i hånden og lagde planer efter dagens gæstebud.

»Jeg lejer et hus eller en lejlighed til Eileen, så kommer du over med Jacob, når skilsmissen er overstået, og så gifter vi os først i Amerika, dernæst i Danmark. Jeg trækker mig tilbage fra universitetet næste forår. Det har jeg sparet sammen til hele mit liv, og så begynder vores nye liv. Jeg starter en hestepraksis, og når det rygtes i hestekredse, at jeg nu er fritstillet og kan drive min egen klinik, så begynder eventyret. Vi bliver rige, virkelig rige. Du aner ikke, hvad de store hesteopdrættere vil betale for at få mig til at tage sig af deres heste.«

»Hvad skal jeg lave?« spurgte Ane, rejste sig på albuen og så interesseret på ham.

»Du skal bare være min kone. Ja, hvad laver koner? Du skal give mig et flot hjem, hvor jeg endelig kan invitere venner. Du skal gå og være smuk og lege med de andre fine damer, stå på ski, spille tennis, og så skal du være hos mig hele tiden. Vi skal opleve USA fra det ene hjørne til det andet, vi skal rejse til mærkelige steder. Jeg skal vise dig Afrika. Når først mine børn og børnebørn har vænnet sig til alt det nye, vil de elske dig, det ved jeg. For jeg er så stolt af dig.« Hans øjne strålede.

»Jamen, jeg skal da også være andet end kone. Jeg skriver jo!« Han satte sig op.

»Jeg vil ikke have, du går på arbejde. Det har vi ikke tid til. Vi kan ikke rejse, når vi vil, hvis du har en arbejdsgiver. Det går ikke. Nu er det friheden, det gælder.«

»Jeg vil altid skrive,« sagde hun stædigt.

»Selvfølgelig. Du kan skrive hver eneste dag, når jeg bestiller noget, lige så meget du vil. Men ikke om natten, og ikke når jeg er hjemme, og vi skal sidde og snakke, og du skal lave al den dejlige danske mad til mig, og når vi skal elske og ...« Han så pludselig på hende med ængstelse.

»Tror du ikke, du kan det? Nej, sådan er det vist ikke, når man skriver vel? Jeg må vænne mig til det.« Hun lagde sig over ham og tog ham om halsen.

»Ja, du må vænne dig til, at vi trods alt er to mennesker.«

»Det vi har nu er den rene festivitas. Otte dages kærlighedsfestival i verdens yndigste lille eventyrland. Vi ved, at hverdagen kommer, når jeg rejser. Men det er ikke det samme som før. Jeg er på vej, og måske kommer jeg til at ligne ham den forbrændte mand med fødderne i slaggerne. For der bliver helvedes hedt, hvor vi to skal gå. Men vi skal nok klare det.« Han holdt hende tæt ind til sin tørre, brændende hud, og han begyndte at tale hende ind i deres erotiske univers med sin hvisken, sine ophidsende ord og forelskede fantasier.

Han elskede at spille ekstemporalspil, hvor han i fantasien gik tilbage til sin ungdom. Hun spillede hovedpersonen i hans sexfantasier fra dengang. Når de var særlig gode til spillet, lo de, så de var ved at trille ud af sengen, og begyndte så forfra med at udfordre hinanden i erotisk teatersport.

»Jeg er lige taget på telttur alene oppe i bjergene og sidder uden for mit telt, da jeg hører lette trin på stien,« hviskede han og så på hende med sine glimtende øjne. Spillet hed *Forestgirl.* Pigen blev først forskrækket, da hun så teltet, så nysgerrig, hilste på den flotte unge mand. Hendes far var opsynsmand for distriktet og langt, langt væk, og så tog spillet fat. Nogle gange endte det i ren farce, andre gange i erotiske højdepunkter. Men spillene levede deres eget liv, og deres glæde var at more sig over, hvem der fandt på det frækkeste, det morsomste, det mest geniale.

I de otte dage var de konstant høje, som om de var på stoffer. De sov et par timer, så stod de op, lavede mad, talte sig ind i hinandens nutid og fortid. De var på ture, gik, cyklede, kørte rundt i Nordsjælland. Ane endevendte danmarkshistorien, floraen, faunaen. Men de sidste to dage lukkede de sig inde i huset, de elskede ikke, de spiste næsten ingenting, drak kun lidt og lå tavse tæt sammen for at igen at forberede sig til adskillelsen og kampen.

»Hvorfor måtte jeg møde dine sønner og ikke din mor?« spurgte han.

»Min mor er religiøs. Hun har ikke sagt noget. Men jeg ved, at hun først vil se dig, når du er en fri mand, og jeg selv er fri. Som barn spurgte jeg hende: »Mor, hvad er hor?« »Det er, når man ikke har én mand, men to, var hendes svar.« Han nikkede alvorligt.

»Hun har ret, og jeg vil være stolt, når jeg møder hende.« Da hun kørte ham til lufthavnen, var han bekymret.

»Jeg kan mærke, at Johannes dukker op. Jeg kan ikke lide det. Hvorfor måtte jeg ikke tale med ham om det hele. Jeg er bange for, han gør dig et eller andet. Jeg tror, hans sind rummer noget farligt.«

To dage efter Bob var rejst, hørte hun Johannes' Volvo køre ind på den lille gårdsplads. Det regnede, dråberne slog op fra de toppede brosten i den lille gård. Ane åbnede halvdøren. Johannes smækkede bildøren i.

»Jeg må tale med dig.« Han kom ind i stuen. Hans foroverbøjede lange krop fik den lille stue med de lave vinduer til at virke snæver og mørk. »Er han rejst?«

»I går,« sagde Ane. Johannes greb pludselig fat i hendes hånd, drejede den, så på ringen.

»Har han givet dig den?«

»Bob friede til mig. Jeg sagde ja. Jeg har sendt min separationsansøgning ind.«

»Hvordan kan han tillade sig at bede dig gifte dig med ham. Han er ikke skilt?«

»Det bliver han,« sagde Ane og trak hånden til sig.

Johannes foldede hænderne på ryggen og gav sig til at gå op og ned ad gulvet.

»Ved du ikke, hvad du gør?« Han råbte, tog fat i hende og ruskede hende.

»Du ødelægger mit liv. Jeg kan ikke være alene. Jeg kan ikke leve uden dig.« Ane stod stille foran ham. Hun havde aldrig set ham sådan. Det var, som om han slog revner, og der kom noget frem, hun aldrig havde set. Han så sig om som for at finde et våben. Ane var bange, men oplevede hans bevægelser som i slowmotion. Han tog en stol, slog den ned i gulvet, benene brækkede af, så gav han sig til at sparke rundt på møblerne, til sidst kastede han sig ned i stolen, hulkede og græd højt.

»Jeg forstår dig ikke,« sagde hun. »Alle de år vi har kendt hinanden, har jeg kæmpet for at få kontakt med dig. Du har holdt mig på afstand, brudt alle aftaler. Du har aldrig sagt, du elskede mig. Jeg har ikke hørt et rosende ord i din mund uanset, hvor meget jeg har stået på pinde for dig og børnene. Hvordan skal jeg tro på, at jeg betyder så meget for dig. Hvorfor har du ikke vist det?«

»Jeg kan jo ikke,« råbte han desperat, rejste sig og tog hendes hånd og kyssede den. »Tag den af,« sagde han og pegede på ringen.

»Nej!«

Der blev stille. Ane så raseriet og volden stige op i ham. Han var i skred. Hun fastholdt hans blik, som var han et fremmed væsen, hun ville betvinge. I et par sekunder vidste hun, at hvis hun ikke mobiliserede al sin kraft og trods, ville hun blive slået til jorden. Han sænkede blikket. »Kan vi ikke gå ned til stranden. Jeg kan ikke få vejret.« Han trak det besværligt. Hun lukkede et vindue op.

»Det regner.«

»Lad os gå,« sagde han.

Hun tog regnfrakke på, gummistøvler. De gik ud ad den lille trælåge og ind på den smalle sti i plantagen. Ane mærkede, at sveden brød frem og løb ned ad ryggen. Regnfrakken sluttede om hende som et betræk, hun lukkede den op og tørrede ansigtet med sit tørklæde. Han gik forrest. Der duftede af våde fyrretræer i plantagen. De kom til klitterne. Han standsede, som om han ikke kunne fortsætte. Hun så pludselig, at han var gammel. Aldrig før havde hun tænkt på, at de 17 år, han var ældre end hende, var en stor aldersforskel. Hun fik medlidende, varme følelser for den mand, hun nu så for sig. Hun tog ham under armen, og de gik op gennem klitterne. De havde haft gode år med de opvoksende drenge, selvom alt havde været på hans præmisser. Hun havde analyseret deres forhold om og om igen. Hun havde forelsket sig i den tryghed, det mod og den styrke, der omgav ham. Den, som fik alle til at træde beundrende et skridt tilbage. Men det var en illusion. Der var ingen tryghed. Han havde fra barn lært at holde sine følelser tilbage og tvinge sin vilje igennem ved at være sær. Der var aldrig blevet sat grænser, og hans identitet var flydende. Nu var han gledet ind i omvendtmekanismens mærkelige verden. Når han trængte til ømhed, gik han sin vej. Når han havde noget vigtigt at sige, forholdt han sig tavs. Omgivelserne måtte gætte sig til, hvad han tænkte, følte og trængte til. Gav man ham velmenende råd, blev han aggressiv.

Hun orkede ikke mere. Hun satte sig ned i det våde sand på toppen af klitten. Han stod op og strøg hende klodset over håret. De var tavse, og Ane tænkte på den usikre tilværelse, der ventede hende. Et fremmed land. Hendes drenge, som hun måske måtte forlade for at følge en mand, som hun næsten ikke kendte. Hun så sine to sønner for sig. De var voksne om et par år og ville snart have deres eget liv.

»Tror du, at du kunne ændre dig?« Hun så op på ham.

»Hvad mener du?«

»Holde vore aftaler. Huske at ringe hjem, interessere dig for mit arbejde?« Han stivnede, rettede sig op, stak hånden i lommen, så ned på hende.

»Jeg kan ikke love dig noget.« Ordene kom som et sværdhug. Hun rejste sig, børstede sandet af.

»Jeg gifter mig med Bob, så snart han er en fri mand.«

De skiltes uden et ord. Hun lukkede sin dør, gik ind, satte sig i stolen ved vinduet. Der var stille. Hun kunne kun høre det gamle urs tikken. Hun sukkede befriet. Nu havde hun stillet sin tunge bagage. Urets tikken var ikke længere en tikken mod en slutning. Det tikkede en begyndelse.

KAPITEL 17

Eileen var der ikke, da Bob kom hjem fra Danmark. Han gik omkring i det store tomme hus og tænkte på, hvordan tilværelsen ville blive for Ane og ham.

Eileen havde ikke sagt, at hun var rejst. Der lå bare et brev om, at hun var taget ned til sin mor i Sydstaterne, og at hun kom tilbage efter en uge. Et brev som om ingenting var hændt. Et brev der sluttede med, at hun savnede ham og glædede sig til at se ham igen. Han stod med det i hånden, krammede det langsomt sammen, smed det ind i den store åbne stenpejs.

Han havde fortalt hende, at han havde besøgt Ane for at bede hende om at gifte sig med ham. Hun havde grædt og gentaget sine selvmordstrusler. I ugevis havde de ikke talt sammen.

Da hun kom hjem, havde hun aftalt tid hos en ægteskabsmægler, som var meget benyttet i byen af den presbyterianske menighed. Modstræbende var han gået med. Til hans overraskelse sad der ikke en affabel vækkelsesprædikant, men en sporty, ung psykolog med den gode vilje lysende ud af øjnene. Eileen gjorde et uheldigt indtryk. Hun gav sig til at lovprise sine gode gerninger gennem 30 år. Da hun kom med sin yndlingssætning: »Min eneste fejl er, at jeg elsker min mand højere end Jesus,« så den pæne unge mand ned i skrivebordet og sagde: »Sikke noget lort at fyre af, Eileen.«

Bob troede ikke sine egne ører og begyndte at grine. Ægteskabsrådgiveren kom til at grine med. Eileen rejste sig og tog sin taske.

»Hvor meget skylder jeg for rådgivningen?« spurgte Bob smilende og åbnede sin tegnebog.

»Ingenting, doktor, men held og lykke,« sagde den unge mand og himlede med øjnene til Bob.

»Der er dog stadig normale, gode folk til i Colorado,« sagde Bob højt til sig selv, da Eileen og han kørte mod hjemmet. Eileen sad tavs og fuld af had med sit lommetørklæde for munden.

I de følgende uger blev han udsat for en kampagne. Præsten fra hendes kirke kom på besøg, sad nervøst på stolen og talte om, at Bob havde lovet at elske Eileen, til døden skilte dem ad, og at Vorherre ville blive meget ulykkelig over ægteskabsbrud.

»Især i betragtning af at Deres udkårne er prostitueret i København,« sagde han med tynd forarget fistelstemme.

»Hvad er hun?« råbte Bob og rejste sig.

»Det siger Eileen, og hun underviser i min bibelklasse, og jeg kan ikke forestille mig, at det søde menneske lyver,« sagde præsten og snoede sine ben om stolen.

»Forsvind eller jeg flår toupeen af dig!« råbte Bob rasende, åbnede døren, og pastoren smuttede ud med hurtige skridt uden at se sig tilbage.

Rektor på universitetet lagde en faderlig hånd på hans skulder og bad om en samtale. Som en olm tyr med sænket hoved gik Bob ind på hans kontor. Rektor så på ham over de guldrandede briller.

»Sæt dig nu ned. Vi har kendt hinanden i så mange år. Forleden havde jeg besøg af din kone, som fortalte mig hele historien. Hvad går der af dig? Tænk dig dog om. Sådan en lille fristelse kan man ordne på andre måder.«

Bob lænede sig ind over hans skrivebord og greb fat om skrivebordspladen. Hans blodtryk steg, årerne dunkede i panden.

»Jeg har været her på universitetet i 30 år. Jeg er ikke en student, der skal kaldes ind til en samtale af den slags. Hvad bilder du dig ind?« I sit raseri rakte han ud efter rektors arm for at hive ham op, så de stod ansigt til ansigt. Han fik fat i rektors ærme, rektor gled ned i stolen.

»Bob, tag det nu roligt. Det er til dit eget bedste. Du er bare i overgangsalderen.«

»Min tilkommende kone kommer til USA i næste måned. Jeg er ved at blive skilt, og når Eileen og jeg er blevet skilt, skal vi giftes.«

»Det kan du ikke tillade dig som professor på Colorado Universitet.

Du skal være et godt eksempel for de studerende. Du kan ikke flytte sammen med en kvinde uden at være gift. Hvad tror du, de andre professorers koner vil synes om det? Hvis det er din mening at gifte dig med hende, hvorfor venter du så ikke med at tage hende herover, til I er gift. Ved du, hvad du kommer til at byde hende. Samtlige professorkoners foragt. Hele byen vil vende sig imod hende. Tænk på, at du og Eileen har været gift i 32 år.«

»I skal få at se. Ved du, hvad min danske kone er? Hun er en kvindelig dr. Bryant. Min åndelige tvilling, og I kan ikke røre os med jeres sladder og intriger.« Han vendte sig om, hamrede døren i, så ruderne klirrede.

Han gik rasende ned ad gangen i sin specielle gorillagangart. En student så ham, vendte om på hælen og spurtede ind i auditoriet: »Gamle Røde Røv er ond i dag, ondere end jeg nogensinde har set ham.«

I operationsstuen var hesten, som skulle opereres, allerede i narkose og dækket af et lysegrønt lagen. De studerende havde deres grønne operationstøj på. Bob slog døren op, rakte armene frem og fik handsker og kittel på. Ingen sagde et ord. Hans tykke øjenbryn var rynket sammen over ansigtsmasken. Ingen af dem turde se på ham, de kiggede ind i væggen, da han iførte sig sine handsker og skar det første snit. Med uro så de, at hans store hænder, som altid var fuldstændig i ro, nu rystede en anelse, da han med fingeren holdt det blødende operationsfelt lidt til side for at gå dybere med kniven i muskulaturen.

Operationen tog fem timer. Han var sveddryppende. Da han var færdig, tog han direkte ned i universitetets sportshal, løb sine runder, boksede med sin boksebold. Han mærkede, at han endnu var svag, ude af kondition, smed sig op på den gule racercykel og kørte langsomt hjem.

»Du har været lidt rundt, hvad Eileen? Hos rektor, hos præsten. Hvorfor udgiver du ikke en avis om vores privatliv? Tror du, den slags aktiviteter fremmer vores forhold? Jeg skammer mig over dig. Vi må have det her afgjort. Jeg har sendt skilsmissepapirer ind. Jeg bliver nødt til at blive her, indtil vi bliver skilt. Du kan ikke passe hestene og det hele. Jeg har min telefon her. Klienterne bliver forvirrede, hvis jeg flytter. Jeg skal nok finde dig en dejlig lejlighed eller et hus indtil videre. Når det er overstået, sælger vi huset og finder nye boliger til os begge. Jeg vil altid sørge for, at du har det godt.«

»Jeg skal ikke nogen steder hen. Jeg skal heller ikke skilles. Du er min mand, og jeg har lovet Gud foran alteret at vi aldrig skal skilles. Jeg svigter ikke Gud,« sagde Eileen og pudsede sine briller, satte dem på. Hun lignede en bedstemor i en billedbog, røde kinder, klumpnæse og et mildt udtryk i ansigtet. Lille og firkantet stod hun foran ham. Han fornemmede hendes viljestyrke, og det gjorde ham svag. Nu stod hun der med al ret til at forlange, at deres forhold skulle fortsætte. For hvad skulle hun gøre uden ham? Hun havde aldrig arbejdet, havde ingen uddannelse. Hun kunne ikke gøre sig forhåbning om at finde en ny mand. Hun var ikke længere attraktiv, for tyk, for sær. Hun havde vænnet sig til det isolerede liv uden venner, uden interesser. Det var ham, der var brudt ud. Hun ville bare have ham i nærheden for enhver pris.

»Robert er på vej fra Tyskland til Danmark for at hilse på Ann. Det har jeg bedt min søn om, og det gør han. Ann kommer hertil om en måned med sin yngste søn. Vil du ikke flytte, så må jeg finde et andet sted til os. Det sker, hvad enten du vil eller ej, Eileen.«

»Har du også vendt børnene imod mig?« spurgte hun stille.

»Jeg har fortalt min søn, hvad der er sket for mig!«

»Men ikke pigerne. Dine elskede, smukke døtre, der tror du står på en piedestal. Hvad tror du, Cheryl og Eve vil synes om din luder fra Danmark?« Han så forbavset på hende. Hun spyede sætningen ud. »Jeg skal nok fortælle dem om deres far,« sagde Eileen og gik triumferende ovenpå. Bob sank ned i en stol og så opgivende frem for sig. Han lyttede intenst, om han kunne høre hende telefonere til pigerne. Men der hørtes ikke en lyd.

De talte ikke sammen. Hun havde ikke sagt noget til pigerne, så ville de have ringet. Tidspunktet for Anes ankomst nærmede sig, og Bob havde ikke fundet nogen lejlighed til Eileen, selv lod hun som ingenting. For første gang var hun begyndt at gå på besøg hos de andre professorers koner. Hun sad og fortalte sin historie, og de nye veninder ringede forarget til hinanden og planlagde en samlet aktion mod Bob. De bearbejdede deres mænd ved middagsbordene. Til selskaberne var historien om Bob og den danske luder et tilbagevendende samtaleemne. Mændene blev mere og mere nysgerrige efter at se kvinden fra Danmark. Når de var sammen, væltede de sig i beskrivelser af alt, hvad de havde hørt om fri sex og porno i Danmark. De var aldeles opstemte, når de forestillede sig den lukkede, frygtede professor Bryant i avancerede vikingeorgier. Bob berettede grinende for Ane i telefonen, at byens koner var begyndt at opføre sig, som om han var børnelokker. Damer, som før ærbødigt havde hilst på ham, styrtede nu over på det andet fortov og gav sig til at stirre ind i forretningsvinduerne.

Hans bedste ven, sheriffen fra Wyoming, blev sendt af sted af sin kone og af Eileen. Hans indsats bestod i at sidde og se tungt ned i gulvet, tørre sig over panden og mumle noget om, at de havde været venner i mange år. Bob sad tilbagelænet og så på manden, der sad genert og krammede sin cowboyhat.

»Chuck, hvor kan du? Jeg ved jo alt om dig, for fanden! Hvordan du har det med din kone. Hvordan det går med din søn. Selv om vi vel ikke ligefrem har endevendt vores privatliv. Men vi ved det hele alligevel, ikke? Jeg synes, du skal gå!« Sheriffen fra Wyoming slog Bob på skulderen, som om han skulle i krig. Så gik han ud med tunge skridt.

»De er sindssyge alle sammen. Det er, som jeg har begået mord,« skrev han til Ane. »Chuck er sherif i en lille by. Han er en forvokset dreng. Al sex forskrækker ham. Hans lille benede kone er ældre end han, og han er rystende ræd for hende. De har aldrig kunnet få børn selv. Jeg tror, der er noget i vejen med ham. Han kan sikkert ikke få den op at stå. På jobbet er han et mandfolk, men kvinder får ham til at gyse. Jeg undrede mig over ham i en voldtægtssag. En pige anmeldte en voldtægt, og fyren blev ikke dømt, fordi hun ikke havde haft bh på. Hun var selv ude om det, sagde Chuck. Det diskuterede vi meget.

Chuck og hans kone adopterede en søn. Han er stukket af og er blevet narkoman. Chuck er ellers god til børn. Men noget gik galt. De lever isoleret ligesom os, har ikke mange venner. Jeg havde helt ondt af ham, da hans kone havde sendt ham hen for at tale mig ud af vores forhold. Han havde det elendigt. Det var så flovt for ham bare at forestille sig, at hans legekammerat havde noget for med en kvinde.«

»Måske er han til mænd?« sagde Ane i telefonen. Der blev stille.

»Næh, jeg tror bare, han er blevet smækket over fingrene af mor og af konen, og så er han en blød mand, der har et heltejob. Han er en stor klods, dekoreret i krigen. Konen har lettere kuller. Hun falder altid i søvn, når hun kører, så nu har hun ikke noget kørekort.«

»Sikke en familie. Hun drikker nok,« lo Ane. »Jeg kan forstå, at der ikke er nogen venner tilbage jeg skal præsenteres for.«

»Jeg er ked af det, Ann. Virkelig ked af det, og skuffet. Jeg troede ikke, de ville være sådan. Vi bliver helt alene.«

»Jeg er hos dig,« sagde Ane. »Man skulle tro, at jeg skulle til Sicilien i et strengt katolsk miljø ude på landet mellem primitive landarbejdere. Men det er da en universitetsby?«

»Ja, men når det er noget med mig, er det anderledes,« sagde han stille.

Ane tog ind på Hovedbanegården for at hente Bobs søn, Robert. En bleg ung mand med fint, smalt ansigt og sort tykt hår, der allerede var ved at blive hvidt i tindingerne, stod pludselig foran hende. Han var i uniform.

»Far har beskrevet dig, jeg kunne kende dig.« De så længe på hinanden og smilede.

»Det er en underlig situation. Far og jeg har ikke talt rigtigt sammen i flere år. Pludselig ringer han op, giver mig et chok og beder mig om at tage herop for at se dig. Men det er første gang, jeg har hørt ham trænge til noget, jeg kunne gøre for ham, derfor står jeg her,« sagde han lige-ud.

De tog ud på Skovshoved Hotel, hvor Ane havde lejet et værelse til ham. De følte sig som jævnaldrende, som om de havde kendt hinanden før. Men Robert var så forskellig fra sin far, og det smertede hende at vide, hvordan han havde haft det som barn.

De spiste middag sammen, og hun genkendte hans fars humor, som trængte igennem på en mere forfinet måde. En dreng som havde betragtet sit hjem, sine forældre, sine søstre fra en skæv vinkel. Han var meget velbegavet, kunne være nået langt, hvis han ikke havde haft det daglige nederlag, tænkte hun. Han var i militærpolitiet i den amerikanske base i Kaiserslautern. Med sig havde han sin lille familie, en kone og en nyfødt datter.

Hans kone var opvokset i et katolsk hjem. De havde lært hinanden at kende som teenagere. De tilhørte den yngste hippiegeneration, der lige nåede at komme med, før den næste generation igen rettede ind til højre.

»Vi stak af hjemmefra, når vi kunne. Vi stak også af fra college. Far ringede og opdagede det. Han sagde, at han var så rasende, at han ville brække ryggen på mig. Det sagde han sgu!« Robert lo og så ned i sit vinglas. »Og han så også ud, som om han ville gøre det. Jeg har været en skuffelse for ham. Han ville have et nøjagtigt spejlbillede. Han gjorde alt for, at jeg skulle blive det, det må jeg indrømme. Det var noget af en indsats. Hvor fik jeg mange tæv.«

»Jeg har hørt det,« sagde Ane.

»Har han virkelig fortalt det?«

»Ja, også at han har fortrudt det. Det piner ham meget. Han er genert over for dig nu, han tør ikke rigtig nærme sig, fordi han tror, du hader ham. Men nu er han så langt ude, at det ikke kan blive værre. Nu hader hele byen ham, og så tør han godt!«

»Jeg hader ham ikke. Jeg gjorde engang. Men ikke mere. Han var jo i klemme, havde det dårligt. Mor og han havde deres eget helvede, hvor der foregik sære ting. Mor holdt altid med ham. Ingen holdt med mig. Jeg har aldrig set min mor uden paryk, det siger lidt om nærheden i familien, ikke? Hun skruede den på lige fra morgenstunden. Ikke fordi hun var skaldet, men alle husmødre gik med sådan én. Jeg følte mig aldrig som del af familien. Jeg så det hele udefra, jeg vidste, at de prøvede at spille noget, de ikke var. Jeg tror, de kunne blive lykkelige hver for sig. Men måske er de så afhængige af hinandens modstand, at de ikke kan give slip.« Han så med et vemodigt smil på hende. »Det er så dit problem.«

»Min kone led meget under det til at begynde med. Men far har i alt fald fået respekt for hende, mor også, tror jeg. Min kone har tjekkiske forældre. Hun er en slider og holder sammen på det hele. Hun er et godt menneske. Vi elsker hinanden og vores barn. Vi er fattige.«

»Hjælper din far dig ikke?«

»Nej, efter jeg gik ud af college, var det slut. Det var mit eget valg.« De sad tavse. Hun betragtede ham. Han lignede ikke en amerikaner. Hans hænder var spinkle. Han var tynd og senet og havde et gammelt udtryk i ansigtet, som én der har set og lidt meget.

»Du er mere europæisk end din far,« sagde hun.

»Vi er bare to forskellige mænd. Men det bliver dig, der får kommunikationen i gang mellem os igen,« sagde han. Pludselig lo han.

»Havde nogen for fem år siden fortalt mig, at jeg skulle sidde her i denne situation, havde jeg troet, at det var løgn. Er du klar over, at det bliver et helvede? Jeg hader den by. Den er så sitrende fuld af ondskab, intriger og løgn. Universitetsmiljøet og folks ambitioner kvæler alle gode initiativer. Den by er en af de sidste bastioner i det gamle reaktionære Amerika. Du vil blive forbavset. Det sidste jeg hørte om var mødre, som gik i optog for at få smidt en bøsselærer ud. De var parat til at stene ham ud af byen. Pas godt på dig selv, Ann, og pas godt på min far. Han tror stadig, at retfærdigheden og kærligheden sejrer. Du ved, han er fra den tid, hvor man trækker skyderen, bare det rasler i buskadset.

Bob stod foran døren til Roberts gamle drengeværelse. Han var hjemme til frokost, som han plejede. Klokken var et. Eileen stod ikke parat med hans sandwich og 7 Up. Det var usædvanligt. I øjeblikket var hun om ham som en trofast slave, lige så snart hun så ham. Når han ville gøre noget selv, sagde hun: »Lad mig, du er jo en syg mand.«

Det var hendes lille daglige oprør. Han fandt hende i Roberts værelse, hun lå på sengen i sin badekåbe. Hendes hoved var drejet om til siden. Han stod og så på hende. Hans blodtryk steg, hans hjerte hamrede. Han vidste lige med det samme, at hun havde taget et eller andet. Den søvn var ikke naturlig for hende. Hadet over at være bundet til hende flammede op i ham. Tanken om, at han måske nu endelig var fri, fyldte ham med vild glæde. I det næste sekund blev han forsigtig, listede hen til hende, holdt vejret, tog om hendes skulder, rystede hende lidt; hendes hoved faldt tilbage, munden var åben. Han tog hendes puls, den var normal. Han så på natbordet. Ingen pilleglas. Han gik ud i badeværelset. Dér stod det, tomt. Ved siden af et hvidvinsglas med svagt læbestiftmærke. Han stod længe og så på pilleglasset og hvidvinsglasset uden at røre dem. Så gik han ud i badeværelset, åbnede medicinskabet, tog et par beroligende piller og vand, som han drak fra hanen.

Langsomt og uden at se over mod naboerne slentrede han ud i garagen, vinkede mod vinduet, som han plejede, kørte til universitetet og ringede til Ane. Klokken var ti, og Ane var gået tidligt i seng med en kop te og en stak journaler fra ministeriet.

»Eileen har taget sovepiller. Hun ligger bevidstløs i Roberts værelse. Jeg tager chancen og lader hende ligge. Det løser alle vores problemer, også hendes. Hun får ikke et godt liv.«

»Hvad er det, du siger?« Ane kunne næsten ikke tale, så chokeret var hun. »Er du blevet sindssyg. Gå straks tilbage og få hende indlagt. Naboerne har set dig. På universitetet ved de, at du har været hjemme til frokost.«

»Jeg siger bare, at jeg troede hun sov til middag.«

»Bob. Du må ikke,« græd Ane. »Det er værre, at du kommer i fængsel, end at vi skal kæmpe i skilsmisseretten.«

»Det er en chance, Gud giver mig,« sagde han hæst.

»Jeg vil ikke have et andet menneskes liv på samvittigheden,« råbte Ane.

»Jeg lader hende ligge, til jeg kommer hjem. Lever hun endnu, kører jeg hende på hospitalet. Jeg tager selv ansvaret, Ann. Men hun er stærk som en hest. Pulsen var normal.« Han lo lidt.

»Det er grusomt. Jeg forbyder dig at gøre det.«

»Ann, du ønsker jo også, at hun dør, ikke?«

»Jo, men ikke på den måde. Du kan ødelægge resten af vores liv!«

»Jeg gør det for os,« hviskede han og lagde røret på. Telefonen ringede igen seks timer efter.

»Jeg er på hospitalet. Hun åndede stadig, da jeg kom hjem. Naboerne så mig køre ind. Jeg ringede efter ambulancen med det samme. Jeg tror, hun klarer den,« hviskede han. »Pigerne er på vej fra Californien og Utah. Jeg taler med dem. Eileens selvmordsforsøg ændrer ikke mine planer, og nu fortæller jeg dem det hele.«

Eileen vågnede. Hendes hals gjorde ondt, hun var tør i munden. De stod alle sammen omkring hendes seng.

»Nåh, så det lykkedes ikke?« hviskede hun. Hendes døtre så på hinanden, men sagde ingenting.

»Min elskede,« sagde Eileen og rakte hånden ud mod Bob. Han tog den ikke. Hans døtre så chokerede på ham, og han så dem lige i øjnene. Så bøjede han sig over Eileen.

»Det, du har gjort, ændrer intet i mine planer, Eileen. Jeg vil gerne tale med jer, piger,« sagde han. »I kan være hos jeres mor, til hun har fået det lidt bedre, så venter jeg på jer hjemme.« Han vendte sig og gik.

Cheryl og Eve satte sig stift på sofaen i afrikastuen, hvor deres far havde hængt sine minder fra Afrika på væggen, to krydsede spyd, en elefantfod, en tromme og et zebraskind.

»Har mor kræft?«

»Nej, mor og jeg kan ikke leve sammen mere. Jeg har fundet en anden kvinde. Jeg elsker hende og vil giftes med hende. Hun er dansk, og jeg har kendt hende i fire år.«

Cheryl og Eve var to smukke kvinder i begyndelsen af trediverne. Eve var godt gift med en dyrlæge fra Californien. En hård negl, rodeorytter og tavs bonderøv. Cheryl med engleansigtet var lige blevet skilt fra en forretningsmand. Siden skilsmissen havde hun taget på. Hun havde sin fars humor og et hvidt blændende smil. De smukke døtre var Bobs stolthed og evige bekymring. Han havde troet dem godt i vej i respektable ægteskaber, men svigersønnerne var ikke, hvad han havde drømt om. Pigerne var ikke lykkelige, det vidste han. Han så på deres chokerede ansigter og bøjede hovedet.

»Forlader du mor efter 32 års ægteskab?«

»Det er også svært, Eve. Jeg har ikke haft et godt liv i mange år. Vi har levet i hver vores verden. Vi har gjort os umage med ikke at vise det. Mor har altid gjort sig umage med at være loyal over for mig.«

»Vi troede, det skulle være sådan. At ægteskaber der varede så længe var sådan!« Eve så anklagende på sin far.

»Jeg vil have et kvalitetsliv, inden det er forbi. 32 år på den måde må være nok.«

»Er hun på alder med os?« Cheryl spærrede sine store brune øjne op.

»Nej. Hun er 40 år, dyrlægekone og har sit eget PR-bureau. Mors selvmordsforsøg ændrer ikke på min beslutning.« Han rejste sig bevæget og gik hen mod vinduet, vendte ryggen til dem. De kunne se, hans skuldre skælvede. De så på hinanden.

»Jeg vil ikke blande mig i jeres forhold. Jeg holder af jer begge to. Det er jeres ægteskab,« sagde Eve og græd stille i sit lommetørklæde.

»Selvfølgelig støtter vi jer begge to, når I trænger til os. Men det er sørgeligt, at mor skulle gå så langt, før vi kan tale om det her,« sagde Cheryl. Bob satte sig mellem sine døtre. Han var bleg og prøvede på ikke at græde.

»Jeg frygtede, I aldrig ville se mig mere. De pæne damer i byen går over på det andet fortov, når de møder mig.« Han prøvede et smil. Eves fintformede øjenbryn gled op.

»Er der andre, der ved det?«

»Jeres mor har fortalt det. Det er ude over hele universitetet.«

»Det er du da hævet over, far! De er så provinsielle her. Hvor kunne mor gøre det?« Cheryl så på sin søster. Med det samme var de gledet ind i rollen som deres forældres forældre.

»Vi må tale med mor. Måske var det en ide, hvis hun kom i kriseterapi.«

»Hvad skal jeg sige til børnene, far? Det bliver hårdt. De har aldrig hørt om bedsteforældre, der bliver skilt efter sølvbrylluppet.« Eve begyndte at græde.

»Hvordan ser hun ud?« Cheryl smilede til sin far, der holdt beskyttende om Eve. »Hun er meget europæisk, stilig, men ligner mig.«

»Store muskler?« lo Cheryl, hendes øjne strålede og hendes store hvide smil blinkede. Hun var altid let at begejstre, og hun elskede al romantik. Bob smilede og trak pigerne ind til sig. Pludselig blev han bleg.

»Jeg må lidt op og hvile mig. Det har været hårdt det her.« Han gik hurtigt ud af stuen. De fulgte uroligt efter ham.

»Far, du er bleg, du bliver ikke dårlig igen, vel?«

»Nej,« sagde han, vendte sig på trappeafsatsen og så på dem. »Tak, jeg elsker jer.«

Eve så på sit ur: »Jeg bliver nødt til at hente børnene. Bliver du hos far, Cheryl?« Cheryl nikkede. De så på hinanden og følte sig som søstre for første gang i mange år. Altid havde de konkurreret om deres fars beundring og kærlighed. Nu var de sammen om at være mor for ham.

Kapitel 18

Jacob og Ane landede i Denver en sen augustaften. Døren til gaten gled op, og der stod han i beigefarvet habit, himmelblå skjorte og en lys, grå storbræmmet stetsonhat.

»Hvor er du flot!« Ane kyssede ham, og han omfavnede dem begge to. »Jeg har tilbragt timer foran spejlet. Jeg havde ikke en trævl at tage på,« sagde han med imiteret damestemme og grinede til Jacob. Der var allerede sluttet en forbindelse mellem de to, og Ane var lykkelig på sin søns vegne, fordi hun vidste, at denne tur ville blive en mandetur, han aldrig ville glemme.

Mændene tog hendes kufferter, og de gik over mod parkerings-pladsen i den lune aften. Der holdt en stor, skrammet, blå Ford pickup.

»I må undskylde. Men det var mest praktisk, at Eileen fik min bil,« sagde han. Ane prøvede at nå det første trin i sin stramme nederdel. Han tog hende om ballerne og løftede hende i strakt arm ligesom King Kong og plantede hende derefter blidt på forsædet. Folk omkring dem morede sig.

»Det starter godt, hvad, mor?« lo Jacob. Bob rev i rattet, skump-lende og osende satte den store Ford sig i bevægelse.

»Hvad bruger du en varevogn til?« spurgte Jacob. Han fik med besvær foldet sin to meter lange drengekrop sammen på det nedslidte lædersæde.

»Jeg har en jagthytte i Wyoming. Man kan ikke køre derop med en almindelig bil. Det er prærie, forstår du det, søn. Rigtig prærie. Jeg kører med mine rifler, mit jagtudstyr, min båndsav og alt det andet grej. Men det skal I nok få at se, når vi skal derop. Jeg har glædet mig og glædet mig. Jeg troede næsten, jeg havde glemt at tale. Jeg har ikke talt med et menneske i en måned,« sagde han smilende.

De kørte ud af Denver, byen med skyskraberne, de højtidelige kontorbygninger og de flotte velhavende forretninger, og den blå Ford lagde sig i sit eget tempo i overhalingsbanen, mens de lydløse, lækre, lave luksusbiler gled forbi.

»De kører langsomt og høfligt,« konstaterede Jacob. Foran kørte en Cadillac. I bagvinduet stod et skilt »Honk if you are horny!«

»Hvad betyder det?«

»Jaa,« Bob gned sig over hagen. »Det betyder ... Ja, han er jo stor nok til at få det oversat, ikke Ann?«

»Jeg ved da heller ikke, hvad det betyder,« sagde Ane.

»Dyt, hvis du er liderlig!« sagde Bob med undskyldende mine.

»Hvad så, hvis man dytter?« spurgte Jacob. Ane trykkede på hornet, der lød som en færge, der tuder.

»Det må du da ikke, du er en dame,« sagde Bob forarget. Ane og Jacob vinkede til en dreng i cowboyjakke, som lige havde fået kørekort. Han vinkede genert.

»Det er nok hans søsters bil,« sagde Jacob. »Bare vent til jeg møder hende ved rattet i den bil, så skal hun få et dyt, der vil noget.«

»Taler I altid så frit til hinanden?« spurgte Bob.

»Ja, altid. Det kan blive meget værre.«

»Det skal jeg nok vænne mig lidt til,« sagde Bob forbavset. Ane glædede sig over, at hun havde taget Jacob med. De skulle se hendes fremtidige hjem. De skulle se Fort Collins, opleve Bob i hans eget miljø, før hun endelig emigrerede til oktober.

Jacob skulle hjem efter tre uger. Han blev i Danmark til foråret, hvor han blev student, og så skulle han komme til USA og studere medicin på Colorado State University og bo hos dem, når hun og Bob til den tid var blevet gift. Carsten studerede jura og ville blive i Danmark i den lille lejlighed sammen med Irene. Her følte han sig tryggere end hos sin eksperimenterende mor. Ane forstod det, selvom det gjorde ondt. Hun havde bestemt sig til at arbejde fra USA som freelancejournalist, og alt hvad hun tjente, ville hun bruge til rejser frem og tilbage til sine børn. I løbet af de sidste tre måneder havde hun realiseret alt. De havde solgt huset i Skovshoved. Om et par måneder havde hun sin skilsmisse og boet var delt. Siden den dag i Hornbæk havde hun ikke set Johannes, kun talt med ham i telefonen. De prøvede så vidt muligt at undgå hinanden, og mæglingsmødet var foregået fredeligt. Men familien og børnene var chokerede over, at det gik så hurtigt. De havde aldrig set eller mærket deres uoverensstemmelser og dårlige ægteskab. Ingen i Johannes' familie forstod et ord. Ane havde købt en etværelses lejlighed til Jacob og lånt ham sin gamle bil.

Og nu sad hun her på vej gennem Colorado med sin elskede og sin yngste søn. Bob så forelsket på hende, mens de kørte. Han strøg hendes hånd og var så glad, hvilede i nuet og i sin amerikanske fortid, hvor mændene drog ned til havnebyerne for at hente den nye kone fra Europa. Sommetider en kone de aldrig havde set.

Bob svingede bilen ind på en mørk sidevej, kørte et stykke og standsede bilen.

»Så er vi her!« Der lå en mørk sammenfaldet hytte og en stor lade. Døren i hytten stod og svingede frem og tilbage på hængslerne i vinden. Ane og Jacob så på hinanden, steg ud af bilen. Bob gik foran, vendte sig pludselig om og lo og lo.

»Jeg kan ikke holde masken. Selvfølgelig er det ikke her, men jeg så huset i går og fik ideen. Åh Ann, nu er du afsløret, du har taget mig for pengenes skyld. Jeg så det, jeg så det.« De grinede videre og sprang ind i bilen igen.

»Har du flere gamle, amerikanske numre, så fyr dem af nu,« sagde Ane. »Vi er ret trætte, vi har jetlag.«

»Selvfølgelig, elskede, undskyld.« Han kørte ned ad en stilig villavej med nette forhaver og svingede ind i en indkørsel til et stort pænt hus med dobbeltgarage og basketballkurv. Bag huset var en eng, hvor der græssede to quarterhorses, og en lade med en landbrugsmaskine og en hestetrailer. Plænen om huset lignede ikke de andre villaers græsplæner. Den var misligholdt og gullig. Men roserne blomstrede omkring huset. Bob slog døren op: »Velkommen, begge to. Jeg vil ikke bære din mor over dørtærsklen, før vi er gift, Jacob.«

Jacob og Ane gik ind i stuen og stod som lammede. De havde ikke ventet at se et tyrolerinteriør, der blev beboet af en cowboy. »Neej, hvor er her hyggeligt. Hvor rustikt,« sagde Ane og sendte sin søn et fast blik.

Bob viste rundt som en begejstret kustode. Midt på et lille underligt bord, der lignede en savbuk, stod et tandglas med rosenhoveder.

»De er til dig,« sagde han. Han havde ubehjælpsomt plukket roserne af med for korte stilke, og hun vidste, at hun aldrig ville glemme buketten. »Bordet har jeg selv lavet. Det var mit første bord. Jeg fandt noget gammelt træ oppe i skoven. Du kan tro, jeg var stolt.«

»Det kan jeg godt forstå,« sagde Ane og Jacob i munden på hinanden.

For enden af den tomme stue var en stor pejs med kampesten. Gulvet var beigefarvet linoleum. Foran pejsen stod to sorte plasticlænestole med en hejseanordning til benene. Når man satte sig ned, røg benstykket op og ryggen faldt tilbage. Foran stolene stod to bakkeborde med hawaiiblomster på. »Her sad vi og spiste, mens vi så fjernsyn.« Jacob grinede. Han vidste, at det var hans mors kæphest, at det var ukulturelt at se fjernsyn, mens man spiste. Når man spiste, skulle man tale med sine børn om dagens hændelser. I deres hjem var fjernsynet blevet stillet ned i en kælderstue for at få det lidt på afstand. Her dominerede det store, sorte fjernsyn hele den ene side af væggen.

Der var et maleri af en cowboy med en stejlende hest. På en hylde hang et zebraskind. En afdeling af dagligstuen var nyindrettet.

»Det har Cheryl gjort, fordi du skulle komme. Hun indrettede afrikastuen meget pænere. Se, der er sat græstapet op, så man kan forestille sig Afrika. Hans souvenirs fra Afrika var hængt op på græstæppet over sofaen med det mexicanske mønster.

»Er stueorglet også fra Afrika?« spurgte Ane.

»Nej, det er fordi Eileen tog flyglet, så beholdt jeg stueorglet og guitaren.« De gik rundt fra rum til rum. Jacob stirrede på pejsehylden, som var fyldt af små ens huller.

»Hvad er det?«

»Det er ormehuller, jeg har boret med mit bor for at få træet til at se rigtig gammelt ud.«

»Et ormebor,« sagde Jacob tankefuldt.

I køkkenet var murstenslinoleum. »Jeg har hævet køkkenbordet, fordi du er højere end Eileen, så er det mere bekvemt for dig.« Ann lod hånden glide hen ad plasticbordfladen. Overalt var mørkt træ, foran vinduerne var persiennerne trukket for. Det virkede som en fæstning. I Roberts værelse, hvor Jacob skulle bo, var der egefinerpaneler, gammelt drengeudstyr, vimpler på væggen. Der var forfærdeligt. Hun fattede ikke, at en universitetsprofessor kunne bo som en trucker. Det ville koste en formue at få et nogenlunde pænt hjem ud af det her. Bob gik ovenpå. Jacob og Ane fulgte efter, Jacob puffede til sin mor.

»Han synes, det er flot, mor, så må du ikke skuffe ham.«

»Her er det nye soveværelse, som Cheryl har indrettet. Det er da smukt!« Det var smukt og sødt af hans datter, som ikke kendte hende, at indrette et soveværelse til dem i det hus, hvor hendes mor havde boet. Tæppet var rustfarvet og matchede gardinerne og sengetæppet, der var hyggelige lamper og toilethylde, skabe og skuffer. I midten af rummet var der en kæmpedobbeltseng.

»Sæt dig ned,« sagde han. Hun satte sig og skvulpede op og ned.

»En vandseng, hvor fedt,« sagde Jacob og satte sig ned og gyngede med.

Det var overvældende. Ane var blevet tavs. Det hus lignede ikke på nogen måde de hjem, hun havde set på film. Det var en sælsom stil, og her skulle hun bo, lave mad, have gæster og trives. Men da dørene blev slået op til haven og engen, og hun så stjernerne og Rocky Mountains i baggrunden og mærkede hans arme omkring sig, forsvandt hendes usikkerhed.

Han hviskede: »Jeg har været så ensom, og nu er det, som du altid har været her.« Han vendte hendes ansigt op mod sig: »Ann, er du skuffet?«

»Nej, men jeg er så træt, så træt.« Jacob pakkede henrykt sine ting ud i værelset og Bob gik ind for at sige godnat. Han var allerede langt inde i faderrollen.

»Husk nu ikke hoppe i mors og min vandseng, knægt, der er en ton vand i. Vi to står tidligt op. Først morgenmad, så løber vi tre kilometer og bagefter står den på boksetræning ovre i mit private gymnastikrum. Var det noget?«

»Jeg glæder mig,« sagde Jacob. Den lange dreng kiggede kærligt ned på den glade overskårne kæmpe, han skulle lege med de næste tre uger.

»Det er som en drøm. Giv mig din hånd, så jeg kan ligge her og se op på stjernerne.« Ane lå og skvulpede op og ned på dønningen, efter at Bob havde lagt sig. Hans tunge muskuløse krop lavede en fordybning i vandsengen, så hun hele tiden trillede ned i hullet. Hun var træt.

»Du er for træt til at elske, det ved jeg godt,« sagde han. »Jeg vil bare ligge og se dig, når du sover.« Ane lagde sig om på maven for at få kæmpemadrassen til at holde op med at bevæge sig, men længe efter vandmasserne var faldet til ro, måtte hun kæmpe mod trangen til at smutte ud af sengen og lægge sig fladt ud på gulvet og bare sove.

Eileen var flyttet ind i en af de nye beboelsesejendomme med de små komfortable ejerlejligheder. Ejendommen blev allerede kaldt bidragshuset, fordi velhavende ægtemænd på kone nummer to betalte det klækkelige indskud og den dyre husleje. Nogle af kvinderne oplevede deres nye liv som en social deroute. De holdt sig i lejlighederne med pilleglas og hvidvin, plagede børnene med grådfyldte samtaler og gik jævnligt på hævntogt med deres creditcard i de elegante forretninger og købte vildt ind, spadseredragter, silkelagner, blomstrede tallerkener, nyt undertøj – mændene fik regningen. De fleste af dem gjorde meget ud af deres udseende, og hjemmene var så elegante som billederne i boligmagasiner. De hentede stabler af psykologiske bøger og pløjede sig gennem kvindelitteraturen fra Kubalkas og Harriet G. Lernes til Fay Weldon og Erica Jong, så de i næste ægteskab kunne være veludrustede til at tage og beholde magten uden at miste deres kvindelighed.

I ejendommen herskede et kvindehierarki med hakkeorden. De mest velhavende var dem, der havde beholdt deres selvværd og havde lagt forsmædelsen bag sig. De holdt sammen og støttede hinanden, som kun amerikanske kvinder kan. De brugte al den maskulinitet, de havde i sig, og som de havde holdt skjult i rollen som undertrykte, perfekte husmødre, til at hjælpe hinanden på banen igen. I deres gode stunder var de yderst tilfredse med det nye liv, de havde fået, især når de fik meldinger om, hvordan deres efterfølger måtte knokle for at leve op til det fuldendte ægteskab.

Eileen blandede sig ikke med kvinderne i ejendommen. Hun hilste pænt og venligt på naboerne, men hendes hjem, som med Cheryl og Eves hjælp var blevet smukkere, end det nogensinde havde været, var for hende noget andet. Det var et fort, hendes bastion. Her sad hun med sin skarpe hjerne, der havde ligget i dvale i 32 år, og skærpede sine våben. Hvor de andre kvinder klyngede sig til deres børn, havde Eileen afbrudt forbindelsen med sine døtre. Da de ville være loyale over for begge deres forældre, smækkede hun døren i for deres velmenende, medlidende ansigter.

Hun nød at skændes med Robert i telefonen. Hun forskrækkede ham med at hvisle voldelige trusler mod Ane. »Nogen skulle skyde hende.« Robert var med hos psykiateren, fordi han var bekymret over, hvad Eileen kunne finde på. Psykiateren tog det roligt, han kendte en god skuespiller, når han så én.

Hun var ensom, der kunne gå uger, hvor hun ikke talte med nogen. Hendes kirkes socialrådgiver havde anbefalet hende den unge ambitiøse advokat Phil Berger, der havde forbudt hende at ringe Bob op. Der måtte ikke være nogen kontakt. Berger havde ret hurtigt vurderet boets muligheder. Der var villaen i Fort Collins' bedste kvarter, en jagthytte med skov- og jagtområde i Wyoming, der var en fed bankkonto, to biler, forsikringer, og oven i købet ubebyggede grunde bag villaen, der kunne sælges. Advokat Phil Berger glædede sig over sagen, den skulle være enkel. Der måtte være grænser for, hvordan man kunne behandle en kvinde, man havde været gift med i 32 år? Eileen Bryants mand var oven i købet en kendt mand i byen og brød sig helt sikkert ikke om omtale i den lokale avis. Universitetet brød sig heller ikke om historien. Det ville koste dyrt at dysse den ned, for slet ikke at tale om de moralske og politiske aspekter i sagen. I Colorado holdt man på borgerlighed og tradition. Det gjaldt om at holde kursen, gode ægteskaber, familien som base, beskytte de unge og børnene mod det onde, som blæste ind fra San Francisco og Los Angeles. Phil Berger havde sin klient, Eileen Bryant, i sin hule hånd. Hun skulle bare gøre alt, hvad han sagde, så skulle det nok gå. Han havde endnu ikke mødt hendes mand. Det første retsmøde var berammet til september

Eileen led. Hun var ensom og var daglig ved at ringe op til Bob bare for at høre hans stemme. Advokaten havde forbudt hende det, og hun adlød. Hun havde haft problemer med Phil Berger i starten. Han var jo engageret til at hjælpe hende, hun ville ikke skilles. Hun ville være gift med Bob, til døden skilte dem. Hun ville tvinge ham til at være gift med hende, så ville han komme til fornuft og være glad for, at hun ikke gav op. Det vidste hun. Hun kendte ham som ingen anden. Det havde taget Phil Berger adskillige uger at få Eileen til at forstå, at loven var anderledes, at ingen kunne tvinge nogen til at være gift med en. Man kunne forhale en skilsmisse i nogle år. Men ikke til evig tid.

»Jeg betaler Dem for at trække den ud i nogle år,« sagde Eileen.

»Jamen, det vil betyde, at Deres økonomiske situation bliver dårligere. Tiden inden bodelingen kan blive hård.«

»Jeg er ikke vant til at bruge penge. Min mand vil desuden aldrig lade mig sulte. Jeg er ikke interesseret i noget, der har med den skilsmisse at gøre.«

Phil Berger gik eftertænksomt fra mødet. Det ville måske blive vanskeligere, end han troede. Han var interesseret i at få sagen overstået, få revet formuen fra manden, mest muligt til konen, så retfærdigheden kunne ske fyldest. Sagen ville rygtes, og han ville få nye kvindelige klienter. Det ville være udmattende at have sådan en sag i flere år. Men så længe hun betalte ... Hun kunne godt ligne en, der havde penge på kistebunden.

Hver søndag var Eileen i kirken. Hun foldede sine små, tykke hænder og bad for sit ægteskab, og hun deltog i alle kirkens aktiviteter, basarer, kaffestuer og bibelklasser. Kvinderne snakkede af og til med hende, men ingen kunne tage sig sammen til at invitere hende. Når de havde drøftet hendes ulykke og delt forargelsen med hende, vidste de ikke rigtig, hvad de skulle tale om, og så hastede de hjem til deres egne trygge hjem, hvor der heldigvis var orden i familien.

Eileen gik alene hjem til den fine lejlighed. Hun støvede af, satte sig ved sin skrivemaskine og skrev lange breve til Bob. Brevene var fulde af skriftsteder, bebrejdelser og trusler. Hun sendte dem til universitetet. Bob smed den uåbnede i papirkurven.

Om aftenen drak hun hvidvin, til hun faldt i søvn på sengen med det quiltede silketæppe. Hun led under sin seksualitet. Inderst inde vidste hun godt, at det tavse sexliv var det eneste fællesskab, hun og Bob havde haft. Her havde hun magt over ham. Hun huskede alle de gange, han havde bebrejdet hende hendes tykke krop. Han havde råbt, at han væmmedes. Hun havde sagtmodigt sagt, at man skulle lære at bære over med hinandens svagheder. Hun bar over med hans. Han rasede mod hende, men en dag før eller senere kom han alligevel til hendes seng.

KAPITEL 19

GARDINERNE I DET lille hvide træhus på den anden side af Stuart Street bevægede sig. »Det er Eileens spioner,« lo Bob. Ane kiggede over mod huset.

»Skal jeg gå over og præsentere mig?«

»Nej, for guds skyld. De smider sten på dig,« sagde han. »I går kom de med en pakke, som var blevet afleveret hos dem ved en fejl. De smed den foran døren og løb væk, som var det Satan selv, der boede her. Det er blevet villa Sodoma og Gomorra.«

Jacob og Ane så hovedrystende over på det lille prydelige hus med den fine forhave. De havde lagt mærke til, at der hele tiden stod en ældre mand med en haveslange og lod, som om han vandede have, mens han holdt Bobs hus under observation.

»I morgen er han måske forklædt som pelargonie. Det er konen, som giver ham dagens ordre. Han er i virkeligheden en meget flink fyr, totalt undertrykt af sin kone og svigermor. Men nu er der straffeeksersits på grund af mig.

»Hvorfor?« spurgte Ane undrende.

»Fordi han er en mand, der måske kunne finde på at følge mit eksempel. Derfor er han blevet beordret til at vande have i tolv timer og luge i seks timer, så han rigtig kan se, hvad synd og fordærv fører til. Men weekenden bliver trist for mr. og mrs. Fitzpatrick og deres venner bag gardinerne, for vi er væk, helt væk og kommer ikke hjem igen før mandag morgen.« Bob steg op på sin gule racercykel og vinkede farvel til Jacob og Ane, som stod i døren.

Jacobs T-shirt var våd, hans hår var svedigt. Han havde været med i hele Bobs morgenprogram. Ane så lykkeligt på sin søn, hun kunne ikke huske, at hun havde set ham så glad. Her var han i sit rigtige element. Bob var som forelsket i hendes søn. Han så sin egen ungdom, og han så en ung mand, han kunne påvirke og give det bedste, han ejede, begejstring for sit arbejde, begejstring for sport og atletik. Glæden over at have en stærk og velfungerende krop, der kunne tåle strabadser og modgang. Samtidig forstod Jacob hans absurde humor og ægte klovnesind.

Hun trak sig tilbage fra dem, og de savnede hende ikke. Hun vidste, at den nærhed og tæthed, hun og Bob altid havde, ville komme igen, når Jacob var rejst, fordi han havde opfyldt Bobs drøm om den ideale søn.

Hun havde fortalt Jacob om baggrunden for Bobs reaktion. Hun fortalte ham om Robert, Bobs søn, om hvor sympatisk han var, et modent og fint menneske, som havde haft en barndom, der havde givet ham nogle smertelige oplevelser. Jacob skar lige igennem.

»Han ville også have ødelagt mig, hvis han havde været min rigtige far. Han får mig bare på det rigtige tidspunkt.« Om aftenen lå Bob ved siden af hende i vandsengen og fortalte hende om Jacobs fremskridt og om, hvilke planer han havde for ham. Han fabulerede om, hvad man skulle passe på med den dreng, hvilke farer der lurede på ham. Ane rejste sig op og så på ham.

»Det er dog utroligt. Det er ærgerligt, du ikke selv har født ham, hvad?« Han trak hende ind til sig.

»Jeg føler, vi har fået ham sammen. Det gør jeg virkelig. Han er stor, godt bygget, han kan blive meget stærk, han har tømmeret i sig, han skal bare have bygget muskler på de knogler, så skal du se. Vi trænede med vægte i morges, og han trænger virkelig til styrketræning. Når han er 25 år og jeg har trænet ham, så skal du se et muskelbjerg af en atlet.«

»Jeg bryder mig ikke om at se min søn med bodybuilderkrop og et knappenålshoved uden hjerne,« sagde hun. »Hvad skal han bruge alle de muskler til?«

»Han skal være stærk og have tillid til sin krop. Det giver en helt særlig form for velvære at have kropsstyrke. I morges arbejdede vi med boksebolden, og du kan tro, han kunne blive hidsig, da jeg gik lidt til ham og ramte ham på kæben. Det siger jeg dig, han har temperament, han kunne måske slå en mand ihjel en dag.« Bob så drømmende op i loftet.

»Jeg er sandelig glad for, at han rejser hjem om 14 dage, væk fra dine sygelige fantasier om at gøre ham til orangutang.«

»Jamen, jeg arbejder også med hans ånd for at give ham nogle mål. Han skal studere medicin og blive en berømt læge. Jeg tror desværre ikke, han kan blive kirurg. Han er for høj, han bliver træt i ryggen. De bedste kirurger ligner mig. De er små og tætte og har muskuløse arme og stærke hænder, som kan håndtere værktøj.«

»Ja, du har ganske ret, små slagtere med tyrenakker,« lo Ane.

»Når han bliver færdig i København, så skal han bo hos os, og så begynder livet for alvor. Men ikke noget med at ryge og drikke, og jeg har advaret ham mod at kneppe sig ud af college.«

»Hvordan knepper man sig ud af et universitet?« spurgte Ane forbavset.

»Det kan ske, hvis man ser godt ud og pigerne er efter én, så skal man kneppe med den ene og den anden, og så får man ikke læst, for pludselig er en af kæresterne gravid, og så bliver der ballade og man bliver nødt til at gifte sig og tjene penge. Ja, så har man kneppet sig ud af college. Sådan er den historie.«

»Vil du høre, hvordan man gør i Danmark?« Bob sad i sin del af den bølgende seng og prøvede at styre sin aftenkakao lænet op ad en flæsepude, der satte hans barske, hærgede ansigt i et mærkeligt relief. Som om en af Rafaels engle pludselig havde fået Charles Bronson-ansigt.

»Hvor ser du dog ud, elskede. Vi må have skiftet flæsepuden ud.« Ane lagde sig i hans arm, og han stillede kakaoen og lagde sig til rette.

»I Danmark er det anderledes. De unge har kærester, som de går i seng med, fra de er femten. Pigerne får p-piller, drengene kondomer. De får seksualundervisning i skolerne, fra de er otte år. Til sidst hænger sex dem ud af halsen. De taler ikke så meget om det, som man gør herovre. De interesserer sig heller ikke så meget for det. Selvfølgelig handler det om at gøre indtryk, men sex er ikke en slags sport som her. Her er det som en afart af fribrydning.«

»Tak, tak, mange tak,« grinede han.

»De må gerne flytte sammen, når de er sytten-atten år, bare de passer deres ting, og det gør de fleste. De laver små kernefamilier, hvor de fordeler arbejdet i huset og tjener pengene til de daglige udgifter, så knokler og knokler de, hvis de vil have en uddannelse. Nogle gange tager de et sabbatår og rejser til et fjernt sted for sammensparede eller lånte penge. Efter rejsen kommer de hjem med diarre og rekreerer sig et halvt års tid. Enten fortsætter de den pæne borgerlige vej, eller også dropper de helt ud og kommer på socialhjælp og laver ikke andet end at brokke sig over samfundet. Vi har fået vinder- og tabersamfund, ligesom I har. Men vi har ikke haft det før. Vi har heller ikke haft ghettoer før nu, det er kommet langsomt listende ind på os. Men sex er vist aldrig så spændende for danskere, som det er for amerikanere. Jeg tror, vi simpelthen er blevet overfodrede med det. Det er ikke syndigt nok til, at vi gider sætte noget på spil for det. Der er i alt fald få, der gør det. Tag nu os. Folk tror, at det er den sædvanlige historie om en mand midt i halvtredserne, der falder for en ung kone. De tror, det handler om sex. Du ved lige så godt som jeg, at det gør det ikke. Vi ville have det lige så pragtfuldt, hvis du kom til at skære den af i din båndsav.«

»Åh, jeg ved ikke rigtig,« sagde han. »Du forsøger vist at lave mig om til en dansker med din snak. Det skal ikke lykkes dig.« Han kyssede hende og lod sine hænder glide rundt på hendes krop. »Du skal have massage, du har stadig jetlag og er øm i musklerne. Rejs dig lige op.« Hun rejste sig op. Han greb om hendes nakke og vred hendes hoved rundt med et snuptag. Det sagde smæld og gjorde ondt. Hun langede ud efter ham.

»Er du rigtig klog, nu har du brækket nakken på mig. Det er ligesom at bo hos King Kong.«

»Prøv at ryste på hovedet,« sagde han. Hun rystede på hovedet og undrede sig. Nakkespændingerne var væk. Han stod ud af sengen og hentede sin massagecreme. »Nu får du den samme behandling, som boksere får af deres massør,« sagde han og begyndte at massere hele hendes krop med rutinerede tag. Hvert lille ømt punkt blev summende og varmt.

»Åh, hvor er det skønt,« sagde hun, mens hun vuggede i vandsengen. Han lagde sig over hende og kyssede hende. Hun var næsten faldet i søvn, da han trængte ind i hende. »Jeg klager til bokseunionen, hvis det er sådan, det foregår bag gardinerne i omklædningsrummet.« De fik et af deres store latteranfald, og han faldt ud af hende.

»Se nu,« sagde han. »Jeg bliver snart impotent af alt det grineri. Sex er alvor for os amerikanere.« Hun lo videre.

»Jeg kan ikke gøre for det, jeg er altid kommet til at le, når jeg ikke måtte.«

»Det bliver sandelig et kompliceret ægteskab, vi får,« sagde han og kyssede hende. Det gentog sig det meste af natten. Hver gang han ville i seng med hende, begyndte hun at ryste af latter.

Næste morgen spurgte Jacob Bob: »Hvad var det, I grinede sådan af i nat. I grinede i timevis. Jeg kunne overhovedet ikke sove.«

»Det var en privat vittighed,« sagde Bob og så smilende over på Ane. »Det var noget med, at din mor prøvede at gøre mig til en dansker, men det lykkedes hende ikke helt. Jeg blev mig selv her til morgen sådan ved sekstiden.« Ane rødmede. Jacob så genert på dem.

»Nåh, Jacob. Nu skal vi pakke bilen, for nu skal vi af sted til Wyoming. Ann smører sandwicher og tager proviant med til et par dage, ikke for meget. Jeg har et stort lager deroppe af alt muligt, og vi skal også fiske og på jagt.« Ane smurte sandwicher af det bløde, gummiagtige superbrød. Skinke og den store plasticpølse. Mayonnaise fra glasset med det blå låg.

»Det her må laves om,« råbte hun. »Fra næste uge bager jeg selv vores brød. Det er usundt at spise plasticbrød. Næste gang vi skal på udflugt, så er det hjemmelavet det hele, brød og salater. Det her er én gang kemi. Hun lugtede til pølsen. »Det er sandelig ikke mærkeligt, at kvinderne har vægtproblemer her. Hver anden kvinde i supermarkedet var overvægtig, og indkøbsvognene bugnede af jordnøddesmør, chips og colaflasker. Kvinderne er tykkere end mændene.« Ane stod i køkkenet med murstenslinoleummet og råbte sine betragtninger ud til Bob og Jacob, der defilerede forbi med forskelligt udstyr.

»Men det er kvinderne, der lever længst!« råbte Bob tilbage. »Du skal bare se Eileen på krydstogt med diamantbriller på, når jeg er død. Hendes nye advokat, en tøsedreng med snotbremse, kommer her i næste uge for at notere ned, hvad vi har af værdier. Jeg skal nok ordne den lille idiot.«

»Jeg synes, du skal tage det roligt og tale med din egen advokat. Han vil sikkert synes, det er bedst, at du ikke er her. Vi kan jo bare tage et andet sted hen, mens de er her.«

»Og så skulle den lille rotte snage i vores ting? Aldrig!« Bob stod i døren med fiskestænger og en riffel over skulderen.

Ane pakkede de sidste sandwicher ind i sølvfolie og proppede dem ned i rygsækkene. Hun fyldte den store termokande med kaffe og dannede sig et overblik over spiritusbeholdningen.

»Har du whisky oppe i hytten?« råbte hun.

»Hvad skal du drikke whisky for? Der er frisk luft, og vi har masser af cola og 7 Up. Vi kan da heller ikke sidde og drikke foran drengen.«

»Det er godt, han aldrig har set en rigtig gammeldags gymnasiefest med 1.g'ere, der skal til udpumpning,« lo Jacob.

»Jeg tager nogle flasker med alligevel. Man ved aldrig, hvad man kommer ud for,« sagde Ane og stoppede gin, whisky, tonic og små breve med essenspulver, hun havde fundet i supermarkedet, i rygsækken. Med dem kunne man fremtrylle alverdens cocktails.

Hun havde tilbragt en halv dag med at orientere sig i supermarkedet. De havde et kæmpeudvalg, der lovede godt i trange stunder. Hun kunne afholde danske frokoster med det store kolde bord for Bobs venner, når han engang fik nogen, for i øjeblikket var der tomt omkring dem, hvor de viste sig. Hun tog det helt roligt. Hun havde set fjenden an. Det var den amerikanske middelklasses koner og deres mænd. De var i forvejen kedelige og intolerante. Hun havde kigget andre ud, som så spændende og internationale ud. De befandt sig et andet sted på stigen. De så interesseret på hende og smilede, fordi de så hendes europæiske tøj og stil. Ane smilede igen og hun vidste, at inden der var gået en måned, så havde de huset fuld af sjove, spændende mennesker, som han aldrig havde troet eksisterede i den lille by. Det gjaldt bare om at få kulisserne i orden, få ham ud af det hængedynd, han trampede rundt i. Hun glædede sig til sin nye tilværelse, følte sig stærk og inspireret. Hun vidste, at hun var et skridt foran hele tiden. Her i USA blev man mere profileret. Hun kunne pludselig mærke det stof, hun var skabt af. Hun hvilede for første gang helt i sin kvinderolle. Ingen her havde forventninger om, at hun både skulle være mand og kvinde, far og mor. Her i USA kunne man komme virkelig langt, hvis man var kvinde, havde selvtillid og en masse gode europæiske erfaringer i bagagen.

Den blå pickup var lastet, som om de skulle på Safari i Afrika. Bob kunne ikke få nok med. Han var som en dreng, der skulle vise Jacob alt sit bedste legetøj. Han var helt euforisk.

»Kaffekoppen skal stå der, så jeg hele tiden kan drikke af den under kørslen.« Han pegede på en hylde. »Du skal have rygsækken ved fødderne, Ann, så jeg kan få sandwich og 7 Up. Jacob sidder ved døren. Husk at låse den, så du ikke falder på røven, når vi kører ind over prærien. Er I klar?«

Ane og Jacob råbte højt på dansk: »Ja, stå bare på sømmet!«

De kørte i timevis gennem det flotte landskab. Luften var klar, bjergene med sneen på toppene lå langt væk. Skiltene langs landevejen med de store reklamer fløj forbi. Der var benzinstationen med gutterne med cowboyhatte, som sad og hang i grillbaren. De kørte og kørte. Nu skiftede landskabet fra det flade land til bjerge og fyrreskove.

Efter tre timers kørsel stod der et skilt. Wyoming. På skiltet var en cowboy på en stejlende hest. Bob råbte: »Yeeehaa, let her buck.« De holdt ved benzintanken i den lille støvede by Saratoga.

»Hold kæft, et sted,« hviskede Jacob. »Så du, der gik hunde på kirkegården og rodede? Se ham den gamle med hatten og det rynkede ansigt.« En gammel cowboy sad og tyggede tobak og sendte af og til en spytklat ud over verandaen på huset ved siden af benzintanken. Uden for cafeteriet stod der på et skilt, at man ikke var velkommen uden sko og skjorte.

»Vi bryder os ikke om hippietyper herude,« sagde Bob, da han så, de studerede skiltet. I byen hilste de høfligt og ærbødigt på Bob og tiltalte ham dr. Bryant. Han var stolt over, at Ane og Jacob lagde mærke til hans berømmelse og han lod, som om det var den naturligste ting af verden, at mændene rejste sig halvt op i sædet og lettede på cowboyhatten, da de gik ind i cafeteriet for at få en kop kaffe. Ane var den eneste kvinde, og mændene så væk i respekt for Bob.

»Det er den sidste by,« sagde Bob, da de kørte igen.

»Hvad mener du med den sidste by?«

»Ja, nu kører vi ind over prærien, og der er ikke flere byer, der er ingen mennesker, vi har 30 kilometer til nærmeste nabo. Vi har ingen telefon, kun en nødradio.«

Han svingede bilen ind på en grusvej, og til ære for Jacob kørte han den forlæns og baglæns op og ned ad skrænter, ind over vandhuller. Ane havde bestemt sig til at lade, som om det var helt normalt, når man var på skovtur. Men gang på gang blev hun klasket ned på sædet, så det gjorde ondt i hendes ryg.

»Var det nødvendigt at køre lige ned i det hul,« sagde hun. »Så vidt jeg kan se, er her plads nok.«

»Det er der, vejen går,« sagde han. De kom til et hegn. »I må stå ud og åbne leddet, så kører jeg igennem,« sagde han. Jacob snusede i luften.

»Her lugter af kolort, mor.«

»Ja, og dér kommer de væltende. Hun blev virkelig forskrækket, for over bakkekammen kom en hjord af langhornskvæg drønende, så støvet fløj om dem. Bob sad og morede sig over deres reaktion.

Jacob hviskede: »Mor, vi lader som ingenting, som om vi er vant til Texas-kvæg. De stopper nok op.« Kvægflokken satte klovene i jorden lige foran dem. De stod og brølede. De unge tyre sænkede hovederne.

»Kom ind, skynd jer. Det er ikke danske køer,« råbte Bob.

»Nåh, de ser da meget søde ud,« sagde Ane og Jacob og lo til hinanden. De hoppede op i bilen. Bob så på dem.

»I ved vist ikke noget om kvæg. De der unge tyre er ikke til at spøge med.«

»Hvorfor skulle vi så derud,« sagde Ane og børstede sin bluse af.

»Fordi det er konernes arbejde,« sagde Bob og stak en tandstikker i munden.

»Nåh, jamen så er det da godt, at jeg ikke er bange for tyre,« sagde hun smilende.

»Din mor er vist ikke bange for ret meget,« sagde Bob og smilede til Jacob.

»Åh jo, hun har sine fobier, men det opdager du nok.«

Ane var træt og øm i kroppen. Undervejs gennem terrænet så de et par små prærieulve, masser af harer og hjorte, som græssede i skovkanterne. Landskabet var vildt og smukt, og Rocky Mountains lå ude i horisonten. Der var ikke en bil, ikke et menneske. »Herude kan man trække vejret, ikke, Ann? Her valgte jeg at bygge min elskede hytte i den reneste luft ved den klareste bæk, i læ af en stor klippe. Vi er der om et kvarter. Jacob, hold øje med træerne, ser du noget blinke rødt, er det de katteøjer, jeg har sømmet på træerne. Når det er mørkt, bruger jeg dem til pejlemærke. Når billygterne spiller hen over træerne og rammer det røde blink, ved jeg, at det er her, jeg skal ind. Om vinteren kører jeg efter kompas, for når det er snestorm, kan man intet se herude. Sneen ligger fem meter højt, så stiller jeg bilen ved Silver Spur Ranch. Der står min sneplov, en lille bæltebil. Så hugger vi den fri for is, starter den og kører videre i sneen. Jeg er altid kommet herop. Men om vinteren har jeg snesko med; hvis det skulle ske, at bæltebilen ikke kan køre, så er det videre på snesko.«

»Hvorfor ikke ski?« spurgte Jacob.

»Sneen er for dyb. Vi kan først stå på ski, når der er lavet et spor. Wyomingsne er puddersne.«

»Katteøje!« råbte Jacob. Der var et glimt i træerne. Bob drejede bilen.

»Jacob, se dig hele tiden for, hold øje med solen, med træformationerne, du kan fare vild på fem minutter, og her er både bjørne og pumaer. Det er ikke som derhjemme i lille Danmark. Du skal også have jagtkniv med. Du får først lov at få pistol med, når du har lært at skyde.«

»Okay,« sagde Jacob. Ane og hendes søn vekslede blikke. Det her var for fantastisk. Hun havde aldrig forestillet sig, at de skulle så langt væk fra civilisationen, og hun var ikke helt sikker på, at hun ville nyde det.

De kørte ad en smal sti ind gennem den smukkeste fyrreskov. Grenene stødte mod vognen, stien var ganske smal. Fugle fløj op, og små egern pilede rundt på jorden. Det var tydeligt, at de ikke var vant til mennesker. Skoven var som fortryllet, og dyrene opførte sig fuldstændig, som om de medvirkede i en Walt Disney-film.

»Det her er virkelig underligt, synes du ikke, Jacob?« Han nikkede betaget.

»Dyrene har en helt anden adfærd.«

»Det er klart, de er amerikanere,« sagde Bob. To jordegern sad og klappede hinanden i hænderne.

»De har garanteret set det i fjernsynet,« lo Jacob. De store skader fløj rundt om bilen, og solen skinnede i deres lyseblå vingespejl.

»Her er vidunderligt, Bob,« sagde hun betaget.

Bob svingede bilen ind i en rydning. Dér lå hans hytte. En stor toetages hytte med svære bjælker. Der var en svalegang rundt om hele første sal. En grundmuret sokkel. Bag ved huset var klippen, som nærmest hældede ud over husets tag. Foran huset løb en klar bæk, og der var træer overalt. Det var en lysning i skoven, men der var alligevel mørkt, konstaterede Ane.

»Hvorfor har du bygget huset, der hvor klippen rager ud?«

»Fordi den skærmer os i de store storme. Ellers ville huset blæse væk.« Han tog Ane om skuldrene og Jacob om armen. Hans stemme rystede af bevægelse.

»Det her er mit paradis. Hver en bjælke, hver en sten har jeg båret herop på min ryg. Jeg har skovet pladsen helt alene. Ingen andre mennesker har hjulpet mig. Det er mit livsværk, og det er den største dag i dag, hvor jeg kan vise den til den kvinde, jeg elsker, og til dig Jacob, som nok vil få mange gode dage heroppe.«

De så sig omkring. Arbejdet måtte have taget flere år. Respektfuldt lagde Jacob hånden på de svære bjælker.

»Har du virkelig lavet alt selv, installationer og det hele.«

»Hver en centimeter,« sagde Bob stolt. Han gik op ad den høje trappe, åbnede bjælkedøren.

Ane holdt vejret. Måske var der lige så rædselsfuldt som i huset. Men nej. Her var møbler der passede, svære træborde, primitive enkle stole, et mexicansk tæppe hang ned fra første sal. Der var højt til loftet, mindst ti meter, og der hang et tov ned midt i stuen. »Det er til børnebørnene,« sagde han. Den store stue havde en kæmpe pejs, hvor han var ved at tænde op. Der var koldt i huset, selvom det havde været en varm sommer. Ovenpå var der fire værelser og et badeværelse. I kælderen var der et kæmpe lagerrum med hylder med dåsemad, te, kaffe, sukker, en hel forretning.

»Man kan sne inde i ugevis.«

De pakkede ud, og Ane gav sig til at lave mad og dække bord foran vinduet. De fik en velkrydret chili, som gav god varme, og kolde dåseøl. Mens de sad og så ud gennem det store vindue, kom en stor hind med sit kid.

»Hun skal hen og slikke på saltstenen, jeg har lagt ud til dem. Jeg skyder dem aldrig omkring huset, her er de fredet. I den første tid må du ikke gå ud alene, Jacob. Så går du sammen med din mor og mig. Du kender ikke færdselsreglerne her, dem skal jeg nok lære dig. I morgen går vi en lang tur. Vi skal op og se nogle hytter, der ligger oppe ved en gammel kobbermine. Jeg har hørt, at der engang boede skandinaviske pionerfamilier. Hvis du hører støj i løbet af natten, Jacob, så væk mig eller bliv i din seng. Bjørnene kan være ret nærgående. De vil gerne ind i kælderen og have lidt syltetøj, og når vi er her, prøver de altid et par gange.

Jacob gik i seng. Hans lange ben stak ud over den lille træseng. De sagde godnat til ham i døren, så gik de ud på svalegangen. Natten funklede af stjerner, skoven var så tæt, at fyrrenåleduften trængte ind i stuerne. Ude fra prærien bag skoven lød prærieulvenes hylen. Bob og

Ane stod tæt sammen, tavse og lykkelige. »Heroppe hersker en fred, der trænger ind og læger. Aldrig har jeg ønsket så meget, at tiden ville stå stille. Tak fordi du kom ind i mit liv, og tak fordi du kom den lange vej fra dit land for at leve sammen med mig.« Han kyssede hende og lagde beskyttende et tæppe over hende.

Klokken blev tre, inden de kom i seng. For de dansede tæt sammen til den svage knitrende countrymusik fra Saratogas radiostation, som sendte sine bedste hilsener til nattens lyttere.

Da de vågnede, stod solen lige på svalegangen, som løb rundt om hele huset i første sals højde. Ane og Jacob stod som blændede af lyset, for duggen sad i alle nåletræerne og i spindelvævene og blinkede som diamanter. Bob stod ved siden af dem, lænet op ad en af bjælkerne. Han stod der for at se deres ansigter, når de så al hans glans og herlighed denne morgen. Der var hængt en beholder med sukkersaft op under taget, og der var en sværm af kolibrier i alle mulige farver, som fløj rundt for at drikke af beholderen.

Når man kiggede ud over rækværket, så man de små jordegern lege. Hele tiden hørte man bækkens klukken. Himlen var stærk blå over de mørke, tætte fyrretræstoppe.

»Vi skal op på bjerget i dag, en lang vandretur. Når vi har spist morgenmad, går vi,« sagde Bob.

»Kan du tåle at gå langt?« spurgte Ane bekymret. »Hvis du bliver utilpas, kan vi jo ikke finde hjem, vi farer vild, og hvordan får vi så hentet hjælp?«

»Jeg troede, at jeg var verdensmester i bekymringer, men også her har jeg mødt min overmand,« lo han og begyndte at bære rygsække op fra kælderen.

De spiste morgenmad på terrassen. Cornflakes, røræg, bacon og koffeinfri kaffe. Langt væk lød en fjern støj som af en motorsav.

»Er der nogen, som fælder træer?« spurgte Jacob.

»Hvad hører du?« spurgte Bob og rejste sig hurtigt. »Min hørelse er nedsat.« Lyden kom nærmere. Bob sprang over bordet og løb ind og hentede sin riffel. Jacob og Ane så på hinanden.

»Hvad sker der?«

»Gå ind, det er krybskytter på hurtiggående motorcykler, de er inde over mit land. Det er forbudt.« Han gik hen til soveværelsevinduet med sin riffel og lagde den til kinden.

»Har du tænkt dig at skyde med skarpt efter dem? spurgte Ane.

»Der står »No Trespassing« på et skilt, og de er efter mit vildt, oven i købet på motorcykel. Det er dyrplageri og de jager vildtet bort; kommer de forbi, skyder jeg deres baghjul fladt.«

Jacob stod spændt og ventede på, at lyden kom nærmere.

»Det Vilde Vesten, hvad mor?« Pludselig kørte to hurtiggående lette sportsmotorcykler forbi i susende fart. Bob skød én gang. Der lød en fræsende lyd. Han vendte sig triumferende mod Jacob og Ane.

»Den sad. Lige i stellet regner jeg med.«

»Du kommer i spjældet,« sagde Ane. »Hvad nu hvis du har ramt én af dem? Synes du ikke, vi har nok i skilsmissesagen. Skal vi også i retten for mordforsøg?« Bob stod og morede sig og pudsede sin riffel.

»Hold kæft, hvor den sad. Det varer et stykke tid, før de svin jager på min grund igen.« Jacob og Ane vekslede blikke. »Nåh, nu skal vi ud og nyde naturen,« sagde Bob opstemt og tog en flaske sodavand og tømte den halvt.

De vandrede op ad stien med deres rygsække, kom op på et plateau og så ud over den pragtfulde udsigt med Elk Horn i baggrunden. Bob gik bagest med en tyk vandrestav. Han havde sin røde plastickasket på og i lommen havde han sin automatiske pistol.

»Vi kan risikere at komme i vejen for en bjørnemor med sin unge eller vi kan møde pumaer. Sker der noget, så går I om bag mig.«

»Der er sket rigeligt for mig denne her morgen,« sagde Ane forpustet. »Jeg har næsten ikke gået, men jeg er meget forpustet,« sagde hun. Jacob svedte også.

»Det er den tynde luft, det tager et par dage at vænne sig til den,«

sagde Bob. Han gik helt ud på den yderste klippe. En stor rangerover nærmede sig hytten.

»Nåh, vi får nok flere gæster,« sagde Bob.

Jacob sagde: »Jeg ved, hvem det er, ligesom på film. Det er sheriffen.« Anes hånd for op til halsen.

»Knægten har ret. Det er gode gamle sherif Jones. Jeg må hellere gå ned og tale med ham. I bliver her.« Ane og Jacob satte sig med benene hængende ud over klippen. De så Bob gå foroverbøjet på sine hjulede ben hen til den store bil. En ældre hvidhåret, stor mand med grå cowboyhat på strakte næven frem og slog Bob på skulderen. De talte lidt. Sheriffen skrev i en bog, så stak han på næven og kørte igen.

Bob stod lidt og så efter vognen. Da den var drejet om hjørnet, lavede han et par ballethop på vejen med armene oppe over hovedet og vinkede til de to skikkelser, der sad og kiggede ned oppe fra klippen.

Han kom forpustet op, satte sig på klippen.

»Hvad sagde sheriffen?« spurgte Ane. Hun var blevet helt bleg.

»De to forbrydere havde været nede og melde mig. De sagde, at jeg havde ramt deres motorcykel. Sheriffen spurgte dem, hvad de skulle på mit land. De sagde, at de var kommet til at køre forkert. Så undersøgte han deres udstyr og konfiskerede deres skydevåben.« Bob lagde sig ned og grinede.

»Han sagde til dem, at det ikke kunne være dr. Bryant, som havde skudt efter dem. Hvis det havde været tilfældet, ville de være døde på stedet, for dr. Bryant var Wyomings bedste skytte. Se, det er retfærdighed!« Bob lo, da han så Jacob og Anes ansigter.

»Vi er forargede, det skal du vide, Bob Bryant. Men vi er lettede over at være i så korrupt et land, at du ikke blev sat i spjældet,« sagde Ane, og de fortsatte op ad klippen ad den smalle bjergsti, som til sidst blev så ufremkommelig, at Bob måtte hugge sig frem mellem de tætte træer.

De gik tavse og forpustede i et par timer. Nu havde de ikke mere luft til at snakke med hinanden. Ane var urolig, hun syntes, Bob så bleg ud, skoven var tæt, og hvis der skete ham noget, ville de ikke ane, hvordan de skulle finde ned til hytten.

»Jeg vil ikke gå ret meget længere, Bob. Vi er for udmattede.«

»Der er kun et lille stykke vej endnu, så er vi fremme.« De fortsatte et stykke. Der var stille i skoven, ingen fuglesang. Over dem svævede et par store ørne, som de fik øje på, når der kom en lysning. Pludselig var de der, to små bloktræhuse i en lysning. Der lå gamle køkkensager rundt om. Husene var tomme, ruderne slået delvis ud. Men gårdspladsen og brønden var der.

»Man siger, at det var skandinaviske udvandrere, som boede her. De havde en kobbermine. Den ligger herhenne. Bob gik et stykke væk, skubbede nogle grene til side, skød en låge væk. De kiggede ned i et dybt sort hul, der førte ned til mineskakterne. Bob lyste med lygten, der hang en rådden stige langs væggen.

»Tør du gå med mig derned, Jacob?« spurgte han med spillende øjne.

»Aldrig i livet,« råbte Ane. »Aldrig. I kan vove på at gøre det, mens jeg står heroppe.« Hendes øjne lynede og hendes hjerte bankede.

»Nåh, den går nok ikke denne gang. Men en anden gang, Jacob, så skal du bare se. Men så tager vi en flagermuslygte med, det er bedre.« Ane var tavs og vred, det her var ved at blive for meget mandetur. Det endte galt, hvis han blev ved at vise sig for Jacob på den måde. Han havde åbenbart ingen grænser. Hun gik hen til ham.

»Du gør mig urolig, når du finder på sådan noget. Det her er farligt.« Jacob gik lidt væk, mens der var optræk til skænderi. Bob trak hende hen til mineskakten.

»Ja, ja, jeg ved det godt. Vi gør det heller ikke, vel? Men tag lige og se ned. Der er muligheder, ikke? Heroppe kommer der ikke et menneske!«

»Hvad mener du?« spurgte hun.

»Nåh, hvis ham Eileens advokat en dag kommer for at se hyttens herlighedsværdi, så kunne han komme til at fare vild i skoven. Sådan en bytøsedreng med skinger stemme farer vild, bare man drejer ham rundt en gang.« Ane rystede på hovedet.

»Westernsyndromet igen. Tror du ikke, politiet ville finde det lidt sært, hvis en advokat forsvandt sporløst, da han skulle vurdere en ejendom i en skilsmissesag? Er der ikke noget, der kunne tyde på, at du havde en finger med i spillet? Han ville måske også tage Eileen med herop!« Bobs øjne blev mørke. Han hviskede.

»Jeg får fat i ham en dag, det kan du tro. Om det så skal være min sidste gerning.« Han så som hypnotiseret ned i den mørke mineskakt. »Jeg har været nede i den masser af gange, jeg kender hver en krog. Den er dyb med en masse sidegange, nogle steder er der afstivning. Andre steder er den skvattet sammen.«

Ane så undersøgende på Bob. Det var ved at antage karakter af paranoia.

»Det er muligt, at du kunne overmande advokat Berger en sen aften, køre ham herop og smide ham i minen. Det tror jeg gerne. Men når han er forsvundet på mystisk vis, så tror jeg, hun engagerer en anden. Hvor mange har du tænkt dig at myrde?« Hun rystede på hovedet og gik over til de små hytter. Vinden var begyndt at suse i fyrretræerne. Skodderne i hytterne klaprede. Jacob gik rundt og rodede i de gamle køkkenredskaber. Ane så sig omkring. Her havde de levet med deres børn. I skoven var bjørne og pumaer. Der havde været vildt nok at skyde. Klart vand fra bækkene. Men ensomheden og det hårde liv. Den lange vej til Saratoga, når de skulle købe ind. For dem havde det været to dagsrejser med hest eller vogn.

»Boede de her også om vinteren?« spurgte hun Bob, der kom slentrende i dybe tanker. Han satte sig ned og pakkede et stykke chokolade ud og bed af det.

»Nej,« sagde han adspredt. »Om vinteren kan man ikke bo her. Her er 30 graders frost, og sneen dækker hytterne i hårde vintre. Jeg tror, de kørte ned i det lave land, når vinteren kom. Det vil jeg da håbe, de gjorde. Men de forlod minen. Jeg fandt en avis fra 1922 heroppe engang.

Jacob kom løbende med et lille stykke gulnet papir.

»Se, mor. Det var danskere! Det her er en opskrift på æbleskiver.« Med bleget sirlig skrift stod der: *Æbleskiver med Gjær: 1/2 Pot Melk sættes på Ilden tilligemed 12 Lod Smør, og når dette er smeltet, kommes det lidt efter lidt i 1 Pund Mel og slås meget godt med 6 Æg, dog kun 1 ad gangen, lidt reven Citronskal, 2 Spiseskefulde hvidt Sukker og tilsidst 2*

Lod Gjær, som er opløst i lidt lunken Melk. Det staar i en Krukke, som sættes tildækket et par timer ved varmen, for at Deigen kan hæves. Når Panden er hed, kommes lidt Smør i hvert Hul, der paa lidt Deig, hvori lægges lidt Æbler, og derpå lidt Deig ovenpaa. Når de ere brune på den ene side, vendes de med to Gafler. De holdes varme på Risten. Spises med Sukker paa. Ane læste opskriften højt på dansk og oversatte så. De stod tavse og så på hytterne. Bob tog Ane om skuldrene.

»Jeg synes, du skal love hende den danske kvinde, som boede her, at du går lige hjem og laver hendes æbleskiver.«

»Det gør jeg også, når mit køkkenudstyr kommer herover. Du har ingen æbleskivepande,« sagde Ane og lagde forsigtig sedlen i sin lomme.

»Nu går vi hjem. Det blæser op,« sagde Bob og gik foran gennem skoven. Af og til standsede han og pustede. Ane og Jacob så uroligt på hinanden.

»Sæt dig ned og tag et stykke chokolade. Det er nok dit blodsukker,« sagde Jacob beroligende. Bob satte sig, spiste et stykke chokolade og smilede trist til Jacob.

»Tak for rådet, doktor. Der var engang, hvor jeg kunne have løbet op og ned ad det her bjerg ti gange, knægt.« Han rejste sig og gik videre støttende sig til sin stok.

»Det bliver nu meget rart, når vi kan se hytten igen, ikke mor?« Jacob gik nu foran.

Efter to timers klatren ned ad bjerget kunne de se taget af hytten. Ane åndede lettet op. Hun var urolig. Det der skete, var uden for hendes kontrol. Hvordan ville han klare en skilsmissesag, når det virkelig gik for sig. De faldt om af træthed, da de kom ind i hytten. Ane gik ned i lageret og fandt en dåse suppe, som hun kom fløde og cognac i fra sit hemmelige lager i kufferten.

»Jeg kender ingen, der kan lave så vidunderlig mad af et par dåser,« sagde Bob tilfreds. »Du bruger altid et eller andet, jeg kan ikke finde ud af hvad er. Bagefter bliver jeg helt bedøvet. Jeg tror, jeg bliver nødt til at gå tidlig i seng. Jeg ville ellers have vist dig det fiskegrej vi skal bruge i morgen, Jacob.«

Han rejste sig, da han havde spist, så på Ane og sagde: »Du kommer også nu, ikke? Jeg kan ikke sove, hvis du ikke ligger ved siden af mig!«

»Jeg skal lige falde lidt til ro oven på dagens begivenheder,« sagde Ane. »Jeg har det, som om jeg har fået tyve kopper kaffe! Der er for meget adrenalin, som suser rundt i mig.«

Bob gik op. Ane stod sammen med Jacob og så ud ad vinduet. Jacob lagde armen om hende.

»Det går vildt for sig, hvad? Hold kæft en tur. Han er ikke ked af det? Tror du, han kunne finde på at smide advokaten i mineskakten?«

»Jeg ved det ikke, han er så barnlig. Han dagdrømmer og fortæller om alle sine drømme. Det kender jeg ikke andre, der gør.«

»Kommer du?« Bob stod oppe på trappen som et overtræt barn.

»Ja, nu kommer jeg,« sagde hun. Han lå og så ud ad vinduet. Det var klart måneskin. Fyrretræerne stod i skarp silhuet som i en billedbog.

»Det her er mit paradis. Kan du forstå, at jeg ikke kan miste det?« sagde han og holdt hendes hånd. »Her skal mine børn og børnebørn holde ferie, og de skal være stolte af mig, der har slæbt hver en bjælke og hamret hvert et søm i min hytte. Det her kan aldrig genskabes. Det er mit,« sagde han. Hun strøg ham over håret og holdt hans hånd. Lidt efter sov han tungt.

Den sidste nat de var i hytten, kom bjørnen. Ane var lige faldet i søvn, da hun hørte et brag udenfor. Hun for op, ruskede i Bob, der sov tungt. Jacob havde også hørt det. Han var på vej ud af sit værelse. Der lød et brag til, så en splintrende lyd. Bob for op.

»Den satan er ved at smadre døren. Om lidt er den inde.« Der lød en kradsen og et nyt brag. Jacob stod ved vinduet.

»Kan du se den?«

»Nej, den er lige herunder. Hvad hvis den kommer herop?« De så halvt gysende, halvt grinende på hinanden, det var for uvirkeligt. Alt, hvad der skete af underlige, fremmedartede ting havde en mærkelig virkning på dem. De havde endnu ikke vænnet sig til den amerikanske virkelighed.

»Du går ikke ud ad døren, du gør det ikke,« råbte Ane til Bob. Han vendte sig i døren.

»Går jeg ikke ud og skræmmer den bort med et par skud i røven, så kommer den herind, og den er ikke bare ude på at sidde på skødet og spise syltetøj. Det er en stor, grim dreng, kan jeg høre. Den er nok sine to meter, når den står oprejst.«

»Der hænger også en skyder dér, mor,« sagde Jacob.

»Så tag den,« sagde Ane. Hun så sig om efter et våben, hvis nu Bob endte som hakkekød. Jacob og Ane stod ved hvert sit vindue. Ane kunne mærke, at hendes tænder klaprede.

»De tror sgu ikke på det, når jeg kommer hjem,« lo Jacob blegt.

Bob stod ude på svalegangen. Han fyrede et skud af op i loftet. Bjørnen kom farende ud. Det var en kæmpe brun hanbjørn. Den rejste sig i sin fulde højde.

»Mand, den er større end mig,« hviskede Jacob. Den stod lidt og svajede med snerrende mund og tilbagekastet hoved, så faldt den ned på fire igen og luntede over mod skoven. Bob skød et par skud ved siden af den. Som om den vidste, at det ikke var jagtsæson for bjørne, havde den ikke særlig travlt, lavede oven i købet lidt ekstra sving med bagbenene, som om den klovnede lidt for galleriet.

Om morgenen beså de skaderne, et par planker i den svære kælderdør var slået ind. En honningbeholder for kolibrierne, som hang på et to meter højt stativ, var kvast sammen, som havde en kæmpe knust det mellem sine hænder. Jacob og Bob arbejdede med at udbedre skaderne. Bagefter øvede de sig på skydebanen. Der lød en ringen, når målskiverne kørte på plads, så kom skuddene.

Ane sad i gyngestolen med hænderne for ørerne og følte sig som nybyggerkone, mens hun læste i et varekatalog for Saratoga og omegn. Her kunne man bestille de sidste nye spinlenekjoler, både båndsave og motionsmaskiner. Hun tog den gamle æbleskiveopskrift frem og sad og kiggede på den.

»Det første, der skal sendes herover fra Danmark, er min æbleskive-pande, det lover jeg dig,« sagde hun og kiggede op ad bjerget, hvor den danske familie havde boet. Hun tænkte på konen. Det så ud, som om de havde måttet forlade deres hjem i hast. »Sikken et liv du har haft her. Men når du kunne, kan jeg vel også.«

KAPITEL 20

D E KØRTE TIL Fort Collins, dagen før Jacob skulle rejse hjem.
»Nu skal du se det universitet, du skal gå på. Et amerikansk universitet som Colorado State University er anderledes end et europæisk universitet,« forklarede Bob, mens han kørte den blå Ford ind på universitetets område. »Det koster en helvedes masse penge at gå på universitetet, og folk må selv betale. Det er ikke som hos jer, hvor staten betaler det meste. Forældrene knokler for at holde børnene på universitetet, og har man ikke forældre, som kan betale, må man arbejde ved siden af eller have sparet sammen forinden. Sport betyder alt. Er man god til en eller anden sportsgren, får man det nemmere. Disciplinen er streng; druk og stoffer, så er det ud. Vi uddanner mænd, ikke langhårede tøsedrenge,« sagde han og drejede skarpt ind foran sportspladsen.

Ane og Jacob kiggede andægtigt på bygningerne, de grønne plæner og de velholdte sportspladser. Pludselig begyndte de at grine.

»Bob, stop!« råbte Ane. »Se dér!« To unge splitternøgne mænd spillede frisbee og deres pikke hoppede rundt i luften ved hvert spring.

»Det må jeg nok sige, lige foran kulturens højborg. Kan du ikke se, de er nøgne,« lo hun.

»Vrøvl, de har bare lyse shorts på.« Han sagtnede farten og kiggede.

»Hvad helvede bilder de sig ind.« De to mænd fløj rundt med deres jesushår flagrende efter sig for at gribe den roterende frisbee. »Det må være vagabonder fra San Francisco eller et andet råddent sted. Det kan ikke være vores studenter.«

»De ligner skolelærere fra Århus,« grinede Jacob. Ane vendte sig drillende mod Bob.

»Hvis jeg var professor, ville jeg ikke finde mig i den slags, ikke på et universitet, hvor man uddanner mænd.«

»Mor, hvad er du ude på?« sagde Jacob på dansk. Bob for ud af bilen, gik hen mod dem. De stillede sig provokerende op med hænderne i siden. Bob greb den ene i armen.

»Lad være at slå, mand!« Bob viste ham sit ID-kort og bad dem øjeblikkeligt tage tøjet på. De to mænd satte sig ned.

»Rigtige gammeldags blomsterbørn,« lo Jacob. Ane og Jacob hang ud ad vinduet for at få det hele med.

Bob gik hen til deres tøjbunker, sparkede lidt i dem. De to mænd rørte sig ikke, de sad med hængende hoveder og håret ned foran ansigterne. En patruljevogn stoppede. To betjente slentrede over plænen. Blomsterbørnene sprang op og lignede en hurtigspillet stumfilm, tøjet fløj på dem.

Bob satte sig ind i bilen og et grumt smil bredte sig over hans ansigt.

»Gæt, hvilket fakultet de er indskrevet på efter sommerferien?«

»Dit,« råbte Ane og Jacob. Bob vendte sig mod Ane.

»Mærkeligt, så skarpt et syn du har for tissemænd!«

»Ja, jeg kender dem, når jeg ser dem,« grinede Ane.

Da de bar bagagen ind i huset på Stuart Street, vendte Ane sig mod Bob.

»Jeg kan godt forstå, hvad du mener med, at du trækker vejret friere oppe i hytten.« Hun trak persiennerne op i alle stuerne. Der lugtede af gammelt støv. Hun kunne næsten ikke bære at se på Jacob. Han rejste i morgen. Hun ville ikke få ham at se før om fire måneder. Hun ville komme til at savne sine sønner forfærdeligt. Det var anderledes, end hun havde troet. Det hus de boede i, var ikke hendes, det var en fremmed kvindes hjem. To mennesker havde levet et langt og mærkeligt liv sammen i det. Deres børn var vokset op i det hus. Værelserne stod, som om de var rejst i går.

De kørte Jacob til lufthavnen i Denver. Da han gik ud til gaten, brød hun grædende sammen. Bob vuggede hende trøstende i sine arme.

»Du skal ikke græde. Han vil altid komme tilbage. Amerika vil altid kalde på ham. Det kan jeg mærke. Han er også en mand nu og må forlade sin mor.«

»Han er en dreng. Hvordan skal han klare sig?« græd hun.

»Såh, det går godt med ham. Det er hårdt, det ved jeg godt, men nu er vi bare os to. Nu kommer hverdagen, hvor vi skal slås for vores lykke. Nu må du være stærk.«

Hun tørrede sine tårer og prøvede at svælge sorgen. Da de kom hjem, gik hun ovenpå og lagde sig på den duvende vandseng og foldede sine hænder og bad om kræfter til at klare det. Hun hørte hestene i folden vrinske og vidste, at han var på vej ud for at fodre dem. Telefonen ringede, hun tog den.

»Lede mær,« hviskede en kvindestemme og røret blev lagt på.

Deres hverdag begyndte, og efter et par uger levede de et fredeligt og muntert rutineliv, som om de havde været gift i mange år. De levede isoleret, så ingen mennesker. Ane nød det, hun skrev hver formiddag oppe på Cheryls værelse, hvor hun havde indrettet sig med et skrivebord. Hun trængte til isolationen og til at føle sig sammen med Bob helt alene for at trænge ind til ham, for at lære ham at kende. I de uger havde han skubbet alle ubehageligheder fra sig. Der var sat en dato i september, hvor skilsmissen kom for retten. Eileen ringede daglig, hvæsede en eller anden forbandelse eller kom med et religiøst citat, før hun lagde røret på.

Bob tog telefonen, lavede opgivende øjne og smilede skævt til Ane.

»Hej, Eileen,« sagde han og smækkede røret på. Han noterede antallet af opringninger ned med dato og klokkeslæt, som om han var på en detektivopgave.

Solen var ikke stået op, når Ane svingede benene ud. Hun lavede kaffe, som de drak i sengen, mens de sad og grinede af gårsdagens hændelser. »Vi har aldrig en morgen, som ikke begynder med latter,« sagde Bob og kyssede hende. »Det kan ikke blive sådan ved, det er unormalt,« lo hun. De havde grinet af hendes rolle som hjemmegående husmor. Kun én gang havde hun råbt op, fordi han efter en middag havde sendt hende ud i køkkenet for at hente en tandstikker. De fortalte hinanden om deres liv, hun fortalte om hovedpersonerne i hendes nye bog, og han kendte dem så godt, som var det hans egen familie. Han blandede sig i handlingen, gik ind i bogens mandlige personer og fortalte hende, hvad de tænkte, talte og følte. Med hensynsløs ærlighed fortalte han hende om sit liv, sin barndom, om Eileen og deres liv og om sine børn.

Hun fik altid et svar, uanset hvor tæt hun kom på.

»Hvis du havde mødt Cheryl, Robert og Eve til et selskab, hvad ville du så synes om dem?« spurgte hun for eksempel Bob.

»Jeg ville straks sætte mig og more mig sammen med Cheryl. Men jeg ville ærgre mig over, at den flotte pige med det skønne smil allerede var så fed, og så ville jeg spekulere over grunden til det. Om hun var ked af det. Hun bryder sig i alt fald ikke meget om sig selv, som hun har det nu, og jeg har på fornemmelsen, selvom jeg hader tanken, at hun ikke tager det så nøje, hvem hun går i seng med, bare det er en, der giver hende en kompliment. Det er synd, og jeg håber, hun engang finder ud af, hvem hun er. Det virker som om, der er så megen kærlighed i hende. Efter at jeg har truffet dig, og vi har diskuteret kvinders og mænds roller, tror jeg, at jeg har forventet noget af hende, hun slet ikke var. Jeg regnede med, at hun bare skulle giftes, have børn og måske tage en uddannelse, når de var blevet større.«

Han så på Ane for at få hendes godkendelse. Hun havde for længst vænnet sig til, at hun bare skulle skrue tiden 30 år tilbage, når de talte om kvindens rolle i samfundet. Det var dér, kvinderne i hans familie befandt sig. Det var dér, han havde holdt dem. Bob lænede sig tilbage i sengen og rakte kaffekoppen frem.

»Eve er en dame, og hun er modig. Hun er bidt af heste, hun slider hårdt i det, men hendes mand er en hård negl. Det kan godt være, at han elsker hende, det tror jeg, han gør. Men hun trænger så meget til et kærligt ord. Hun herser med ungerne og kræver kæft, trit og retning. Hun er hård over for dem, og de får tæv, hvis der er det mindste. Hun kunne godt falde for en anden end sin mand, en der kunne de rigtige ord, som fik hende til at folde sig ud. Jeg ser det hele, også pigernes fremtid. Det er med smerte, for jeg elsker dem.« Hun strøg hans hånd.

»Dine døtre skal nok klare sig. Det lyder, som om deres liv er hårdt nu. Når de finder sig selv og prøver tingene lidt af, bliver det nemmere. Jeg synes, det er et godt tegn, at du gerne ville tale med dine børn, hvis du ikke kendte dem og mødte dem tilfældigt.« Han nikkede.

»Det værste er, at Robert nok ikke vil tale med mig, hvis han møder mig til selskab. Det kan jeg også godt forstå. Hvis han nu rigtig kendte mig, så ville han måske godt. Men havde du ikke forklaret, hvordan han var, så ville jeg aldrig have kontaktet ham.«

»Tænk på alle de chancer du har nu for at lære ham at kende,« sagde Ane. Bob nikkede.

»Det er svært, vi er ligesom generte for hinanden, bange for at rive op i de gamle sår. Vores forhold er ikke afslappet endnu. Jeg er bange for at gå for tæt på ham. Er det ikke noget værre lort, jeg har lavet med den dreng?«

»Jo,« sagde Ane. Bob stod ud af sengen og sendte hende et skævt smil.

»Løber du med til morgen. Jeg må have alt det med børnene ud af kroppen.« De løb ud i den kølige morgen, det var halvmørkt endnu. Havevanderne var gået i gang i de pyntelige forhaver, der duftede af jasminer og fugtigt græs.

De løb ved siden af hinanden. Nu havde hun vænnet sig til den tynde luft.

»Du følger godt med nu, hvad?« Han var anstrengt.

»Ja, jeg kan både synge og fløjte, når vi løber,« sagde hun stolt. Han standsede brat op.

»Vi går hjem.« Hans humør havde skiftet, som havde man slukket for en kontakt. »Hvad er der?« spurgte hun bekymret. »Ingenting.« Han rystede sit tunge hoved, gik ind og smed sig ned i en stol.

»Om to måneder er du i bedre form end jeg. Du er ung, du har en stærk krop, og der skal ingenting til, så er du i topkondition og kan lave alt muligt. Med mig går det den anden vej, det kan jeg mærke. Jeg er spærret inde i en gammel krop. Mit hjerte er slidt. Jeg bliver bange, når jeg mærker og ser, hvor ung du er. Bange for at du vil forlade mig! Jeg satser alt på dig, hele mit liv, alt hvad jeg ejer og har. Tænk, hvis du ikke gider være gift med en gammel stodder, som måske får hjerteanfald og ikke kan trække vejret?«

Han var bleg og lænede sig frem mod hende. Hans pupiller var kulsorte. Ane blev urolig. Hun kom ingen vegne med bare at berolige ham med udenomssnak. Hun satte sig på skødet af ham, han tog ikke om hende. Hans ansigt var bare vendt imod hende, som ville han have det svar, han skulle kæmpe videre på. Pludselig følte hun, at det kunne hun ikke give ham.

»Bob, den tid vi har nu er så intens. Vi lever et helt langt ægteskab med den nærhed, vi har. Jeg er ikke sikker på, at du vil egne dig til at blive en rigtig gammel mand. Den dag du ikke kan konkurrere med dig selv hver dag med din sport, dit job, med dig selv som mand, vil du så leve og have det godt?«

»Hvis du siger nej til det, så synes jeg, du skal begynde at forberede dig på, at du og jeg kan have andre ting sammen end sport, hed sex og vilde oplevelser i naturen.«

Han rejste sig og råbte: »Jeg vidste det. Du vil ikke elske mig, når jeg bliver 80 år og besværlig.« Han for ud, smækkede døren i. Hun hørte, han startede bilen og kørte. Hun gav sig til at rydde op efter morgenmaden. Han så for første gang på sin egen angst. Hun led med ham, det gjorde ondt at se ham så desperat. Hun stod og så ned i affaldskværnen. Der var røget en teske derned. Han ville blive rasende, når han kom hjem. Hvis hun startede kværnen, ville den sige som Fred Flintstones opvaskemaskine. Hun prøvede at fiske skeen op, sukkede. Denne dag startede ikke godt.

Da klokken var ni, og det var blevet lyst, besluttede hun at køre ned i supermarkedet for at møde nogle mennesker. Nu kunne de ikke længere være på deres øde ø. Bob måtte væk fra sine tunge tanker, og hun trængte også selv til at komme lidt ud af husmorrollen og mærke, hvem hun var.

Hun klædte sig omhyggeligt på i hvid silkekjole, stod på tæer foran garderobeskabet for at få fat i sin store beige stråhat. Hun bandt et hvidt chiffonbånd om den og gik ud og startede sin lille hvide Honda. Hun var stolt af den, fordi hun havde købt den for sine egne penge. Bob havde gerne villet forære hende den, men hun sagde nej, og han var målløs over at have en kone, som selv havde penge til at købe bil for, men hun forstod også, at da hun selv havde købt sin bil, havde hun taget et yndlingsemne fra ham. Der var ikke grænser for, hvad amerikanske mænd kunne fortælle om prisen på deres kones bil, og hvorledes konerne ødelagde dem.

Der var to indkøbscentre i Fort Collins. Et for almindelige mennesker, og ét for de rige. I det elegante supermarked i Fort Collins var luften kølig. Airconditionvifterne kørte. Der var ingen høje, råbende stemmer, klassisk og blid musik spillede i modeforretningerne, hvor nøjagtige kopier af Alexis og Krystle ekspederede.

Det var en uvirkelig fornemmelse at gå alene i det elegante center. De amerikanske ekspeditricer levede i en kvindeverden, hvor de stod som svajende prægtige søanemoner og sendte deres føletråde lokkende ud til kunderne. Ane kunne mærke, de undersøgte hende, studerede hendes europæiske egenart. De sugede hende ind for at lokke en hemmelighed ud af hende, som de kunne bruge i deres eget liv. De var ude på noget bag de smilende øjne og bronzerede amerikanske munde med den attraktive buttede underlæbe og perletænderne.

Ane gik ind i Neimann Marcus-forretningen. Her var konfektionsdragter i de skønneste stoffer, der sad som støbt, raffinerede kjoler og tilbehør, som var overdådigt smart uden at være vulgært. Hun havde endnu ikke set nogen i Fort Collins, som så sådan ud. Men de måtte være her, for her var forretningen.

En smuk dame i tresserne i lyseblå dragt og med tykt, velklippet hår stod og kiggede på nogle tasker. Hun lyste op i et smil, da hun så Ane, spontant med tydelig overklasse Boston-accent sagde hun: »Hvor er den hat bedårende!« Hun havde et yndigt ansigt, solbrændt. Hun havde stil, var elegant i tøjet. Ane takkede for komplimenten, og på ti minutter havde de udvekslet amerikanske hilsner.

Damen hed Mary Sinclair og var enke efter en senator i Colorado.

Han havde også været advokat og haft visse problemer med alkohol. Nu boede Mary Sinclair i et yndigt hus, havde en yndig datter, en acceptabel svigersøn, ikke det helt rigtige, men dog nogenlunde tilfredsstillende, og hun havde de mest henrivende børnebørn, som elskede deres mormor. Derudover spillede hun golf og bridge og havde en hærskare af veninder blandt Fort Collins society, og nu glædede hun sig til at præsentere Ane for pigerne, for hun havde selv nydt så megen gæstfrihed i Europa.

Alt dette fortalte hun Ane på et kvarter over et stykke chokoladetærte og et glas iste i centerets bedste cafe. Ane nød hvert minut med Mary, der også præsenterede hende for en lækker citrontærte med marengs, let som en sky. Det var som at få et skumbad efter at have været i westernmandeverdenen i en måned. Der havde simpelthen været for meget omklædningsrum, boksebolde, revolvere, jagtture og mandehørm.

Efter at have udvekslet visitkort med Mary Sinclair gik Ane opløftet videre. Inden hun kørte hjem, købte hun en rustfarvet dragt med matchende silkebluse til et par tusinde kroner. Med den i en imponerende emballage kørte hun hjem med en stolt fornemmelse over at være en kvinde, der aldrig kunne lade sig æde råt af en mand, selv ikke én hun elskede overalt på jorden.

Ane stod i den halvtomme dagligstue og kiggede ud ad vinduet. Bob plejede altid at komme præcis, når han havde været i træningscenteret på universitetet. Hun smilede. Der kom den blå Ford kørende, Bob svingede ind i garagen, smækkede døren. Hun gik lidt om bag gardinet og iagttog ham. Han sendte et hurtigt blik mod vinduet og gik langsomt mod hoveddøren. Han lignede en tvær dreng, der skulle ind til en skideballe. Hun åbnede døren, og hun kunne se, at han havde svært ved at finde en attitude, som passede til situationen. Han havde ikke lyst til at være sur mere, men det var alligevel for meget at bøje af, for han mente, at han var i sin gode ret til at være såret. Ane så leende på ham.

»Jeg synes, jeg kender det ansigt, men hvad ser jeg, surmulemund! Jeg synes, det ser ud, som om du ikke kan lade være at grine. Hvis du gør det, taber du komplet ansigt. Jeg advarer dig mod at grine. Jeg har overhovedet ingen respekt for dårligt skuespil.« Hans øjne begyndte at le, og han trak hende ind til sig. Han kyssede hende.

»Det har været en forfærdelig dag, fordi jeg gik fra dig på den måde. Men jeg blev så såret, så bange for vores fremtid. Somme tider har jeg svært ved at holde kursen. Det nager mig, at Eileen ikke har ringet i en uge nu. Hun har heller ikke skrevet breve til klinikken, som hun plejer. Der er komplet tavshed. Har du lagt mærke til det? Det foruroliger mig. Hun pønser på noget sammen med ham Phil Berger. Jeg har forhørt mig om ham. Han er en lille ambitiøs stodder, som opererer med fraskilte velhavende damer. Han sidder i menighedsrådet i Den presbyterianske Kirke, kan du ikke lige se ham med hovedet på skrå og hans lille irriterende overskæg. Jeg vil vædde på, at han i den grad har fået Eileen på krogen. Jeg kan mærke, hvad han er ude efter! Hytten! Den er guld værd på grund af beliggenheden. Der bliver ikke bygget flere jagthytter i den egn, miljøfolkene freder det hele.«

Han sank ned i sin plasticlænestol, fodstykket svippede op automatisk. Han så udmattet ud.

»Nu får du en drink, og så skal jeg vise dig noget,« sagde hun opmuntrende. Gik ud i køkkenet, fandt whiskyflasken frem, kom is i glasset og tømte pulveret med manhattanmiks ned i glasset. Han var ikke vant til spiritus, men nogle gange blev hun nødt til at poste på ham for at få ham ud af de kamp- og hadecirkler, der var begyndt at køre rundt i hans hjerne.

I timevis kunne han tale om, hvad han ville gøre af morderiske ting, hvis Phil Berger nærmede sig jagthytten med sin liste og sin spidsede blyant. Hun kom en skefuld sukker i drinken, ellers ville han nok ikke skylle den ned. Hun åbnede glasset med de røde cocktailbær med stilk, de duftede mandelagtigt. Ane hældte drinken ned i Bobs cocktailglas, som var dekoreret med hawaiipige og palme.

»Her, skat. Nu tager du bare den drink, og så skal du se modeopvisning om lidt. Spil noget god musik.« Han smilede forelsket til hende, skubbede sine mokkasiner af, tog en slurk og fandt musikstationen på radioen.

»Mit hjem er mit slot. Jeg elsker dig, skål,« råbte han. »Hvornår kommer du? Er det nyt undertøj?«

Hun kom gående ind i sin dyre dragt med Neimann Marcus-posen svingende i hånden. Han sad som lammet, så fik han tårer i øjnene.

»Sådan, lige præcis sådan har jeg altid ønsket, min kone skulle se ud. Jeg ved, at den dragt har kostet en helvedes masse penge. Den er smuk, og du ligner en halv million. Men den er hver eneste krone værd. Eileen ofrede aldrig noget på sig selv, hun troede, det glædede mig, at hun var så sparsommelig.«

»Jeg betaler selv mit tøj og min bil,« sagde Ane og satte sig på skødet af ham.

»Nej, jeg betaler min kones tøj. Du kan betale frisøren,« lo han og følte på stoffet på den fine dragt.

»Jeg har også fået en ny veninde. Hun hedder Mary Sinclair og jeg skal til frokost med hende på onsdag i mormoncafeen.« Han fik drinken forkert i halsen, lo og spyttede kirsebærret ud på bakkebordet.

»Det er løgn. Mary Sinclair. Er du klar over, at hun er super overklasse? Hun er den førende dame i byen. Gad vide, hvorfor hun vil tale med en falden kvinde?«

»Det ved jeg da ikke. Jeg sagde, at jeg boede hos professor Bryant, og hun sagde, at hun vist nok havde hørt om dig.«

»Åh, det er morsomt. Når hun finder ud af det, kaster hun sten på dig. Hendes mand var enormt rig, advokat, men han drak sig ihjel. Han var også senator på et vist tidspunkt. Hun er vanvittig fin, religiøs og sporty. Hun gør alt det rigtige og er formand for alle komiteer. Hun er idealet for mange af de fine damer, men hun er utrolig selektiv. Det er kun toppen, der kommer i hendes hjem. Hvad vil du sige til hende?«

»Sandheden naturligvis. Du skal ikke bilde mig ind, at vi er det eneste par i Fort Collins, der bor sammen uden at være gift.« Bob så alvorligt ned i sin drink og stillede den på bordet.

»Jo, vi er de eneste på mit alderstrin og i min position. Jeg har i virkeligheden tænkt på, at det måske er bedst for din skyld, for dit rygte, at du rejser til Danmark, indtil skilsmissen er i orden. Han tog hende ind til sig og holdt hende fast.

»Men jeg kan ikke være alene mere. Jeg bliver deprimeret og kan ikke overskue noget som helst. Jeg har de værste tanker, og de er ved at få overtaget. Jeg er bange for mig selv, bange for hvad jeg kan finde på. Det kører hele dagen med tankemylder, hadetanker. Jeg har ingen hæmninger længere. Det er som en gift, der langsomt breder sig i kroppen på mig. I dag var jeg så urolig over, at jeg ikke havde hørt fra hende. Jeg var ved at køre hen til hendes lejlighed for at se hende, tale med hende, skændes med hende. Jeg kan ikke holde den stilhed ud!« Ane strøg ham over det hvide tykke hår.

»Bob, det er advokatens taktik. I morgen ringer du til din advokat. Du fortæller ham, hvordan du har det, og du gør nøjagtig, hvad han siger.« Han lo skævt.

»Jeg kan sgu da ikke sige til ham, hvad jeg tænker, for så tilkalder han politiet med det samme.« Hun tog om hans ansigt og så ham lige i øjnene.

»Så sig til mig, hvad du tænker?« Han holdt hende hårdt om skuldrene, og han hviskede: »Jeg ved, jeg har tvangstanker, ved du hvad min tvangstanke er? Lykken. Jeg vil have lykken sammen med dig. Men jeg ved, at prisen bliver det kæreste jeg ejer, min jagthytte, mit sted, mit livsværk.« Hun lagde kinden mod hans.

»Det er dit job, der er dit livsværk! Huse, biler, penge kan man tåle at miste!« Han rystede på hovedet.

»Den hytte er min identitet. Jeg håber, at min søn engang vil forstå mig. Børnene skal arve hytten. Jeg foreslog min advokat, at den kunne laves til en fond. Så kunne vi alle sammen have glæde af den, også Eileen. Vi kunne dele året op i perioder. Han syntes, det var en strålende ide og skrev det til ham den lille slimede røvslikker Phil Berger. Men jeg har ikke hørt et ord.« En åre stod frem i hans venstre tinding i den blanke solbrændte hud, hun kunne se hans puls.

»Du må tage noget beroligende, nogle nervepiller af en eller anden slags.«

»Det gør jeg, for fanden. Jeg har aldrig ædt det lort før, men jeg tager så mange, at jeg dårligt kan cykle.«

»Og alligevel er du i gang med boksebolden, maskinerne i træningscentret og løber tre kilometer om morgenen.« Hun rejste sig. »Bob, det her går ikke. Vi må væk, mens det står på. Det er sejt. Det er skyttegravskrig.« Han gik hen til hende.

»Lad os gå i seng og elske. Jeg må have de spændinger ud af kroppen, giften har bredt.« Han smilede ulykkeligt. Hun begyndte at klæde ham af, kyssede ham og skubbede ham ned på Roberts seng i det gamle drengeværelse.

»Ja, sådan Florence Nightingale! De er inde på det rigtige, søster,« mumlede han tilfreds under hende. Hun satte sig over ham. De elskede vildt, så sveden haglede. Hun drev ham videre, videre mod orgasmen, som om hun kæmpede mod de dæmoner, der havde besat ham.

»Eksorcisme,« stønnede han. Han nærmerede sig højdepunktet, Ane holdt sit ansigt ned til hans og hviskede: »Slip det, giv slip! Hvad er dine værste tanker?« Han kom med et brøl og råbte: »Minen, kobberminen.« De lå tavse ved siden af hinanden. Han lå med ansigtet mod hendes skulder.

Klokken elleve næste dag ringede hun til Bobs advokat, Ralph Harden.

»Jeg ved ikke, hvad jeg skal gøre, jeg er bange for, at han kan finde på alt muligt i sin nuværende tilstand.« Der blev en pause i telefonen. Ralph Harden var en af byens mest ansete og dyreste advokater. Men fra hun så ham første gang, kunne hun lide ham. En rolig mand, en fair mand, urokkelig med en god moral.

»Jeg er bekymret for Bob. Han gør lige det modsatte af, hvad jeg beder ham om i øjeblikket. Det vanskeliggør kommunikationen med Eileen og hendes advokat. Jeg forudser nogle problemer. Jeg plejer ikke at diskutere mine klienter med andre. Men der er noget, jeg ikke bryder mig om her. Jeg nævner selvfølgelig ikke, at du har ringet. Jeg ringer til Bob i dag og beder ham komme til et møde.«

Da hun havde talt med advokaten, ringede hun sin mor op.

»Jeg kommer hjem engang i september. Jeg rejser, inden skilsmisse-sagen skal for. Jeg tror, det er bedst. Har du det godt, mor?«

»Jeg har fået nogle nye piller,« sagde Jonna. »Mod blodtrykket, jeg kan ikke tåle dem, jeg bliver svimmel. Så jeg har ikke taget dem et stykke tid. Men jeg får hele tiden næseblod, og lægen sagde, at der var et eller andet med mine øjne på grund af blodtrykket. Det var så højt.«

»Hvor højt?« spurgte Ane bekymret.

»Det er jo lige meget, jeg glæder mig bare, til du kommer hjem. Går det godt?«

»Der er problemer med bodelingen og skilsmissen.« Jonna sukkede.

»Ja, bare du ikke skal vente i syv år med at blive gift, sådan som jeg måtte, bare fordi din fars ekskone trak det ud hele tiden. Ja, du var tre år, og jeg ventede din bror. Det var ikke nemt for bedstefar, der var indremissionsk.«

»Kunne man virkelig trække det ud i syv år dengang?«

»Ja, det kunne man. Min stakkels pige, jeg ved, hvordan det er. Et frygteligt nervepres. Men jeg spurgte aldrig far om skilsmissen. Det ord kom ikke over mine læber, for han kæmpede så hårdt selv, og han skulle ikke også presses af mig,« sagde Jonna stolt.

»Det var flot, du kunne gennemføre det,« sagde Ane.

»Jeg er jo vestjyde,« lo hendes mor. »Men vi levede da lykkeligt i 33 år med hinanden, og far var 21 år ældre end jeg, så det kommer du nok også til,« tilføjede hun trøstende.

Ane græd stille, da hun hørte sin mors trygge stemme. Hun var så langt væk. Hun havde altid følt sig så anderledes end sin mor, men nu følte hun, at hun hentede tryghed og kræfter hos hende til at stå ved sin mands side og slås for ham. Om aftenen fortalte hun Bob om sin mors og sin fars kamp og om samtalen med Jonna.

»Syv år,« stønnede han. »Det klarer jeg aldrig. Her skal der gå et år, hvis den anden part modsætter sig skilsmissen, så bliver man skilt ved dom. Men herovre er der ingen af parterne, der vinder en skilsmissesag. Det er kun advokaterne.« Han sukkede og skruede om på sit fodbold-program.

»Jeg har været naiv. Ralph Harden fortalte mig i dag, hvordan det foregår. Jeg er bare en marionet. De andre trækker i snorene. Ingen afgørelse ligger i min hånd. Jeg er umyndiggjort.« Hun betragtede ham alvorligt, han tog hendes hånd.

»Ser du, elskede. Mig kan man ikke umyndiggøre. Jeg har altid gået mine egne veje og har altid selv taget de tæsk eller betalt de regninger, der kom.«

KAPITEL 21

MARY SINCLAIRS HUS lå i et eksklusivt kvarter. Ane havde ventet en villa med søjler foran i hvidt træ i klassisk amerikansk stil, men huset var et lille raffineret brunt træhus med hvidmalede vinduer. Foran strakte sig en blød plæne så tæt som en golfgreen lige ned til en sø. Haven var som engelske landsbyhaver, frodige roser, lavendler og staudebede som tykke blomsterpuder sat sammen i pasteller.

Mary stod i døren i syrenfarvet råsilkebuksedragt, der passede perfekt til hendes korte, stålgrå hår. Mary Sinclair havde med omhu iscenesat sit enkesæde. Det var en vidunderlig ramme til en smuk dame. Det var så tydeligt, at dette hus og denne indretning havde Mary Sinclair drømt om, når den tidligere senator bundede whiskyflasken. Det var et damehus, hvor ethvert minde fra tiden med senatoren var som blæst bort med sommervinden ud over søen.

På trappegangen hang sølvrammer med billeder af børnebørnene og den smukke, veltrænede datter, på hvis ansigt man kunne se et svagt aftryk af senatoren. Det måtte være fra ham, hun havde de sorte, tætte øjenbryn og den stædige kæbe. Datteren var mere maskulin end sin mor, amerikansk topsportspige med brede skuldre og en stærk muskuløs krop. Hun var fotograferet til tenniskampe, på ski i Rocky Mountains.

Ane gik beundrende fra rum til rum. Det var en overraskelse. Hun havde aldrig set så smagfuldt et amerikansk hjem. Mary lo.

»Vi bor ikke alle sammen, som du ser i tv-serierne.« Ane vendte sig.

»Mary, jeg bor ikke engang som Laura i det lille hus på prærien. Jeg bor som brødrene Cartwright, når der lige har været slagsmål i huset!« Hun så sig omkring. Væggene var holdt i lyse pastelfarver, møblerne var komfortable, der var store pragtfulde chintzsofaer, hvide bløde gulvtæpper uden en eneste plet, antikviteter og lamper. Præcist og smagfuldt.

Mary kom med en kande iste og små hjemmebagte kager. De satte sig ud på terrassen med udsigt til søen.

»Bor professor Bryant og hans kone som brødrene Cartwright?« lo hun og så spørgende på Ane. Ane bestemte sig til at fyre sandheden af, så måtte Mary besvime og lavendelbedene visne. Hun ville ønske, at hun havde haft en stiv whisky i stedet for isteen.

»Jeg bor ikke hos doktor Bryant som hans gæst. Jeg er doktor Bryants tilkommende. Vi ligger i skilsmisseforhandlinger i øjeblikket, og jeg rejser mellem Danmark og Colorado. Mrs. Bryant bor i en lejlighed. Når boet er delt, skal huset sælges, og dr. Bryant og jeg skal indrette et nyt.« Ane rørte lidt rundt og så på Mary Sinclair.

»Det var en overraskelse. Jamen, han er jo meget ældre end du. Det må da mindst være tyve år. Jeg har set hans kone et par gange i kirken, dengang børnene var små. Min Caroline gik i klasse med Cheryl. Jeg kan huske, at jeg syntes, at mrs. Bryant var meget mærkelig, sky og lidt fyldig måske. Ikke en af os, hvis du forstår, hvad jeg mener?« Mary fnisede som en ung pige.

»Er du sikker på, at du har tænkt dig om. Jeg vil ikke umiddelbart tro, at han er en mand for dig. Det bliver i alt fald et meget hårdt arbejde at få ham op på dit niveau. Han er jo en brydertype, en rodeomand. Alle fortæller historier om ham. Ja, du må undskylde, men jeg siger tingene ligeud, min søde pige. Du har vel ingen her, ingen som kender forholdene, du kan ty til, og da jeg så dig i supermarkedet, vidste jeg lige med det samme, at du ville være en god veninde. Det der med doktor Bryant og hans mærkelige hus, det kan vi altså ikke have. Boede du her og var en af os, ville du aldrig have set efter ham. Forstår du det?«

»Mary, jeg elsker ham!« sagde Ane og så hende lige i øjnene.

»Nej, det er ikke muligt. Skønheden og udyret,« hvinede Mary og viftede sig med kniplingsservietten.

»Hvad er det for historier, man fortæller om ham?« spurgte Ane.

Hun var lettet. Hun var på hjemmebane. Mary Sinclair havde så megen humor og var hævet over småborgerligheden. Hun betragtede nu Ane som den lille skrigende blondine i King Kongs store hånd.

»Han er en ener, en særling, han blander sig aldrig med nogen. Han er ikke medlem af en loge. Hans position som international anerkendt professor berettiger ham til at omgås society. Men man kan ikke være bekendt at have Bryants med. Alene er Bob Bryant charmerende, men anderledes! Han skal altid provokere og lave drengestreger. Han skammer sig over konen, som står og trykker sig i et hjørne, hun er rædselsfuld genert og klæber sig til ham hele tiden. Vi har altid talt om, at han nok lukkede hende inde. Pigerne vakte opsigt, fordi de var så smukke. Sønnen havde de problemer med, han flippede ud og legede hippie. Men Bob Bryant har aldrig været en, vi beskæftigede os med. Vi vidste bare, hvem han var, og at han var en rigtig westernmand. Der har været nogle skandaler på universitetet, hvor han har truet studenterne, ja, gået over stregen. Og så hans hypnoseshows! Han fik studenterne til at gøre de mest ydmygende ting. Men de kunne ikke standse showene, de var populære hos studenterne, og de skrev under på, at de medvirkede frivilligt. Altså, kære Ann, han er en af originalerne i byen, og jeg må sige, at jeg er chokeret.«

»Jeg elsker ham.«

»Jeg har aldrig hørt noget lignende. Man skulle tro, at du tog stoffer!« Mary Sinclair strakte benene foran sig og lo.

»Han er anderledes, end du tror, Mary. Han er en gammeldags riddertype. Han kender ikke til svig. Jeg er hans store kærlighed, og han vil gå gennem ild og vand for mig. Jeg har aldrig oplevet et menneske, som giver i den grad. Han interesserer sig mere for mine to sønner, end mine mænd nogensinde har gjort. Han går med ildsjæl op i alt, hvad jeg foretager mig og tænker. Han støtter mig i mit arbejde, han tror på mig som journalist og som forfatter. Han giver mig selvtillid, så jeg kan klare alting, og han ser op til mig som kvinde, så jeg bliver et bedre og kærligere menneske, end jeg er i virkeligheden.«

»Det er det underligste, jeg har hørt. Er du helt sikker på, at det ikke er en psykose, du har fået? Hans skilsmisse bliver ikke let. Min mand var advokat, en dygtig advokat, før han blev senator, og spiritussen formørkede hans hjerne. Jeg fulgte med i hans arbejde, så meget man nu gør som kone. Jeg ved, at Eileen vil gøre alt for at holde på ham. Hun vil hellere have ham død end dele ham med nogen. Hun vil gå linen ud. I virkeligheden er hun ligeglad med pengene. Hun vil bare bevare sin ægteskabelige position som mrs. Bryant. Hun har ikke andet, ellers er hun fortabt. Vil du høre et godt råd? Rejs hjem til Europa, indtil det er overstået. Lad gå et par måneder, så folk tror, at han har mødt dig efter skilsmissen. Det vil forandre hele din situation. Når en mand med hans temperament bliver jagtet rundt i arenaen af advokaterne, vil han ikke være rar at være i nærheden af. Jeg er virkelig bekymret for dig, kære Ann. Jeg tror ikke, du er naiv. Men det her er ikke Europa. Vi er i USA, og denne lille universitetsby, som næsten ingen kender, er en af de sidste bastioner, hvor et 32-årigt ægteskab betyder noget. Man bliver betragtet som en slags desertør, hvis man vil skilles efter så mange år.«

»Jeg ved, du har ret i alt, hvad du siger, Mary. Jeg er selv dybt bekymret over, hvordan han vil klare den skilsmissesag. Men jeg har svært ved at forlade ham nu for at vende tilbage senere. Jeg kan næsten ikke bære at se ham så alene, så forvirret, så modløs. Han er ensom. Han har ikke en eneste ven. Ingen at tale med, selv om børnene ikke er imod ham. De forholder sig bare afventende og kan naturligvis ikke støtte ham nu. Jeg så ham for et par måneder siden, da han havde været alene to måneder. Han havde glemt at spise, han var afkræftet, og han havde haft en blodprop i hjertet.«

»Ann, det bliver værre og værre. Jeg tror, at jeg kommer og besøger jer i næste uge, så håber jeg, at Bob er hjemme. Jeg vil gerne tale med ham. Jeg er meget religiøs, og jeg føler, at Gud beder mig vejlede dig.«

Ane så overrasket på hende. Hun havde ikke ventet, at Gud pludselig var med til iste på terrassen. Hun havde næsten glemt, at hun var i USA, mens Mary talte. Men nu var hun på plads igen, og Gud var med som byens bedste socialrådgiver. Mary tog sin lille læderkalender og sin guldpen. Hun slog op.

»Jeg kan komme på onsdag til frokost. Kommer han hjem til frokost fra universitetet?« Ane nikkede.

De talte ikke mere om Bob, og resten af dagen gik Ane på opdagelse i Marys univers. Det var som en herlig pigefødselsdag. Hun så Marys opskriftbøger, der var ført som en logbog med den sirligste skrift. Der stod om alle de selskaber, hun havde haft, hvad gæsterne havde fået at spise, så hun aldrig serverede det samme igen, farven på dugen var noteret ned, på dekorationerne, navne på kokke, tjenere og stuepiger. Hun så familiealbums med billeder af Marys stilige familie.

»Hvordan var dit liv med ham?« spurgte Ane og så på billedet af senatoren fra hans velmagtsdage, en magtfuld, smuk mand.

»Et liv i faser. Først kærlighed, genspejlingen. Vi var et smukt par, stolte af hinanden. Da vi havde været gift i femten år, kedede jeg ham. Han kedede også mig. Jeg trak mig væk fra ham med vores datter. Han skulle ikke ødelægge hendes barndom med sit drikkeri. Vi prøvede at skjule det. Men alle vidste det. Han var helt hæmningsløs til sidst, satte alt over styr. Det var ikke almindeligt selskabsdrikkeri. Han var virkelig dranker, en syg mand. Vi levede hver vores liv. Jeg vidste, at hvis bare jeg holdt ud, skulle Caroline og jeg nok klare det. Jeg tog hans drikkeri som en uhelbredelig sygdom og passede på ikke at blive afhængig af ulykken. Der var alt, hvad der følger med, når man er gift med en dranker. Vold, ydmygelser, sexchikane, angst, løgne og håb. Men Gud var med mig hver dag.«

Ane kom sent hjemme. Hun kom næsten samtidig med, at Bob kørte ind i garagen. Bob nærmest løb ind fra bilen, løftede hende op i luften.

»Fortæl, fortæl for satan.«

»Jeg siger ikke et ord, før vi sidder til bords.« Bob smed sig i stolen, og Ane gjorde maden klar. Kyllingesalat, hjemmebagt brød og store majskolber med rørt smør.

»Jeg har glædet mig hele dagen til at høre om din frokost hos Mary

Sinclair. Fortæl mig alt, lige fra starten,« sagde Bob med strålende øjne og sit værste smil. Han lavede en nøjagtig parodi på Mary, mens han spiste sin kylling. Ane lo.

»Hun kan ikke lide mig, vel?« Ane rystede på hovedet.

»Hun kommer på onsdag. Hun vil gerne tale med dig.« Han lænede sig tilbage i stolen og grinede.

»Jeg vidste det. Hun vil høre, om jeg har reelle hensigter. Hvor jeg glæder mig. Hvorfor tror du, hendes mand drak? Fordi hun frøs ham til is. Hun har de mest sammenknebne lår, jeg nogensinde har set. Hvad ved hun om kærlighed og følelser. Åh, det bliver skønt at se gamle Mary sidde som en klat smør på en varm stegepande og udspørge Bob om hans moral.«

»Skal jeg aflyse det?« spurgte Ane.

»Aldrig, aldrig. Jeg vil ikke gå glip af et eneste minut af hendes besøg, og jeg synes, det er fint, at byens førende dame er min kones veninde.«

»Hun er virkelig velbegavet.«

»Hun er ude på ballade. Hun vil sætte dig op mod mig. Men det kan hun ikke. Det er det, der bliver det morsomme. Et lille skuespil, en lille fægtekamp med det society, som altid har smækket døren i hovedet på mig. Jeg ser for mig, hvordan det bliver, når vi er blevet gift. Mit liv bliver en endeløs vandring til cocktailparties og selskaber. Men det er godt, skat, bare gå til den, jeg er stolt af dig. Hvor vil det ærgre Eileen. Men alle de steder vi kommer, lover vi hinanden aldrig at forlade et selskab uden at have rakket Phil Berger ned. Jeg skal ødelægge den mands liv!« sagde Bob og hakkede sin gaffel tværs igennem et stykke kyllingebryst.

Ane havde gjort, hvad hun kunne for at gøre huset nogenlunde klar til Mary Sinclairs visit. Hun stod ved vinduet og ventede spændt på hende. Det var håbløst, det var pinligt! Hun så på det hjemmelavede bord, som lignede en savbuk. Afrikastuen med de billige souvenirs, og de hæslige, lasede plasticstole med det automatiske bensmæk. Bakkebordene og stueorglet. Men der var ikke andet at gøre end at tage det med oprejst pande og fra den humoristiske side. Til gengæld havde hun lavet en fantastisk frokost og købt en kniplingsdug med tilhørende servietter. Hun ville gerne have haft sine egne ting i dag, og hun forstod den betydning, udstyret havde haft for pionerkvinderne fra det gamle land.

Mary Sinclairs marineblå Volvo rullede op foran indgangen. Mary steg ud med en lille hat på og en fint indpakket værtindegave i hånden. Hun kom ind med et stort smil på, omfavnede Ane og gav hende den lille pakke. En opskriftbog med amerikanske retter. Hun så sig omkring og vendte sig leende mod Ane.

»Du har ret. Der er bare midlertidigt blevet ryddet op hos brødrene Cartwright. Ane, hvordan kan du holde det ud? Hun gik omkring fra rum til rum med hånden chokeret mod venstre bryst. »Rummene er der ikke noget i vejen med, beliggenheden af huset er også god. Men det vil være alt for kostbart at prøve at få noget ud af det. Skynd dig at få dit eget hjem, lige så snart det er overstået. Jeg skal nok hjælpe dig med at finde en passende bolig.« Ane stod og vred sine hænder, mens hun ventede på Mary Sinclairs dom. Hun var lettet.

»Jeg kan heller ikke leve her med spøgelserne. Det er ikke et godt hus,« sagde hun.

Mary satte sig ned og så fornøjet på alle de skandinaviske specialiteter, Ane havde lavet. Karrysild, små mørbradbøffer med champignoner, lune frikadeller, røget laks med friske asparges, fjerlette vandbakkelser med gorgonzolacreme og dansk herregårdsæblekage med ægte flødeskum. Ane havde været tre dage om at finde piskefløde. Der fandtes kun sødet flødeskum i kæmpetuber til at pynte kager med. Alle retterne var i miniportioner, og Mary var ægte begejstret. De talte om livet i Fort Collins, og Mary havde to planer. Den første kunne iværksættes med det samme. Det rent selskabelige, introduktionen til middagsselskaberne måtte vente, til skilsmissen var en realitet. Men Mary ville bede hende om at deltage i bibelklassen om søndagen før gudstjenesten i Den presbyterianske Kirke.

Mary var som et leksikon. Man stillede et spørgsmål, der gik et øjeblik, og så kom informationerne om alt i den lille universitetsby.

Her var sportsklubber, ski, golf, tennis, ridebanespringning, dressur-ridning og svømning for damer. Rigtige damer deltog ikke i western-ridning eller andre cowboydiscipliner. Der var bridgeklubber, littera-turklubber, teater, ballet og kunstforeninger. Der var stor interesse for boligindretning, håndarbejde, tapetsering, syning af gardiner, restau-rering af gamle møbler. De rigtige damer kunne alting selv, for det blev man nødt til. Man kunne ikke stole på håndværkere, de kunne både være forklædte tyveknægte og voldtægtsforbrydere. En kvinde havde kun sig selv at stole på, hvis hun skulle have malet, tapetseret, be-trukket møbler eller lavet håndvasken. Der var altid én dame, der kendte en anden dame, som havde store muskler og som kunne bruge værktøj.

Damemafiaen i Fort Collins var effektiv. Var man syg, deprimeret, eller var manden lige stukket af, så kom den med varm suppe og adressen på en virkelig god skilsmisseadvokat. Den støttede, indtil man kunne selv. Men mafiaens medlemmer viste ingen medlidenhed, hvis man ikke var kommet på benene efter tre måneders forløb. Damemafi-aen kunne også finde de rigtige mænd til de rigtige damer. De, der var gift med hospitalsansatte læger eller med professorer på universitetet, gav altid melding til damemafiaen, når der var en passende ungkarl eller enkemand. Damemafiaen vidste alt om, hvad folk tjente, hvordan de boede, hvilke vanskeligheder de havde med ægteskab, børn og nerver.

»Skål, Ane. Vi bliver glade for at have dig hos os, det kan jeg mærke. Du bliver en gevinst for os her i Fort Collins. Men vi skal lige have dig guidet igennem alt det her rod.« Mary så sig gysende omkring.

Bob stod pludselig midt i stuen, som om han havde manifesteret sig ved overnaturlig kraft. Selv Ane gav et hop i stolen.

»Damerne skal endelig ikke blive chokerede,« lo han. »Det er bare mig, der kommer hjem.« Han gik hen og kyssede Ane, tog en frika-delle, spiste den, tørrede fingrene i bukserne og rakte hånden frem mod Mary Sinclair. Ane ærgrede sig, behøvede han at provokere med det samme?

Mary rakte ham sin hånd med et smil, som om det bare var en lille uartig dreng, der var med sin mor til selskab.

»Goddag, dr. Bryant! Er det ikke morsomt, at jeg skulle møde Ane i et supermarked?« Bob nikkede og satte sig ved bordet.

»Hvor har du lavet meget skønt, elskede.« Ane rejste sig og hentede en tallerken, glas og bestik til ham.

»Ja, jeg har mødt Deres kone, da børnene var små.« Mary Sinclair lagde sine små hænder i skødet.

»Jeg har også mødt Deres mand, dengang han var ædru,« sagde Bob. Han sukkede og tog et glas hvidvin. »Ak ja, mrs. Sinclair. Ægteskabet er ligesom en rodeo. De, der er inde vil ud, og de, der er ude, vil ind.« Mary Sinclair lo en sprød latter.

»Vil I have kaffe?« sagde Ane. Hun så på Bob og lo. Han var lige i sit es. Mary Sinclair sad og betragtede dem.

»Ægte kærlighed, hvad? Rigtig ægte kærlighed,« sagde hun og duppede sig med kniplingsservietten. Hun var ikke på nogen måde hylet ud af det. »Hvis De virkelig elsker Ann, så pas på hende. Hun er en perle. Hun bør rejse hjem til Europa, indtil Deres skilsmisse er overstået.«

»Hvorfor blander De Dem egentlig i vores forhold, Mary Sinclair? Har De ikke nok i Deres datters ægteskab, i bibelklassen og i alle dameklubberne?« Bob kiggede interesseret på hende. Hans øjne var klare, uden aggression, som et rovdyr, der vejrer et bytte langt ude i horisonten. Mary Sinclair lo og rejste sig.

»Det ved De lige så vel som jeg, dr. Bryant. De lever selv efter stammeregler, om nogen gør. De er overhovedet ikke blevet civiliseret. De har måske en chance, hvis Ann gifter sig med Dem. Her i vores stamme i Fort Collins er der førerhunner. Jeg er en af dem. Vi vil gerne have Ann med i vores stamme og højt oppe på ranglisten. Hun kan bibringe os noget. Alt er jo en byttehandel. De bør ikke ødelægge hendes chancer. Det er et godt råd. De kan tage det eller lade være.« Hun rejste sig. Anes hjerte bankede. Bob rejste sig også.

»De har nok ret, Mary Sinclair. Ærgerligt at Deres mand ikke forstod, hvor klog De er, eller det var måske det, han gjorde. Ann har fortalt mig, at hun altid føler, at amerikanske mænd i virkeligheden er meget bange for kvinder. Jeg tror, hun har ret. Vi er bange for jer, skideangste og med god grund. Amerikanske kvinder er ude på noget. De vil være mødre hele livet, også for deres mænd. Det går ikke. I er ved at slå mændene ihjel. Vi er en truet dyreart. Men der er nogle af os, som prøver at overleve.« Han lo og lagde hånden på Marys skulder og førte hende ind i dagligstuen.

»Vi drikker kaffe her og ryger fredspiben, ikke?« sagde Bob og satte sig ned.

»Jeg ryger ikke, men jeg vil gerne have kaffe med mælk i,« sagde Mary Sinclair, satte sig ned og lagde sit ene elegante ben over det andet.

Da Mary Sinclairs Volvo kørte ud ad indkørslen, stod de med hinanden om livet og så efter hende.

»Hun er ikke dum, men en hård nitte. Jeg kan ikke lide hende, men jeg respekterer hende,« sagde Bob. »Hun har ret, elskede. Du må rejse. Skilsmissen kommer for retten den 15. september. Jeg har brevet her.« Han tog brevet frem og gav det til hende. Han satte sig ned og begravede hovedet i hænderne. »Jeg vil savne dig så forfærdeligt.«

KAPITEL 22

Jacob og Carsten stod i lufthavnen. De var alvorlige og blege. Hun stod ved glasvæggen og lagde hænderne på deres på den anden side af ruden – sådan som de plejede at gøre, når hun kom hjem. Jacob vendte sig om, som om han græd. Der var noget galt. Hendes hjerte bankede. Alle hendes sanser sagde, at der var noget, helt forkert. De omfavnede hende, da hun kom ud.

»Johannes er på hospitalet. Han blev opereret for en hjernetumor i går. Det er alvorligt. Han er ikke vågnet af narkosen endnu.« Ane måtte tage dem hårdt i armen for ikke at besvime. Det sejlede for hende, knæene rystede. Hun følte en skyld så stor. Det var derfor, han havde været sådan! Hvad nu hvis hun havde vidst det, før separations-ansøgningen var sendt ind. Hun havde ikke kunnet forlade ham, hvis han var syg. Kunne hun nu? Spørgsmålet stod skrevet i drengenes ansigter.

»Vi tager derud med det samme! Hvor ligger han?«

»På Glostrup Amtssygehus på neurokirurgisk.« De kørte. Ane var ødelagt af chok og jetlag, sad bare mellem drengene, talte lidt om Johannes. Tumoren var konstateret i sidste uge, og den sad, så den kunne opereres. Han ville sandsynligvis ikke blive lammet eller talere-tarderet, havde overlægen sagt. Det var en tumor, som havde siddet der i mange år. Man vidste endnu ikke, om den var ondartet.

»Du er sikker på, at du kan klare det, ikke mor?« sagde Carsten og så uroligt på hende. Hun nikkede. De gik ad de lange gange op til neurokirurgisk afdeling. Da de kom ind på det intensive afsnit, hvor Johannes stadig lå, blev hun vist stille ind på stuen. Peter var hos ham og kom hen og gav Ane et knus.

»Han har haft åbnet øjnene, men han siger ikke noget.« Johannes lå med sin store forbinding om det kronragede hoved. Hans ansigt var blegt og indfaldent. Han lignede et barn. Hun tog hans hånd og trykkede den.

»Johannes, det er mig.« Hun bøjede sig over ham.

»Johannes, det er Ane.« Han åbnede øjnene, smilede lidt.

»Goddav, søde pige. Nu skal vi hjem til Skovshoved.« Peter græd. Ane så ind i Johannes' øjne, så genkendelsen og kærligheden, men også, at Johannes ikke længere var sig selv. Hun vendte sig. Overlægen var kommet ind på stuen.

»Talecenteret fungerer. Han er nogenlunde klar, men dét kan forandre sig de næste par dage, hvor vi ser, at patienterne bliver uklare på grund af hævelser i forbindelse med operationen. Vi har trods alt været inde og rumstere,« sagde han til dem. Ane sagde ingenting. Hun græd ikke. Hun følte, at hun var slået til jorden, og hun følte sig magtesløs. Hun havde set i Johannes' øjne, at han ikke rigtig var der mere. Hun kastede et blik på Peter. Hun kunne ikke sige det til ham. Til sine egne børn måske. De kørte tavse hjem.

Hun talte med sine drenge.

»Det var dog forfærdeligt, at det skulle ske nu. Jeg kan næsten ikke gå fra ham, som han har det. Det vil blive virkelig svært, selv om Johannes har skrevet til mig, at han overvejer at flytte sammen med Birgit Sønderskov. Gad vide, om han nogen sinde bliver sig selv igen? Men jeg er da blevet klar over, at der har været to sider af hans særhed. Naturligvis har han sikkert været syg af den tumor i mange år, det må være den, der har forårsaget hukommelsestabet og hans besynderlige opførsel. Men hans frihedstrang og hans mærkværdige på en gang charmerende og uudholdelige personlighed, tror jeg ikke har noget med den svulst at gøre. Det er hans kerne! Sådan har han været! Med to handlinger sideløbende, to skæbner i sig.«

Ane ringede til Bob om aftenen. Han blev chokeret og ude af sig selv af angst.

»Nu overvælder Florence Nightingale dig vel ikke? Johannes er stærk, han ender med at overleve os alle. Du må ikke føle dig skyldig! Det er ikke din skyld. Du kan ikke passe ham, uanset om du gik tilbage til ham. Selv når han er blevet rask, hvad jeg er sikker på, at han bliver, vil han altid være den samme. Elskede, du må ikke nu! Lige før vi to er ved at vinde. Skal jeg komme til Danmark?« Bob var desperat.

»Nej, du skal ikke komme. Drengene og jeg klarer det selv. Johannes har desuden Birgit, som måske oven i købet vil protestere, hvis jeg besøger ham på hospitalet. Børnene siger, at hun er vild af jalousi over, at Johannes har billeder stående af mig. Mine drenge må heller ikke komme hjem til Johannes.

»Jamen, er hun ikke gift?« kluklo Bob.

»Jo, det er det underlige. Jeg kan ikke lide, at mine drenge skal indblandes i sådan noget roderi. Ikke mindst Jacob. Jeg er glad for, at han har min mor. I morgen tager jeg på hospitalet, holder mig i kontakt med overlægen, der er meget sympatisk. En af de dygtigste professorer i Danmark.«

»Jeg vil have, at du kommer hjem!« kommanderede Bob. Der var stadig ingen meldinger fra Eileens advokat om planerne for hytten.

De næste dage forværredes Johannes' tilstand. Han fabulerede, rasede, var paranoid, rev sin forbinding af, og Ane så hans kronragede hoved med det store ar. Hun led forfærdeligt ved at se ham, sad hos ham, og han blev roligere, når hun var der, selvom der var dage, hvor han ikke kunne genkende hende, hvor han bare lå og rablede manisk uden ophør.

Efter tre ugers forløb blev han overført til et rekreationshjem. Planen var derefter, at han skulle hjem. Ane havde gjort op med sig selv. Hun kunne ikke blive. Andre måtte tage sig af Johannes, børnene, hjemmesygeplejen, Birgit Sønderskov. Skilsmissen ville være en kendsgerning om et halvt år – uanset Johannes' tilstand. Det måtte gå sin gang.

Det eneste sted, Ane fandt ro, var hjemme hos sin mor. Jonna havde solgt det store hus og var flyttet ind i en lejlighed ved Nørreport. Hun var lykkelig og trivedes til Anes undren i byen. Hun havde givet sig selv et nyt liv. Lejligheden var smukt indrettet med en stor spisestue, der skulle samle hele familien til højdepunkterne, Jonnas store middage og frokoster, hvor hun udfoldede hele sit gastronomiske talent. Sviger-døtrene og gamle veninder kom til te om eftermiddagen. Jonna havde meldt sig til et malekursus på en højskole. Ane havde været urolig for dem alle sammen, følt sig skyldig, men hun så, at deres liv gik muntert videre uden hende. Usikkerheden greb hende, hun følte sig fremmed. Men så kom Cheryl.

Bob ringede og sagde lykkeligt: »Cheryl kommer til Danmark. Hun vil se dig. Hun tager af sted på søndag. Er det ikke dejligt? Nu har du en af os hos dig. Så er jeg rolig, så er det, som om du ikke er så langt væk. Når du er i Danmark alene, bliver jeg så ængstelig, og jeg kan ikke bære mere. Det havde Cheryl lagt mærke til, og så tog hun en hurtig beslutning.«

»Hvad siger Eileen til det?« spurgte Ane overrasket.

»Hun ved det ikke,« sagde Bob.

Ane stod i lufthavnen og kiggede efter Cheryl. Maskinen fra New York var landet. Døren gled til side, og hun så en ung kvinde med et lysende hvidt smil og tindrende øjne ligesom sin far. Men Ane fik et chok, da hun så, hvor tyk hun var. Det havde Bob skjult for hende, eller også havde han fortrængt det.

Cheryl havde en engels i ansigt, og man kunne sagtens forestille sig hende som skolens smukkeste pige, som heppekorslederen, alle så op til. Men det var mange chokoladeis siden. De kendte hinanden med det samme.

»Jeg vidste, det var dig,« lo Cheryl, og Ane så sin elskedes træk i hendes ansigt, og det stak i hjertet. Hvorfor havde den yndige og charmerende pige ædt sig til et kødbjerg? Hun kunne have været filmstjerne med det ansigt, sin fars brede kindben, en smuk mund og et bredt perlesmil. Øjne med lange øjenvipper. Hendes makeup var perfekt, hendes dragt var smart, men nederdelen var et cirkustelt, som dækkede over en enorm bagdel og tykke ben.

Ane bestemte med det samme, at hun måtte gøre et eller andet for at skrælle hende fri af fedtet, så hun kunne blive, hvad hun var engang.

De kunne lide hinanden. Cheryl sugede alt europæisk til sig. De gik i butikker, fjollede og fnisede som to skoletøser. Hun var en omvandrende sol, og alle, hun blev præsenteret for, blev charmeret af hende og ærgrede sig samtidig over hendes størrelse 48. Ane sparkede Jonna over benet, når Jonna tilfreds så mængderne af flæskesteg og romfromager glide ind i Cheryls kirsebærmund. Jacob, Carsten og Irene tog Cheryl med på udflugter, og hun fandt hurtigt en ung arkitekt på en udstilling, hvor hun vuggede forbi ham. Han blev helt vild med hende og ville giftes, mens Cheryl ret forvirret kom hjem ud på natten. Hun havde regnet med, at en så forelsket ung mand, der oven i købet ville giftes, ville i seng med hende som tak for frieriet. Hun kom ind i sin natkjole og spurgte Ane ud om danskernes sexvaner.

Ane præsenterede Cheryl for sine venner. Det var ren lejrskole at have hende. Ane var forbavset over hendes åbenhed. Hun fortalte alt om sig selv, sit liv og sine forældre. Hun elskede sin far, og pigerne havde ganske rigtigt, som Ane fornemmede, altid konkurreret om deres fars opmærksomhed og kærlighed. Cheryls mand var en lovende dyrlæge og så godt ud. Men ægteskabet havde ikke fungeret, og de havde haft problemer med deres søn, der var sent udviklet. Cheryl var ulykkelig som hjemmegående dyrlægekone og trøstespiste af kedsomhed. Parret var gået fra hinanden nu, og Cheryl prøvede at få et job, så hun kunne forsørge sig selv og sønnen, som faderen tog sig af, mens Cheryl var i Europa. Hun havde mange talenter og havde studeret kunsthistorie og arkitektur et par år, inden hun blev gift. Hun susede rundt i København og så på danske møbler og dansk boligindretning, og Ane så mekanismen bag hendes madflip.

Ane rapporterede det hele til en lykkelig Bob. Han havde aldrig talt med Cheryl om problemer. Cheryl skammede sig over sit vægtproblem især over for faderen. Det havde jo været det store problem i hans og moderens ægteskab. Hun vidste, at han var ked af, at hun var skilt og klarede sig så dårligt. Han var bange for, hvordan det skulle gå hende og havde ganske rigtig spottet hendes lave selvværd. Da hun tog beslutning om at tage til Danmark for at møde Ane, skyldtes det et håb om, at de nye tilstande i hjemmet kunne hjælpe hende til en bedre tilværelse. En ny chance i det land, der ikke havde brug for fraskilte, overvægtige middelklassepiger uden uddannelse. Det var hårdt at være enlig mor i Amerika. Cheryls søn havde brug for ekstra undervisning, og al særundervisning kostede penge. Hun skulle klare husleje, tøj og det hele for sit underholdsbidrag, som hun ikke ville få til evig tid. Hun var i social nød, men måtte holde den fine overflade for fars skyld. Hun var afhængig af mænd, som inviterede hende ud, håbede altid at finde én, som kunne være redningsplanke. Men da hun havde taget på, var hun gledet ned til den kategori af mænd, der bare ville i seng med hende og aldrig havde tænkt sig at bruge hende som et statussymbol.

Hendes historie kom lidt efter lidt. Ane syntes, det var hjerteskærende hårdt, et stykke amerikansk kvindehistorie, og hun prøvede at støtte hende, alt det hun kunne.

Cheryl var i Danmark i fire uger. Hun hjalp Ane med at pakke det, der skulle flyttes til Colorado. Hun var omsværmet og blev inviteret meget ud.

Til en middag hos Jonna havde Ane pludselig lagt mærke til, at hendes mor sad og betragtede dem med et alvorligt blik. Jonna så dårlig ud. Ane var meget bekymret for hendes helbred. Hendes blodtryk var alt for højt og hun nægtede at tage sin medicin.

»Jeg vil have det godt, mens jeg lever. Der er ikke noget ved en tilværelse, hvor man er svimmel fra morgen til aften. Sådan har jeg det, når jeg får pillerne.«

»Jamen mor, du bliver rigtig syg, hvis du ikke tager dem. Du kan få en hjerneblødning, du kan få dårligt syn. Dit blodtryk er højt, fordi din ene nyre ikke fungerer, det har de sagt på hospitalet.«

»Jeg vil ikke have den medicin. Så vil jeg hellere op til far. Jeg savner ham, men alligevel synes jeg, jeg har nogle gode dage indimellem. Jeg nyder min lejlighed og mit nye liv, selvom lejligheden er så dyr, at jeg nok ikke kan blive boende i mange år. Men jeg tror heller ikke, at jeg bliver så gammel,« sagde Jonna fortrøstningsfuldt, og Ane omfavnede bedrøvet sin mor.

»Du må ikke dø nu. Det vil betyde meget for mig, at du er hos Jacob og Carsten, når jeg er i USA.«

»Det vil jeg da også helst,« sagde Jonna med et lille smil og citerede sin yndlingssalme:

> *Gud skal alting mage,*
> *som mig alle dage favner i sit skød.*
> *Han, som mig udvalgte,*
> *og blandt sine talte,*
> *førend jeg blev fød.*
> *Han, som ved så god besked*
> *udi livet og i døden.*
> *Hvad jeg har fornøden.*

Ane så bekymret på sin mor. Hun havde aldrig hørt hende fremsige salmevers før. Jonna holdt altid sin tro for sig selv.

Da Cheryl og Ane kørte hjem fra middagen, var Ane tavs.

»Er der noget i vejen?« spurgte Cheryl.

»Min mor er syg, jeg tror ikke, at hun lever længe endnu,« sagde Ane. Cheryl så forbavset på Ane. De kørte over den tomme Amalienborg Slotsplads. Cheryl tog Anes hånd, og Ane så skildvagterne gennem tåreblændede øjne.

Cheryl og Ane var til sommerfest hos Margit, en af Anes gode veninder. Det var en lun septemberaften med masser af mennesker, middag på terrassen, og Cheryl stod omgivet af en gruppe af Anes venner. Værtindens mand kom hen til Ane. Han lagde hånden på hendes skulder.

»Din moster har ringet. Din mor er blevet indlagt på Kommunehospitalet med en hjerneblødning. Det er alvorligt. Jeg kører dig derind.«

Jonna var dybt bevidstløs, da Ane kom derind. Hendes moster omfavnede hende tavs. Hun var den stærkeste kvinde, Ane kendte, og hendes mor og Karen havde været, som søstre skulle være. Ane følte deres vestjyske indremissionske verden som et kraftcenter. Det var her nu i den stille hospitalsstue, hvor man kun hørte Jonnas besværede åndedræt.

»Hun er døende,« sagde Karen stille og holdt Anes hånd fast, mens hun strøg over sin elskede søsters pande. »Vi må bede til, at hun får en nådig død. Hun bliver totalt lammet, hvis hun overlever.« Karen satte sig ned med foldede hænder og bøjet hoved, der var ingen tårer.

»Har du talt med lægen?« spurgte Ane. Mosteren rystede på hovedet.

»Det behøver jeg ikke. Det kan jeg se.«

Lægen bekræftede det. Hjerneblødningen var total. Ane sagde, at hendes mor ikke skulle i respirator. Lægen nikkede. De regnede ikke med, at hun ville overleve mere end et par dage.

»Vi passede børnebørnene. Jonna kom ind med en stor skål jordbær, og så sank hun om. Vil du bede med mig?« sagde Karen. Ane gik hen til sengen, tog sin mors hånd og mærkede et tryk.

»Mor, det er Ane. Kan du høre mig?« Moderens hånd gav Anes et let tryk. Karen rejste sig op, bøjede sig over hende.

»Søster, vi er hos dig. Vi beder for dig nu. Gud venter på dig med det evige liv i lyset.« Ane græd og bad fadervor med sin moster, der støttede hende og bad uden at ryste på stemmen, som om hun ledede en ceremoni. Ane mærkede Karens styrke, følte, hvordan hun førte hende gennem den store sorg. Hvorfor nu? Hvorfor lige nu, hvor hun trængte til sin mors hjælp. Nu var Jacob og Carsten næsten alene, nu havde de kun deres far, når hun rejste. Ved tanken om drengene og deres forhold til deres elskede mormor brød hun sammen og lagde sig hulkende over Jonnas seng. Jonna havde givet drengene den tryghed, hun aldrig selv havde kunnet give. Hun var sikkert den mor, de hemmeligt ønskede sig, en godhedens klippe, altid tilgivende, altid tyst og stille, altid til stede.

Karen strøg hende over håret. Hun satte sig igen med sin salmebog og læste Jonnas salme *Gud skal alting mage*. Ane læste *Befal du dine veje* – sin fars salme – for Jonna. Og det blev morgen og lyst i hospitalsværelset, mens de vågede.

»Gå hjem og hvil dig, Karen. Jeg våger videre. Du kan afløse mig senere.« Karen rejste sig og nikkede. Hendes læber bævede, og hun vendte ansigtet bort. Ane havde aldrig set sin moster græde. Men hun vidste, at denne time var som en amputation for hende. Jonna var det menneske, hun elskede højest i denne verden – lillesøsteren, hende hun altid havde passet på.

Ane var alene med Jonna. Vejrtrækningen blev mere og mere besværet. Ane bøjede sig over sin mor.

»Mor. Nu skal du dø, du skal ikke kæmpe imod. Du skal op til far.« Hun mærkede igen håndens lette tryk, og hun så ind i sin mors øjne, som intet så længere. Lydene blev til en stønnen, en rullende brølen som fra en kvinde med presseveer. Ane undrede sig over at høre, at dødens lyde kunne være så lig lydene ved livets begyndelse. Det trøstede hende. Hun strøg sin mor over panden. Hendes mor begyndte at blive urolig. Ane gik ud og kaldte på sygeplejersken. De bad hende gå ud. De ville give moderen en indsprøjtning for at lette de sidste kramper. Lægen kom med hurtige skridt, døren blev lukket. Den blev åbnet igen, og Jonna var død.

Ane foldede sine hænder og takkede Gud. Det havde været forfærdeligt at skulle rejse fra hende, hvis hun havde ligget hjælpeløs på et plejehjem. Karen kom tilbage.

»Farvel, søster,« sagde hun og tog hendes hånd. Ane havde aldrig set dem kysse hinanden, det brugte man ikke i Vestjylland.

Senere kom Anes brødre og hendes sønner, som var dybt ulykkelige.

Jacob sagde stille: »Mormor er død. Nu er min barndom forsvundet.« Han spurgte, om han ikke måtte arve hendes lille guldhjerte, og Ane hængte det om hans hals.

Bob spurgte Ane, om han skulle komme for at være hos hende til begravelsen. Men hun bad ham lade være. Cheryl blev og sad ved siden af hende sammen med drengene. Ane var ikke rigtig til stede. Hun var syg af sorg og måtte støtte sig til sine sønner.

Da hun denne gang kørte til lufthavnen for at tage til Colorado, var Jacob og Carsten ikke med. Denne gang emigrerede hun. Vennerne og veninderne havde planlagt festligheder i lufthavnen.

»Vi kan ikke stå der og smile,« sagde Jacob og Carsten.

»Det kan jeg heller ikke,« græd hun med armene om dem. Men da vennerne og veninderne havde lejet en limousine med champagneflasker og flag, måtte hun smile og tage konsekvensen af sin drøm om det nye liv med sin elskede i Colorado.

KAPITEL 23

BOB KOM FRA et foredrag i Denver. Han mødte op uden for gaten. Han stod omgivet af fire kolleger, men sprang hen til hende, rev sin hat af, kyssede hende og trak hende som en glad dreng hen til sine kolleger. To professorer rakte slappe hænder frem mod hende og kiggede hen over hovedet på hende.

»Det er min tilkommende kone, Ann Bjerg fra Danmark.« De to vendte sig om og gik. De to andre stod ilde til mode og trippede. Bob tog hende under armen.

»Kom, vi går.« De gik i tavshed hen til bagageudleveringen. Han kyssede hende. »Du har været så meget igennem, min lille pige, og det første du møder er ondskab og hykleri. Jeg vil aldrig tilgive dem den opførsel.« Ane smilede til ham.

»Jeg har intet forhold til dem, for mig er det bare nogle latterlige ældre herrer, som ikke kender noget til livet. De hører ikke med i vores univers.«

»*Jeg* vil ikke finde mig i det,« sagde han rasende og gik foran med kufferten.

»Glem det dog,« sagde hun og rykkede ham i ærmet. Han standsede op.

»Det er ikke noget hjem, når du ikke er der. Det er en ventesal.« Han kyssede hendes hånd. »Nu varer det ikke længe. I næste uge kommer sagen for, og så går der et par uger, og vi kan planlægge vores bryllup.

De gik udenfor. Ane klatrede op i Forden. Han vendte sig mod hende.

»Når det hele er overstået, så køber vi en Cadillac, en ung bil til os to unge. Vi rejser i den fra den ene ende af USA til den anden. Jeg skal vise dig det hele. Så er vi fri, fri, fri!« Han begyndte at synge sin yndlingssang, den sentimentale *For the good days*, og når det sørgelige kom, fik han tårer i øjnene og vendte genert hovedet væk og sang videre med brudt stemme.

Ane kunne ikke lade være at le og lagde hovedet mod hans skulder, mens de kørte mod Stuart Street. Hun var træt, og han bar hende op i bad, kom shampoo i hendes hår som en omsorgsfuld far, frotterede hende i bløde håndklæder og gned hende ind i lotion, hentede en bakke med kakao og sad og holdt hende i hånden, til hun sov.

Ane vågnede tidligt og så sig om. For første gang kunne hun lide lugten af det tørre, varme træ, panelerne var lavet af. Det var søndag, solen strålede fra den himmel, hun aldrig havde set en sky på. Hun tog Bobs hånd.

Han vågnede og trak hende ind til sig og hviskede: »Gudskelov, jeg kan holde om dig igen. De lagde sig ind til hinanden. Det var så længe siden. Smerten ved at forlade børnene, moderens død fik hende til at ryste og græde, da hun fik orgasme. Han slap hende ikke.

»Du er bleg, dit blodtryk falder, du er som is. Giv slip på sorgen, græd hos mig, jeg passer på dig. Åh baby, vi er så udmattede begge to. Men når du er nede, trækker jeg dig op, og du gør det samme med mig. Det er en hård vandring. Men til sidst bliver vi lykkelige. Tak for alt, hvad du gjorde for Cheryl. Jeg er så ked af, at jeg ikke tog til Danmark og var hos dig, da din mor døde. Jeg fortryder, at jeg aldrig fik hilst på hende.«

Ane lå med lukkede øjne, mens han hviskende forførte hende og styrede hendes langsomt vågnende begær med fløjlstøjler.

»Fortæl mig om din første pige,« sagde hun. Han smilede genert.

»Jeg var 14 år!«

»14 år! Det må jeg sige, en fremmelig dreng.«

»Jeg gik ude ved søen og ville drukne mig, for jeg troede, at hun var blevet gravid. Hun var ældre end jeg. Hun så ikke godt ud, men hun var den eneste, som ville. Det kunne være gået galt for mig. Jeg var sammen med en bande drenge af den værste slags. Pludselig skiftede mit spor. Sådan mærker jeg det også nu. Jeg er på en vandring, noget jeg skal igennem for at lære. Jeg venter hele tiden på nye signaler et eller andet sted fra, derfor er der altid noget i mig, der er vågent. Det kan ikke nytte, jeg sover tungt, tænk, hvis jeg overhørte stemmen.«

Ane rejste sig op og så på ham. Hendes hjerte hamrede. Nu talte han om den stemme igen. Det var en begyndende psykose. Det var hun sikker på.

»Bob, hvad siger du til, at vi konsulterer en psykolog og får lidt rådgivning? Det kan måske hjælpe dig til at få det bedre med de tanker, som plager dig.« Han rystede på hovedet.

»Næh, vi får nok at bruge vores penge til.« Han stod op.

»I dag er det hviledag. Vi skal snakke, hygge os, se fjernsyn. Vil du bage et kanelbrød til mig? Det har jeg drømt om. Bagefter går vi i biografen, spiser popcorn og får en burger et sted.«

»Nej, aldrig i livet om jeg vil sidde og spise burger, når vi har hyggeaften. Vi skal på restaurant og have god mad, lys på bordet.«

»Skal jeg så have mit fine tøj på?« spurgte han drenget. Ane nikkede.

»Jeg har ikke noget imod det,« sagde han forbavset til sig selv. »Jeg ville aldrig selv finde på at gå på restaurant en almindelig søndag, men selvfølgelig skal vi det.«

Mary Sinclair og Ane stod uden for Den presbyterianske Kirke i Fort Collins. Det var søndag. Alle var klædt på i deres pæneste tøj. Mændene i habit med slips. Familierne var samlede og man hilste, gav hånd uden for kirken, beundrede hinandens børn, deres påklædning. Som en messen udveksledes en strøm af positive tilkendegivelser om, hvor glade kirkegængerne var for at se hinanden, hvor godt det gik i deres familier, hvor lykkelige de var. Ane stod og betragtede dem tavst og undrede sig over den påtagede stemning. Hun var endnu ikke kommet ud over observantstadiet i sit nye land. På den ene side var det sundt at køre sit mentale bånd over med positive meldinger. Men der måtte da komme et tidspunkt, hvor sandhedens time indtraf, og man erkendte problemerne. Mary gav hendes albue et tryk, og de fortsatte sammen ind i kirken. Mary havde sin bestemte plads, og de andre damer nikkede og smilede til Ane og Mary. Det var tydeligt, at de anerkendte hendes rang og plads i hierarkiet.

Præsten havde den rødmossede ansigtsfarve, som man ser hos religiøse hollændere og englændere, som om kinderne skjuler et overtryk. Han havde næsten ingen skægvækst. Der var noget kapunagtigt ved ham. På hans læber var klistret et mildt smil, og hans blå lidt udstående øjne kiggede hyklerisk ud over de halve guldrandede briller. Det var en fader, der spøgte med sine børn. Ane gennemskuede ham straks og så med væmmelse på ham. Havde præsten været med i et teaterstykke, ville kritikerne have noteret, at han overspillede sin rolle.

Ane prøvede at pejle sig frem til sympatiske ansigter i menigheden. Men alle sad med opvakte miner for at give deres børn et godt eksempel. Når præstens lignelser og faderlige formaninger var humoristiske, lo Mary en sølvklar latter og fik et taknemligt blik fra ham. Ane følte sig provokeret.

De sang salmer og gav hinanden hånden og ønskede god søndag, og der var kaffe og velsignelsesstemning. Ane blev præsenteret for damerne, der samledes som pragthøns omkring Mary med rystende vinger og gokken. Mændene stod i en klynge og talte forretning. Som på et samlet signal gav deres koner besked om, at det var tid at bryde op. Man trykkede præstens bløde let fugtige hånd, fik et lille pust af hans pebermynteånde, og menigheden spredtes. Den lille hellige kreds gik op i bibelklassen. De øvrige gik med hurtige, lettede skridt mod parkeringspladsen, hvor børnene allerede stod og flåede i bilhåndtaget for at komme hjem til fjernsynet hurtigst muligt.

Ane og Mary gik til bibelklassen, hvor bordene var stillet i en hesteskoform omkring præsten, der sad i midten med hænderne samlet. De havde fået lov at tage kaffekopperne og æblekagen med. Der var ti kvinder og tre mænd. Ane satte sig lige foran præsten for at få det hele med. Ved siden af hende sad en mand, der skilte sig ud fra de andre kirkegængere. Han var helt tydeligt ranchejer, hårdt arbejdende landmand. Hans ansigt var vejrbidt, tørret ud af solen med en hud som fint garvet læder. Hans hænder var arrede, store og renskurede. Hans cowboyhat lå på stolen ved siden af. Ane kiggede på ham. Hans øjne, der var smukke blå, så indad, som om han tumlede med et problem.

Præsten begyndte at tolke dagens tekst, den 23. salme i Salmernes Bog.

»Det handler om trygheden i Herren, der er den gode hyrde og den gæstfrie vært,« sagde han med sin velmodulerede stemme og så ud over sin lille flok. »Herren er min hyrde, mig skal intet fattes, han lader mig ligge på grønne vange. Til hvilens vande leder han mig, han kvæger min sjæl. Han fører mig ad rette veje for sit navns skyld.« Landmanden ved Anes side nikkede i takt med ordene som et barn, der genkendende hører sit yndlingsrim.

Præsten fortalte om den glans og herlighed, der ventede dem, der skulle bo i Herrens Hus igennem lange tider, og alle sad tavse fyldt med visuelle billeder af, hvordan deres hinsides tilværelse skulle forme sig. For denne lille flok hos pastoren havde for længst ved deres retskaffenhed og sædelige liv fået billet til de grønne vange.

Da præsten havde skabt den gode stemning, og alle tilsyneladende var ved at falde hen, hævede han dramatisk stemmen.

»Kun den, der er sand og ren af hjertet, kan nærme sig ham. Den med skyldfri hænder og hjertet rent, som ikke sætter sin hu til løgn og sværger falsk.«

Cowboyen foldede hænderne, og hans hoved ludede tungt fremover. Ane så igen på ham, måske var han ved at falde i søvn. Da så hun en tåre dryppe ned på bordet, som det første regndryp. Den faldt tungt, og der kom kun den ene. Han tørrede den skamfuldt væk med sit ternede skjorteærme, så ikke til nogen af siderne.

Ane mærkede hans nærvær som et barn, der trængte til trøst. Hun så rasende på den kvabsede præst, som velbehageligt sovsede rundt i de skønne ord i Salmernes Bog. Plathed på plathed faldt ud af hans fugtige mund.

»Er der nogen, der har spørgsmål til teksten?« spurgte han og lænede sig tilbage. Der var dyb stilhed i klassen. Ane kiggede appellerende på Mary. Hun måtte da have noget at sige som førende dame. Mary blev lidt hektisk rød i kinderne, som om hun var grebet i ikke at følge med i timen. Hun tog sig sammen.

»Hvad mener salmisten med *Mine ungdomssynder og overtrædelser komme du ikke i hu, men efter din miskundhed kom mig i hu?*

»Gud ser jo alt! Ja, Mary. Er der andre spørgsmål?«

Cowboyen rakte hånden halvt i vejret. Præsten nikkede mod ham. Han så ikke på præsten, men ned i bordet og sagde med lav stemme:

»Er det sådan, at hvis man bare har begået én synd i sit liv, og synden altså er stor, men der er kun én. Vil Gud så ikke lade én ligge på de grønne vange og kvæge ens sjæl ved hvilens vande?«

Mary smilede til Ane. Ane så fuld af medlidenhed på manden, der så ud som om hans liv afhang af præstens svar. Præsten lænede hovedet tilbage og så op som for at hente styrke, så sagde han med et knusende blik: »Nej. Syndere bliver ikke lukket ind i paradis.« Cowboyen så på ham.

»Jamen, hvis man angrer!« Præsten blev rød i hovedet, som om han blev ophidset.

»Nej. Man kommer ikke til at ligge på de grønne vange. Der er synder, som man kommer i helvede for til evig tid.« Klassen så interesseret på cowboyen. Han så ned i bordet og trak skuldrene op. Ane tog sin blyant op af tasken, skrev bag på en seddel.

»Jeg skal sige dig noget efter timen!« Hun skød den over til ham. Han læste den og kiggede forbavset på den. Ane smilede til ham. Han blev rød i hovedet, men smilede tilbage.

Da timen var forbi, stod præsten i døren og gav hånd til alle. Mary ville præsentere Ane og holdt hende i armen, men Ane rev sig løs fra pastorens udstrakte hånd og løb efter cowboyen, tog ham i armen.

»Når du ikke kommer ind på de grønne vange, så kommer jeg det heller ikke. Skal vi aftale, at den af os, der kommer først af sted, venter på den anden? Vi skal nok få det skægt der, hvor vi kommer hen.« Han lo og rakte sin store barkede hånd frem.

»Tak, frue!« Ane holdt hans hånd fast.

»Gud er ikke, som den præst siger. Kan du ikke se, at han er en gammel hykler? I de næste vers står der: *God og oprigtig er Herren,*

derfor viser han syndere vejen. Han vejleder ydmyge i det, som er ret og
lærer de ydmyge sin vej.« Hun nikkede. Han knugede hendes hånd.

»Gud velsigne Dem, frue.« Så tog han hatten på og gik over til sin skrammede stationcar i dybe tanker.

Mary var tavs. Men da de kørte hjem sagde hun køligt: »Du er virkelig meget impulsiv, Ann.«

»Bibelklasse er ikke noget for mig, medmindre jeg kan komme til at sidde sammen med min nye klassekammerat cowboyen hver gang.« Mary så forundret på hende.

»Jeg har aldrig set den mand før, han kommer sikkert aldrig igen. Han hører slet ikke til menigheden. Men jeg tror, at det ville være godt for dig at gå i bibelklassen. Nogle af damerne havde allerede hørt om dig og dr. Bryant, og de var ret forargede.«

»Hvad sagde du til dem, Mary?«

»Den iblandt Eder, som er uden synd kaste først stenen på hende.« Mary kørte ud i overhalingsbanen og sagde smilende: »Johannesevangeliet kapitel 8, vers 7.«

Da Mary svingede Volvoen ind i indkørslen til Anes hjem, stod Bob udenfor og spejdede efter hende.

»Hvor har du været?« spurgte han og nikkede kort til Mary.

»Til bibelklasse,« svarede Ane.

Mary vinkede og kørte. Bob var bleg.

»Ralph Harden har ringet. Han var lige taget ind for at se posten efter sin ferie. Brevet fra skiderikken er kommet!«

»Hvad stod der?« spurgte Ane.

»Hun fastholder, at hytten skal sælges. Den skal ikke være en fond, og børnene skal i hvert fald ikke have den. Hvordan kan hun gøre det? Hendes egne børn!«

Han gik op og ned ad gulvet. Af og til hamrede han næverne ind i møblerne, i væggen, sparkede til bordene. Ane sad tavs og bange på kanten af en stol. Hun havde aldrig set ham så oprevet. Han svedte, og hans pupiller var store, som om han havde taget stoffer.

»Hvornår skal I have møde?«

»I morgen klokken to,« sagde han og smed sig ned på en stol.

»Jeg henter en whisky,« sagde hun. Da hun kom ind, forsvandt han ud i badeværelset, han smækkede døren i. Hun lænede sig op ad døren.

»Bob, kom ud.« Han var tavs resten af dagen, tog sovepiller, sov tungt og vågnede først næste morgen.

»Jeg glemte at fortælle dig, at jeg tager et par dage på jagttur til Alaska i næste uge. Det gør ikke noget, vel? Du kan godt være alene. Jeg trænger til at komme lidt ud i naturen. Du får min automatiske pistol, den lægger du bare oppe ved sengen.«

Ane svarede ikke. Der var noget i gære. Han kunne ikke lyve for hende. Hun mødte hans øjne, han så ned. Ane mærkede, hvor bange hun var, hun var tør i munden. Det her var uden for hendes kontrol. Det hele var ved at blive uvirkeligt. Hun følte sig suget ned i en strøm. Hun gik hen og tog om ham. Han lagde armene om hende og sukkede forpint.

Bob talte ikke meget efter mødet med Ralph Harden. Ane studerede Eileen og Phil Bergers krav om bodelingen. Begge ejendomme, Stuart Street og jagthytten med tilliggende jorde, skulle vurderes og sælges. Overskuddet fra salget af ejendomme og jord skulle deles i to. Bobs pension og opsparing ville indgå i boet. Ralph Harden havde hårde forhandlinger med Phil Berger. Kunne Bob ikke tilbagekøbe hytten, når den var udbudt til salg? Svaret faldt hårdt og kontant. Eileen indvilligede kun i skilsmisse på betingelse af, at jagthytten ikke kom i Bobs eller børnenes besiddelse.

»Tal dog med hende. Gå hen og besøg Eileen. Spørg hende om hvorfor. Det er noget andet, når I sidder sammen og diskuterer det,« sagde Ane.

»Det er kun advokaterne, der taler sammen. Jeg må ikke foretage mig noget,« sagde Bob. »Jeg er umyndiggjort. Jeg mister alt. Jeg havde ventet det, men alligevel håbede jeg. Det er en ond leg, Ann. Hun og Phil Berger driver mig rundt. Jeg er ved at løbe tør for kræfter. Jeg er forvirret. Jeg forstår ikke advokaternes sprog. De har for længst overtaget det hele, jeg føler mig umyndiggjort.«

De sad nede i kælderen i hans våbendepot. Hans skydepræmier og trofæer hang på væggene. Der var rifler i alle kalibre. I midten stod en maskine med et håndtag. Han sad foran den og fyldte selv ammunition i sine patroner. Maskinen gav en dump lyd, hver gang krudtet blev presset ned i patronerne med håndtaget. Ane sad i en kurvestol og læste. Hun havde vænnet sig til det absurde rum.

»Jeg flyver til Alaska på onsdag tidligt om morgenen. Det er nogle af mine gamle jagtkammerater. Vi skal bare skyde lidt fugle og lidt småvildt. Vi flyver en lille privatmaskine. Der er aldrig kvinder med på de ture,« sagde han undskyldende og pressede håndtaget med krudtet ned over patronerne. Ane svarede ikke. Hun var overbevist om, at jagtudflugten dækkede over noget andet.

»Jeg håber, I får fasaner. Det elsker jeg at lave,« sagde hun.

»Jeg skal nok plukke dem. Hvordan laver I dem i Danmark?«

»Steger dem i gryde med flødesauce og lidt spæk, spiser ribsgele og måske brunede kartofler til eller waldorfsalat. Man kan også lave dem i kål.«

»Jeg tager flødesaucen,« valgte han.

Bob tog af sted med fuld opbakning klokken tre om morgenen. Ane stod og vinkede til ham. Hun gik ind i huset, satte sig på trappestenen og kaldte på den røde kat, Jigger. Jigger var blevet Anes kat. Den vidste, at Bob var rejst, og at den nu var herre i det tomme hus. Den teede sig som var den en latinsk elsker, der besøgte en gift frue. Hun kunne ikke lade være at grine af den røde laban. Den stod op ad hende og strøg sit hoved mod hendes kind. Da hun gik i seng igen, insisterede den på at ligge under dynen med hovedet på hendes lår. »Hvad fanden tror du, du er? Den bestøvlede kat?« lo Ane og prøvede at løfte den op i armen. Men den lagde sig snorkende til rette på hendes lår under lagnet.

Hun nød freden i det store hus. Udenfor sang cikaderne, og hun lå hyggeligt med bøger, børnenes breve og blade, musik på radioen og den automatiske pistol på gulvtæppet under natbordet. Hun sov for en gangs skyld længe, men vågnede, da telefonen ringede. Det var Bobs advokat, Ralph Harden.

»Bob er på jagttur i Alaska. Han kommer først om fire dage,« sagde hun.

»Et mærkeligt tilfælde,« sagde Ralph. »Phil Berger har lige meddelt mig, at han ville køre op til hytten i Wyoming for at undersøge området, besøge ejendomshandlere i området og få vurderet hytten og jorden. Han ville bo deroppe et par dage.«

»Ved Bob det?«

»Ja, min sekretær ringede og fortalte ham det på universitetet.« Der blev en pause i telefonen. Ane satte sig op i sengen.

»Ralph, jeg er bange. Jeg har ikke troet på den historie med Alaska. Han er på vej op til hytten. Der sker noget. Kan du ikke tage derop, Ralph?«

»Nej. Bob må selv tage ansvaret for sine handlinger. Jeg har gang på gang advaret ham, når han kom med sine sindssyge planer. Jeg har medlidenhed med ham, Ane, men han har mistet overblikket, og jeg er ved at være godt træt af at have en klient, som ikke respekterer mine råd.«

»Hvad skal jeg gøre, Ralph? Jeg kan ikke selv finde derop. Min bil kan slet ikke køre i det terræn.«

»Du skal blive hjemme eller rejse hjem til lille fredelige Danmark og komme igen senere. Der er to retsmøder til, så bliver sagen optaget til dom. Han får sin skilsmisse og kan begynde et nyt liv.«

»Er der ingen mulighed for, at Bob kan beholde sin elskede hytte?«

»Ikke hvis han vil have sin skilsmisse,« sagde Ralph.

Ane lagde sig ned i sengen igen, hvor Jigger lå og betragtede sine poter.

»Kravler du ned under lagnet igen, smider jeg dig ud,« sagde hun strengt. Den lagde sin brede pote på hendes kind og hun faldt i søvn til dens snurrende spinden.

Bob var for længst oppe i hytten. Han havde sat sin stol hen til vinduet. Adrenalinet pumpede ud i hans årer, han blev langsomt høj. Hjertet bankede uregelmæssigt, han var kortåndet, og hans hud brændte som i feber. Men han var lykkelig, opstemt. Her havde han overtaget. Han var jægeren, som kendte sit revir, og han ventede på sit bytte med alle sanser skærpet. Det var som de tidlige morgener, hvor han sad på sin sten oppe på klippen og ventede på at høre de raslende trin, når wapitihjorten kom gennem skoven. Men der var en forskel, denne gang var det et skadedyr, han ventede på.

Phil Berger kørte bandende ind i den lille støvede by Saratoga. Han måtte have fat i en anden bil. Cadillacens fjedre var ødelagte. Tre gange havde han prøvet at forcere terrænet. Men han måtte opgive. Hans blå kashmirfrakke var tilsølet af mudder, de italienske sko var smurt ind i kolort. Den skøre kælling til Eileen kunne have fortalt ham, at det var nødvendigt med en jeep. Det ville blive skrevet på regningen. Han kørte ind på et værksted. Der var ikke et øje. Phil Berger råbte irriteret ind i den tomme vaskehal. En forsovet mekaniker kom slentrende.

»Kan jeg leje en bil, der kan køre ind over den skide prærie?« spurgte han. Mekanikeren nikkede og så mistænksomt på ham.

»Hvad skal du derinde?«

»Jeg skal vurdere en ejendom,« sagde Phil irriteret og stak ham sit kort. Han var i bonderøvsland. Men de var snedige og mistænksomme. Imponerede han ikke idioten, kunne han nok ikke leje jeepen, og så måtte han køre hjem igen med uforrettet sag. Mekanikeren tog ikke kortet, tørrede hænderne i et stykke twist, vendte tobakken i underlæben og gik uden et ord ind til telefonen.

Phil Berger ventede, tog en flaske mineralvand i sin køleboks og drak den i små slurke, mens han så sig omkring. Hold kæft et sted! Det havde slået ham, om denne sag var alle anstrengelserne værd. Men på den anden side, der var en masse dollars i de ejendomme. De to idioter, Eileen og hendes sindssyge mand, var ellers ikke de typer, han normalt havde som klienter, men han havde hurtigt vejret, at jagthytten lå i et fredet område, hvor man aldrig mere ville kunne få tilladelse til byggeri, og indset, at han var på sporet af en formue.

»Kender du vejen?« Phil Berger smilede og slog mekanikeren jovialt på skulderen.

»Det skal du ikke bekymre dig om. Jeg er en stor dreng, jeg er ikke mørkeræd. Bare du finder en firehjulstrækker til mig.« Han åbnede sin tegnebog og stak mekanikeren 50 dollars.

Bob gik ud på terrassen. Det var ved at blive mørkt, og man hørte kun skovens lyde, skaderne, fuglene, bækkens brusen og prærieulvenes bjæffen og tuden. Han lagde sin hånd på de svære stolper. Han mærkede kræfterne stige op i sig. Han, Bob Bryant, kunne ikke kontrolleres af advokater. Hans plan var først at skræmme Phil Berger. Manden ville smide sagen fra sig, når han opdagede, hvad han risikerede. Så ville der gå et stykke tid. Måske ville Eileen komme på andre tanker. Måske fik hun en advokat, som ville se mere menneskeligt på det end Phil Berger. Han hadede den stodder, havde gjort det fra første gang, han så ham. Han så ned på sine hænder. De var stærke nok til at knuse hans nakkehvirvler. Han havde sit alibi i orden. Bill i Alaska ville dække over ham, sige at han havde været sammen med ham på jagt hele dagen. Han skyldte ham en tjeneste. Det nemmeste ville være at brække nakken på Phil, slæbe ham op på ryggen til kobberminen og dumpe ham der. De ville aldrig finde ham. Skakten var 20 meter dyb og gik ind i dybe gange. Phil Berger kunne være flakket rundt i området og selv være faldet i skakten, derfor ville han ikke skyde ham. Der skulle ikke være skudsår eller slagsår. Han blev nødt til at acceptere, at Eileen tog en ny advokat. Men Phil Berger var en slange. Det var ham, som havde givet Eileen ideen om, at hytten ikke skulle være en fond. Bob kunne mærke, når Phil tænkte på sagen, så var det, som om han ormede sig rundt i hans hoved og hans tanker. Det spændte i hans hoved og dunkede i tindingerne. Han gik op i badeværelset og pressede to våde håndklæder mod tindingerne. Den forbandede hovedpine. Det måtte være blodtrykket. Han tog et par piller. I den senere tid havde han haft tågesyn. Satans. Han tog en grøn T-shirt på. Tungt gik han gennem stuen ud på terrassen for at lytte. Han for sammen. Lyden af grene, der knækkede. Bob gik ind, slukkede alt lyset i hytten, tog sin riffel, afsikrede den, stillede den på gulvet, så sig lidt om, gik ud i mørket ad bagdøren ned til brændestablen, hvor hans skarptslebne økse stod. Han var som i trance, i en anden verden, i en anden tid. Nu hørte han skridt, en kraftig lygte lyste på stien inde i granskoven. Fugle flagrede op. Det var ikke en billygte, ingen bilstøj. Det var en, som havde parkeret uden for skoven og nu prøvede at følge stien til hytten.

Der gik ti minutter, så trådte Phil Berger frem i lysningen i sin hærgede kashmirfrakke. Han lyste rundt med lygten.

»Nå, nå, hvad har vi her?« sagde han muntert til sig selv. Han tog et raslende nøgleknippe op af lommen.

»Mine nøgler,« hviskede Bob hadefuldt. Han løftede sin blinkende økse og for hen foran Phil Berger, der hylede af angst og forskrækkelse. Han faldt om på jorden, rejste sig igen, prøvede at finde sin værdighed.

»Hvad betyder det, dr. Bryant? Truer De mig på livet? De sigter på mig med en skarptsleben økse. Jeg melder Dem til politiet!«

Bob så på ham, holdt øksen hævet i sine muskelsvulmende arme. Han sagde ingenting, stod bare tavs med den hævede økse og et iskoldt hadefuldt udtryk i sit grove ansigt.

»De er sindssyg. De skal høre fra mig,« råbte Phil Berger. »De er arresteret inden i morgen.« Phil Berger vendte sig om, løb tilbage til skovtykningen. Bob kunne høre ham mase sig gennem skovtykningen til præriestykket, hvor han havde parkeret sin bil. Bob gik hen til brændestablen, tændte sin projektør, der kastede et skarpt lys på motorsaven og brændet. Han begyndte at køre stykkerne igennem saven. Hurtigere og hurtigere, saven hvinede og brændestykkerne kløvedes. Han arbejdede, så sveden sprøjtede, satte tempoet op, flyttede fingrene hurtigt for savens klinge. Han vidste ikke, hvor længe han havde arbejdet, da en ny lyskegle ramte hytten. Han for sammen, da en terrængående motorcykel kom fræsende op på pladsen foran huset. Det var sheriffen.

»Er alt i orden, dr. Bryant? En mærkelig mand spurgte om vej i Saratoga til Deres hytte. Jeg ville lige checke. Han lignede en kortspiller, slimet type i lang frakke.«

»Ja, det er en ejendomsmægler. Jeg bryder mig heller ikke om typen,« sagde Bob. »Tænk, han blev forskrækket, fordi jeg stod med min økse og huggede brænde. De bymennesker er sgu noget para-noide. Så spænede han skrigende ud af skoven. Vil du have en øl?«

»Nej tak. Jeg er alene på stationen,« sagde sheriffen.

»Tak fordi du kom,« sagde Bob og gav ham hånden. »Det er meget betryggende.« Sheriffen kastede sig op på motorcyklen, fik den til at stejle og susede ned ad skovstien igen.

Bob satte sig ved pejsen. Skulle han tage op til Bill i Alaska? Ja, det ville han gøre. Det plagede ham, at han havde løjet for Ann. Alibiet var ikke noget værd mere. Det hele var gået i fisk. Men han havde fået skræmt røven af Phil Berger. De ville få svært ved at bevise, at han havde truet ham. Han havde hugget brænde. Han havde ikke sagt et ord, kun holdt sin økse. Han tog en cola og smurte en tunfiskesand-wich, satte sig i sin lænestol. Åh, nu var det, som om livet var værd at leve igen. Næste morgen var han i godt humør, fløjtende og syngende pakkede han sit jagtudstyr og gik op og satte sig på den store sten. Klokken var fem, solen var ved at stå op. Han så sig om i sit paradis. Duggen funklede på fyrretræerne, og luften var så ren.

Efter tre dages forløb vendte han tilbage til Ane. Han løb ind gennem stuerne med et bundt ryper bundet sammen. I vognen lå et par harer. Han løftede Ane op og svingede hende glad rundt i luften.

»Elskede, jeg måtte pludselig hjem. Jeg savnede dig sådan. Jeg skulle have været der et par dage til. Drengene var skidesure. Men hvad skal man gøre, når man er forelsket? Se, alt det vildt er til dig!« Han satte hende ned. Hun så alvorligt på ham.

»Jeg kan ikke stole på dig mere. Du var i hytten. Du har truet Phil Berger på livet. Ralph venter på dig på sit kontor. Du har ødelagt alt. Phil Berger overvejer at melde dig til politiet for trusler på livet. Gør han det ikke, vil han benytte det i den kommende retssag. Hvad tænker du på? Du er jo sindssyg. Hvordan tror du din sag står nu. Hvem tror du hoverer?« Bob så såret på hende.

»Du så ikke, hvad jeg så. Den skiderik røg på røven ud af skoven. Han sked i bukserne af angst. Det var det skønneste syn.« Ane rystede på hovedet.

»Det er på tide, du bliver voksen, Bob Bryant. Du imponerer ikke advokaterne. Eileen morer sig over at have fået dig på krogen, og jeg er bange for, hvad der sker os nu.« Hun satte sig ned og græd stille. Han lå på knæ foran hende.

»Du må ikke græde, elskede, du må ikke. Jeg ville bare forsvare det, vi har.«

»Åh, din idiot,« råbte hun. »Det her er virkelighed, ond virkelighed. Det er ikke gode mænd efter onde mænd. Der er ikke noget, der hedder retfærdighed. Vågn dog op, mand. Ralph vil ikke have noget at gøre med dig mere. Det eneste, du kan gøre, er at lægge dig hen på Ralphs måtte og tigge og bede ham om at tage dig tilbage, ellers er alt tabt. Hvilken advokat vil dog tage din sag?« Bob rejste sig.

»Jeg gør, hvad du siger. Men det er sidste gang. Ved du, hvad jeg fortryder?« Hun så op på ham og rystede på hovedet. Han strakte hænderne frem for sig og åbnede og lukkede dem.

»Han skulle have haft brækket nakken og være smidt i minen. Jeg kunne ikke, da han stod der. Han var for ussel, for fej, man rører ikke en rotte med hænderne.«

De næste uger strammede Eileen og Phil Berger grebet. Ane og Bob ventede hver eneste dag en politianmeldelse for vold. Intet skete. Ralph hørte heller ikke noget. Han ville ikke sætte sig i forbindelse med Eileens advokat.

»De lader mig bare vente,« sagde Bob forpint. Ane hørte ham tidligt om morgenen bearbejde boksebolden for at få hadet og aggressionerne ud. Hun led over at se ham hinsides al fornuft. Han ringede til børnene for at fortælle, hvad der var sket. Børnene prøvede at kontakte deres mor for at få hende til at opgive sin plan. Men Eileen jagede sammen med advokat Phil Berger, der nu også havde en ydmygelse at hævne.

Blide Eileen, der altid havde gået to skridt bagefter Bob, var blevet til en pitbullterrier. Hun havde låst kæberne fast, og hun slap ikke. Hele tiden fik hun opmuntrende tilråb og nye, gode ideer af sin advokat.

Den 15. september drog Bob med sin advokat til retten. Han var bleg og tavs, kyssede Ane.

»I dag bliver vi måske frie, men prisen bliver høj. Skulle der ske mig noget, har jeg skrevet et testamente, som ligger i mit skrivebord på klinikken. I det står, at Eileen med sit had har fremskyndet min død. Der står, hvad du og børnene skal arve efter mig.«

Ane var udmattet, drænet for følelser. Hun ringede hjem til børnene og satte sig til at vente. Halvanden time efter kom han ind. Han satte sig ned.

»Mødet blev udsat. Hverken Phil Berger eller Eileen mødte. Eileen havde undskyldt sig med sin mors sygdom.« Ane tog hans hånd.

»Bob, det går ikke. Der er kun én ting at gøre. Vi må væk, langt væk. Hvornår er næste retsmøde?«

»Det er i november. Der skal hun møde, ellers går sagen til doms. Hun kan ikke trække det længere ud, det siger Ralph.«

»Det var deres hævn for det oppe i hytten,« sagde Ane. »Men det kunne have været værre. Du kunne have siddet i San Quentin.« Han så på hende, og de begyndte at le. Situationen var absurd. De havde nået bunden af depressionen. Ane ruskede i ham.

»Vi kan le igen. De kunne ikke knække os. Lad os rejse et eller andet sted hen. Lad os overraske dem. De tror hele tiden, vi sidder og venter på deres næste træk. Lad os vise dem, at vi er ligeglade med skilsmissen. Lad den gå sin gang. Se den anden vej som en god dressør, Bob. Det her kunne aldrig lade sig gøre i Danmark. Der betyder ægteskab ikke det samme som her.«

»Jamen, jeg er låst fast. Jeg kan ikke disponere over mine penge. Jeg vil have solgt huset eller indrettet det anderledes. Du skal ikke blive ved at gå her. Jeg ved, hvor du skammer dig over det, og jeg forstår dig godt. Vi skal have vores eget. Jeg kan ingenting. De har bastet og bundet os.«

Hun rejste sig op og gik hen til hans skrivebord, der flød med papirer, regninger og private papirer. Hele natten havde han siddet og fundet de papirer frem, han skulle have med i retten. Hun holdt et brev op.

»Det er fra One Shot Antelope Club.« Bob så på hende, åbnede det og smilede.

»Det var lige det, vi ventede på. Det er en invitation til den årlige skydekonkurrence i Lander. Amerikas bedste skytter kommer dertil. Vi skal op i shoshonernes reservat. Det ligger oppe i Lander i Wyoming. Det gælder om at skyde en antilope i et skud. Høvdingen er der altid. Det er en ære at være inviteret med. Konerne har et dameprogram, så er der stor festbanket og dans om aftenen. Vi tager derop. Jeg tager ferie bagefter, så tager vi til hytten, og der bliver vi, hvad enten det stormer eller sner. Jeg har den terrængående bil. Dér kan de ikke nå os, der har vi bare hinanden.«

»Ja, og bjørnene og pumaen,« sagde Ane.

Han gik ind i sit kontor, smed alle papirerne ned i skuffen, smækkede den i, begyndte at synge. Ane stod ude i køkkenet og lavede mad, og han kom ud og satte sig på køkkenbordet og dinglede med de korte ben.

»Min kloge, lille danske kone. Du har ret. Jeg føler, livet begynder igen. Jeg er helt let om hjertet. Kan du se, hvor de vil ærgre sig. Det er allerede, som om vi har fat i den lange ende. Det er loven om frigørelsens kraft.«

»Hvad går den ud på?« spurgte Ane og vendte de store bøffer.

»At slippe hadet, der blokerer,« sagde han. Han så på stegepanden. »En ordentlig bøf er lige, hvad jeg trænger til, til helvede med kolesteroltallet. Nu skal vi nyde livet lige til november, hvert eneste minut.«

Da de havde spist de saftige bøffer, drukket californisk rødvin, hentede han italiensk is, som de satte sig og spiste foran fjernsynet. Ane drejede hovedet og så ud i haven, det var, som om hun blev betragtet. Bag den lukkede terrassedør sad en vaskebjørn med sine sorte brilleøjne og kiggede ind i stuen. I samme øjeblik begyndte den røde kat at hyle.

»Jeg synes, den vaskebjørn ligner Phil Berger!« sagde Bob, greb sin riffel og for ud i haven. Ane så efter dem. Jigger løb foran, den standsede ved en busk, og Bob lagde sig på knæ. Vaskebjørnen kom farende og blev dræbt i et skud. Bob tog den i halen og smed den i skraldebøtten. Jigger stod med lysende øjne og nød synet. Bob kom tilbage.

»Sikke en herlig aften,« sagde han, gav Jigger resterne af sin bøf, og den røde kat trak sig spindende tilbage for at nyde bøffen og den gode stemning, der atter herskede i dens hus.

De kørte op til skydekonkurrencen i Lander. Bob var selvlysende af forventning. De kørte i mange timer gennem prærielandskabet med Rocky Mountains i baggrunden.

»Jeg præsenterer dig som min nye kone. Det bliver jeg nødt til. Det er en mandeloge. De har en meget høj moral,« sagde Bob. »Jeg har aldrig løjet. Nu er mit liv forgiftet af løgne. Tænk på den dag, min elskede, hvor vi ikke skal lyve mere, hvor alt er normalt, og vi kan færdes uden videre som par.«

»Sådan så man på uægteskabelige forbindelser i Danmark omkring århundredskiftet,« sagde hun og rystede på hovedet.

»Det er ikke sådan alle steder i USA,« sagde han. Ane så på landskabet. Det havde heller ikke ændret sig. Her var ingen mennesker, ingen huse, kun prærie og små barakbyer. De ankom til motellet sent om aftenen. Der var pyntet med skilte »Velkommen, antilopejægere. Vi er stolte af jer.« Hele motellet lød, som om der var skruet op for lyden i en westernfilm. Alle skytterne var iført deres fineste westerntøj, store stetsonhatte, læderveste, ternede skjorter, Levi's, støvler. Her var dyre rifler i hylstre med udsmykning på. Jægernes koner var pyntelige damer i spadseredragter eller flæsekjoler.

Alle råbte og kastede sig om halsen på hinanden. Mændene var de tunge, rige drenge. Parkeringspladsen glimtede af de dyreste amerikanske biler. På den lille flyveplads ved siden af hotellet stod en række elegante private flyvemaskiner. Ane blev præsenteret og Bob ønsket tillykke med det nye ægteskab. Der var høstfeststemning og oprømte herrelogestemmer overalt. Ane gik undrende omkring, som var hun på et museum. Konerne var klædt som Oklahomakoret. De talte bredere, end de plejede, satte hænderne i siden og råbte op. De var skyttepatriarkernes stolte bagland.

Ane satte sig på hotelsengens quiltede nylontæppe.

»Jeg er virkelig langt hjemmefra, Bob. Det er ikke bare et andet land. Det er en anden planet.«

»Synes du ikke, det er sjovt?« sagde han, mens han pakkede udstyret ud.

»Jo, men det er ligesom jeg er i karrusel hele tiden. Musikken spiller, de råber og råber, og jeg vil gerne af, inden jeg bliver svimmel.«

»Du kommer ikke af de første par dage,« grinede han. »Jeg så i dameprogrammet, at du skal ud hos sherif Pete og hans kone Gladys.«

»Hvilke seværdigheder har de at byde på?«

»Han er sherif i reservatet. Hun er opvokset i reservatet. Shoshonernes reservat er ikke nogen søndagsskole. Der sker ting og sager, men de gør også mange gode ting for indianerne. Alt det skal du ud og se. Det er Gladys, der leder dameturen. Vi skal også til frokost med høvdingen og hans koner.«

»Koner, hvor mange har han?«

»To,« lo Bob.

»Jamen, så har vi meget at tale om,« sagde Ane og hængte kjolerne ind i skabet.

Dameprogrammet startede næste morgen. En lille sorthåret kvinde med knivskarp midterskilning stod udenfor. Hun samlede damerne med fast hånd. Det var Gladys, sheriffens kone. Hun kom hen og rakte Ane hånden.

»Velkommen, Ann Bryant. Stig bare op i min bus, så kører vi ind i reservatet. I skal blive i bussen, indtil vi kommer frem. Det kan være farligt at gå udenfor. Shoshoneindianerne bryder sig ikke om hvide gæster. Men vi skal se skolen og de aktiviteter, vi har i gang for indianerne i reservatet. Bagefter drikker vi te hos os.« Hun satte sig ind i bussen, dyttede i hornet, og ti damer gik om bord i bussen.

»Er der ikke nogen steder, hvor vi kan købe souvenirs?« spurgte en dame i squaredancekjole.

»Jo, men uden for reservatet.« Ane var forbavset, reservatet var på størrelse med Fyn. De kørte ind ad en port. Det var kun tilladt indianerne at køre ind til byen Lander om fredagen, så holdt andre sig inde. Indianerne havde ikke kørekort, for de fleste var analfabeter. Om fredagen gik det hårdt for sig i Lander. Indianerne kørte vildt, parkerede på fortovet, styrtede ind på barerne og drak sig fulde, sloges i gaderne, men sørgede for at være i reservatet inden morgengry, ellers røg de i detentionen i sherif Petes fængsel.

Ane sad ved siden af Gladys, der lignede en skotsk indvandrerkvinde. Hun var sidst i fyrrerne, men hendes hår var knaldsort uden en eneste sølvstribe. Hendes ansigt var uden makeup, hendes blå skotske øjne var som flint.

»Jeg er opvokset her i reservatet og er uddannet som sygeplejerske og jordemoder. Der er ikke så mange, indianerne respekterer. Men min mand og jeg har et godt forhold til dem.«

»Har man et godt forhold til sheriffen, når man er spærret inde i et reservat?« spurgte Ane forbavset.

»Det er anderledes her, end de fleste tror. Nogle har så meget indianerromantik i hovedet, at de dør af det. Indianerne betragter reservatet som deres land, deres område. Der kommer hele tiden folk ind, som ikke respekterer de regler, vi har. De kommer for at missionere, fordi de tror, at indianerne gerne vil flytte ud af reservatet og integreres i samfundet. I sidste uge blev en ung velmenende mormonpræst dræbt. Han ville sikkert indianernes bedste. Men de gider ikke høre på præk, siger de.

Vi havde et velfærdsprogram, hvor vi byggede huse til dem. Husene lignede små parcelhuse, nydelige. På terrasserne sad indianerne og hang. Der stod køleskabe udenfor og masser af flasker. Indianerne har et stykke jord, de kan dyrke,« sagde Gladys og pegede ud over markerne. På en traktor ude på marken sad en hvid farmer på en traktor.

»Jamen, han er da ikke indianer,« sagde Ane.

»Indianerne lejer jorden ud, de gider ikke selv dyrke den. Vi har også haft et jagttræningsprogram, så de kunne opøve deres gamle færdigheder. De har ikke jagtsæsoner som uden for reservatet. Indianerne må jage hele året. Det har vi problemer med, for de sælger jagten til hvide jægere, der driver krybskytteri.«

»Er der noget, som går efter velfærdsplanerne?« spurgte Ane.

»Næh,« smilede Gladys. »Her går det, som det altid har gjort. Det tager nok et par hundrede år, før det bliver anderledes. Jeg passer dem, når de er syge og jeg er jordemoder, hvis der er vanskeligheder. Jeg taler deres sprog. Jeg kan færdes overalt. Pete og jeg er en slags far og mor. Men det er en temmelig urolig børneflok, vi har. Vi låner dem også penge, når de er i vanskeligheder. Vi kender de fleste familier her.«

Bilen skumplede af sted på de dårlige veje i reservatet. Solen brændte. Det var stenet, tør prærie med lave buske, ingen træer skyggede for den stærke sol. De kom forbi et faldefærdigt skur, hvor der var tegnet en humoristisk stor, blå elg. Elgen var tegnet, som om den havde brandert på. Den blå Elg, stod der på skiltet.

»Hvad er det?« spurgte damerne.

»Den lokale bar,« sagde Gladys og skiftede gear. Hun bremsede foran skolen, et rødt murstenshus som lå midt i landskabet uden huse eller veje omkring. Der var øde.

»Hvor er børnene?« spurgte damerne i kor.

Gladys steg ud og gennede sin lille flok ind i skolen. De gik op ad en knirkende trappe. Der lugtede af hest i skolen. Gladys åbnede døren til et klasseværelse. Ved katederet sad en kvindelige lærer og læste i en bog. Hun så forbavset op, da hun fik øje Gladys.

»Åh mrs. Gladys, dejligt at se Dem.« Hun rejste sig og gav hånd til damerne. Klasseværelset var tomt. Hun trak på skuldrene.

»Der er ikke kommet mange i dag. Vi plejer ellers at have en fem stykker. Men indimellem vil de hellere skyde kaniner, ride eller hænge omkring.« Gladys tog afsked. Læreren satte sig ned med sin bog igen, og de vandrede ud af skolen.

Under høje hyl kom to indianerdrenge ridende på deres ponyer. De sprang af, bandt hestene til skolens rækværk og gik ind i skolen.

»Ja, det var så morgenens elever,« sagde Gladys.

De kørte et par timer. Gladys havde kølig saftevand til damerne, der efterhånden var dækket af det fine støv, som trængte ind overalt i bilen. De var godt mørbankede og begyndte at hviske, at de godt kunne tænke sig en eller anden form for shopping i stedet for at se det her. Det var endda pinligt for Amerika, når der nu var en besøgende fra Europa til stede. Man ville gerne vise noget, man kunne være stolt af.

Ane kunne bedre og bedre lide Gladys. Det var flot at lave fin dametur herud, hvor hele velfærdsprogrammet gik ad helvede til.

De bremsede op foran en lille net rød murstensvilla. En lille rødmosset mand med hjulede ben, sherifhat på, en stor, blå næse og et venligt ansigt bød dem velkommen. Det var sherif Pete, som Ane havde hørt så meget om. Han lignede ligesom Bob en overskåren kæmpe. De fortalte, at han var hurtig med revolveren, en glimrende skytte, og at han klarede problemerne i reservatet enten med sin humor eller med at bukke begge ender sammen på genstridige indianere. Han trak sig tilbage fra damekvidderen, tog sin gamle, rustne Studebaker og kørte af sted for at deltage i skydekonkurrencen.

Der var ikke et støvgran i Gladys hjem. Damerne satte sig ned med vrante miner. Det her var det værste dameprogram, de nogensinde havde været præsenteret for. Her sad de ude på prærien og drak saftevand og spiste hjemmebagte småkager og skulle beundre nogle gammeldags polerede møbler og en udsigt til et par gamle heste, der stod og slog med hovedet efter fluerne. Gladys gik omkring og serverede. Så vendte hun sig mod sine gæster.

»Har I lyst til at se mit fængsel?« Damerne så på hinanden. Var det passende at se et fængsel?

»Jeg vil gerne se dit fængsel. Jeg så godt stålburene, men jeg troede, du opdrættede hunde,« sagde Ane, tog sin taske under armen og gik lige efter Gladys. De andre damer fulgte dem med optrukne øjenbryn, nogle af dem fnisede nervøst.

Gladys og sherif Petes fængsel lignede en hundekennel, hvor man opdrættede rottweilere. Burene var stærke. I hvert bur var der en dør ind til cellen, udenfor var løbegården. Hver indianer havde sin løbegård. Gangen mellem løbegårdene gik i midten. Da indianerne hørte deres stemmer, kom de ud i deres løbegårde. De sprang op på gitteret, ruskede i det. Damerne var nervøse og turde ikke se på dem for ikke at gøre dem mere aggressive. De indsatte råbte først, når Gladys var passeret, så haglede det med ukvemsord.

»Se de gamle kusser. Hende der kunne trænge til en ordentlig omgang. Vil du have pik? Ja, dig med de store patter! Slik min pik, dame.« Der var ikke de sjofelheder, de ikke råbte.

»Mit fængsel er meget rent i forhold til andre fængsler,« sagde Gladys stolt. »Og de er meget tilfredse med maden. Jeg laver selv al maden til dem. De får mad tre gange om dagen, nogle gange to retter til middag.«

»Hvem hjælper dig?« spurgte Ane.

»Ingen,« sagde Gladys.

»Er du ikke bange?«

»Nej, jeg er i Guds hånd, ingen gør mig noget. De råber bare.« Uden for burene stod indianernes koner og kærester. De smed cigaretter, chokolade og små mistænkelige pakker ind over hegnet. De holdt op, da Gladys gik forbi. Men bagefter fortsatte de.

Ane standsede foran en celle. Der sad en stor indianer som på film med armene foran sig, benene strakt ud og øjnene et sted i horisonten. Hans lange sorte hår var skilt i midten og hang tjavset ned under pandebåndet. Han havde et blodigt bind om ansigtet.

»Hvad er der sket med ham?« Ane var den eneste, som talte. De andre kvinder holdt sig tæt sammen, de var ilde til mode og meget bange. Gladys var helt kold.

»Det er Jim. Der var familieselskab. En af onklerne skar hans næse af med en dolk. De fandt stumpen og kom farende ned til mig. Vi lagde is på næsestumpen og tog den med i en plasticpose. Jeg kørte med ham i vognen. Pete var ikke hjemme. Vi har et hospital i Lander. Jeg spurgte ham, om han ville have syet næsen på uden bedøvelse, for han var stangstiv af druk, og så kan man jo ikke blive bedøvet. Det ville han så. Jim kom ind på hospitalet. Mange af dem kan stadig gå i trance, flytte smertepunkterne i en slags selvsuggestion, så de ikke mærker smerter. Han fik syet næsen på. Det så virkelig godt ud. Han var der i to dage, længe nok til at han var blevet varm på en sygeplejerske. Men da han skulle tilbage i fængslet, ville han ikke med på grund af hende sygeplejersken, og da Pete kom og hentede ham, rev han næsen af igen i protest. Men så tog vi ham bare med hjem. Han havde stukket et familiemedlem ned i slagsmålet. Vi kan jo ikke ligge der og køre frem og tilbage, fordi han river sin næse af, vel?« Ane så på Jim, og han så hadefuldt på kvinderne. Da Gladys gik forbi, spyttede han efter hende.

»Det bliver noteret, Jim,« sagde Gladys. Han brummede og lagde sig ned på jorden i buret.

De gik ind i Gladys' stue igen.

»Ja, så er der ikke mere,« sagde Gladys og slog ud med armene. »Jeg håber, damerne har fået et godt indtryk af et indianerreservat og af de problemer, vi har her. Nu kører vi hjem igen. Jeg skal nok holde ved souvenirbutikken inde i byen, så damerne kan få et minde med hjem.« Hun startede bilen i en støvsky. Men ingen af damerne havde lyst til at gå i souvenirforretning. De ville helst hjem til deres mænd hurtigst muligt.

»Det var en stor oplevelse for mig,« sagde Ane til Gladys. »Jeg vil aldrig glemme det. Hvorfor gør I det egentlig?«

»Der er nogle dage, hvor der er mange glæder,« sagde Gladys og smilede, så et net af smilerynker strålede ud i hendes kønne stærke ansigt med de mørkeblå øjne. »Du var vist den eneste, der forstod, hvad det handler om,« sagde Gladys. »Men de havde godt af at se det. Al den falske indianerromantik har altid irriteret mig.«

Ane fandt Bob nede på skydebanen. Hans T-shirt var drivende våd.

»Hvordan går det?« spurgte hun. »Jeg har aldrig skudt så dårligt. Jeg kan ikke ramme. Jeg ved ikke, hvad det er med mig. Jeg er ukoordineret.« Han lagde riflen fra sig. »Skal vi gå? Jeg er ikke mere mellem de bedste.« Han slog ud med armene.

»Du kan ikke vinde hvert år,« sagde Ane trøstende.

De gik ind på hotelværelset, og Ane fortalte om dagen. Han lå i sengen med hænderne bag hovedet og lyttede, så lagde hun sig ned i hans arm og de lå forelskede og nød de nye omgivelser, hvor alle truslerne og ubehagelighederne ikke kunne nå dem.

»Tror du ikke, vi kan nå at elske lidt inden middagen?« sagde han. Han kyssede hende på skulderen. »Din bløde, brune hud. Man kan ikke se, at du er over fyrre. Du har skuldre som en ung, ung pige.« Han havde lige taget hendes skulderstropper ned, da døren blev sparket op, og der stod tre grinende cowboys i stuen med en bakke med champagne. Den højeste af dem var en ældre herre i halvfjerdserne med cowboyhat og rød vest på.

»Vi ville bare give dig en drink, gamle dreng, før du overanstrenger dig.« De grinede. Ane var chokeret. Hun trak tæppet op. Bob rødmede.

»Ærlig talt, det kan I sgu ikke tillade jer.« »Åh, Bob, lad os nu bare skåle på jeres lykke.« De var som uartige drenge. Den høje stilige herre lænede sig over tog Anes hånd og kyssede den cheveleresk, mens de andre mænd lavede ulvehyl.

»Jeg hedder Harold Dahl. Jeg er af svensk afstamning, og du er dansk. Hvor er du yndig.« Han kyssede hende på skulderen.

»Så er det nok! Ud med jer!« råbte Bob og sprang ud af sengen. De for grinende ud ad døren, håndtaget hang og dinglede.

»Hvad er det her for noget,« sagde Ane. »Her er ret meget karlekammerhørm, hvad? Det er ikke lige min livret at blive oversnasket af en savlende, ældre herre klædt ud som cowboy.«

»Åh, han er nu meget sjov. Han er Colorados største entreprenør. Han er ret sej. Han rider prærieulvejagter, springer over brede klipperevner. Ja, hvad han ikke finder på. Han har en flot kone, halv indianer, som hedder Ruby. De er søde og rare mennesker, men heroppe går folk lidt amok. Jeg skal nok passe på dig,« lo han og puttede hende ned under tæppet. »Synes du ikke, det er sjovt? Det er som om, vi er unge.« De ældre herrer stod uden for vinduet, bankede på ruden og sang. Indimellem råbte de: »Nåh, Bob, hvordan går det?«

Bob morede sig og var smigret. Ane havde taget en bog og lå og læste. Til sidst blev mændene trætte af deres jokes og gik over i baren. Ane faldt i søvn. Bob vækkede hende senere.

»Nu skal vi gøre os klar til middagen, du skal ikke lægge fingrene imellem. Det er meget elegant.«

Restauranten lignede Vin og Ølgod. Store langborde og gammelt cowboyudstyr overalt. Vognhjul på væggen, krydsede rifler. Indianer-souvenirs. Alle var klædt om. Mange af mændene havde smidt cow-boytøjet og var i elegante habitter med farvestrålende veste og ma-verickssløjfer. Konerne var i aftenkjoler af folkloristisk tilsnit. Der var damer forklædt som klapperslanger i stramme slangemønstrede kjoler med frynser. Nogle havde buksedragter på og hvide støvler med sporer. Velkomstdrinken var et glas så stort som et badekar fyldt med dry Martini. Ane drak et par mundfulde og følte sig påvirket. Hun roste sig ellers altid af, at hun kunne tåle en del.

Der blev pludselig stille. Præsidenten var gået op på scenen. En højtidelig stemning sænkede sig. De berømte skydebrødre i Anti-lopeklubben blev budt velkommen og nu kom ceremonien. Der lød dumpe slag på en indianertromme. Lyset blev slukket, kun et par lys var tændt på scenen. Bob stod bag Ane, tog hende om livet og holdt hende tæt ind til sig. Han lagde sin kind mod hendes. Den store høvding kom ind med en ung indianer. Præsidenten læste navnene på de skydebrødre, der var døde i årets løb. For hvert navn slog den unge indianer tre slag på trommen. Høvdingen løftede sin riffel og skød et skud med løst krudt. Alle mændene havde stenansigter på og holdt deres koner fast i hånden. Det var uhyggeligt. Høvdingens ansigt var det eneste, som var fuldt oplyst på scenen. Hans øjne så ud over publikum, som om han kunne forudse hvem af skydebrødrene, der skulle skydes for næste år. De sænkede blikket, ingen turde møde hans øjne, for han var i det øjeblik en ånd, som mindede om livets for-gængelighed. Ane frøs. Hans blik gled ned mod dem. Bob så ham i øjnene, men Ane mærkede, hvordan han rystede. Hun klemte hans hånd. Høvdingen løftede sin riffel, da det sidste navn blev læst op til trommens dumpe slag. Han skød det sidste skud. Krudtrøgen blev hængende længe på scenen, og det varede lidt, før de raske skydebrødre var i form til at gå på de store bøffer, som nu blev fordelt på langbordene.

Bagefter var der bal i loen. Squaredance, hvor alt stod i et, hvor de gamle skydebrødre kastede sig rundt og hele tiden skreg yeeha! Konerne viftede med kjolerne og teede sig som lystne hopper med vrinsk og hvin. Årets præmievinder fik overrakt den eftertragtede riffel, og alt var fest og glæde. Et tremands orkester med harmonika og guitar spillede country. Alle ville danse med Ane og lære hende squaredancetrinene. Hun lærte dem hurtigt og førte straks an i kæderne. Hun var lykkelig. Det her var legeland. Så længe hun kunne huske, havde hun altid danset sine sorger og glæder ud.

Det lykkedes Bob at få to danse med hende. Han var stolt, men slæbte af med hende klokken to.

»Jeg elsker Amerika,« lo Ane og smed sig på sengen. »I er komplet skøre, men I har ingen alder. I er altid børn. Det er så smukt, så vanskeligt, så farligt. Bob, jeg har moret mig så godt. Somme tider føler jeg, at min formelle, europæiske maske er ved at smelte. Jeg fornemmer friheden. Det varer et stykke tid, før jeg rigtig tør være som jer. Åh, de søde, gamle mænd. Så glade som Snehvides dværge. Det var magtens mænd, som slog sig løs, et bevægende syn.« Hun tog ham om halsen og trak ham ned på sengen, og de lå og lo ind i hinandens ansigter.

»Jeg elsker dig så højt. Du gør mig så lykkelig. Nu har vi glemt alt det derhjemme, ikke?« Han kyssede hende blidt. »Kom nu herned til mig.« Hun smed sin våde silkekjole på gulvet og krøb ned under de stramme tæpper. Han elskede med hende hele natten. Det var åbenbart ansporende, at skydekammeraterne med mellemrum bankede på skodderne og kom med muntre tilråb. Døren var blokeret. Han havde flyttet kommoden hen foran den.

Ane var udmattet. Hun havde kun sovet et par timer. Klokken var seks og udenfor stod Harold Dahl og bankede på døren med morgenkaffe, som han kom ind og serverede under høje hyl fra de andre drenge. De sad i fodenden og så på Bob og Ane, som om det havde været deres bryllupsnat.

Hun kunne se, hvor det nagede Bob, at han havde hemmeligheder for de legekammerater, han altid havde ønsket sig. Det gjorde hende så ondt, at den ærlige mand, der aldrig sveg og løj, sad der med sin riddersamvittighed og spillede genert nygift brudgom i sin høje alder. Fik de det at vide, ville de aldrig tilgive dem deres løgn. Ane ville falde ned fra piedestalen og bare være en elskerinde, Bob havde haft den store frækhed at føre ind i herrelogens bedste kredse.

KAPITEL 24

HESTENE, IMP OG Snake, vrinskede en morgen på en særlig måde. »Der er faldet sne,« sagde Bob, inden han havde åbnet øjnene. Ane stod op og kiggede ud ad vinduet. Alt var pudret med Colorados tørre puddersne. Hestene travede rundt i folden opmuntret af frosten i luften, som gjorde dem friske og frostkulrede.

»Kunne du høre det på hestene?« spurgte Ane. Han nikkede.

»Nu tager vi op i eventyrland i denne weekend, hvis det bliver ved at sne. Det er det smukkeste syn oppe ved hytten, når fyrretræerne og granerne næsten tynges til jorden af hvide snedyner. Alt er stille, selv skovens lyde er pakket ind i sne, og vi kan se dyresporene helt tydeligt. Hele fredagen hørte han opmærksomt på vejrberetningerne.

»Den første Wyoming-snestorm er på vej. Nu kommer du til at opleve et vejr, du aldrig vil glemme. Bilen skal pakkes med proviant og varmt tøj. Termokander med varm te, kaffe og chokolade. To store rygsække. Bilen parkerer vi ved Silver Spur Ranch, og så tager vi min bæltebil resten af vejen. Den står parkeret i laden.«

Ane kunne mærke, at han blev høj, fordi det var spændende og farligt. Hun tænkte på, hvad der kunne ske, hvis han besvimede eller blev dårlig. Hun ville være totalt hjælpeløs. Hun kunne ikke køre bæltebilen. Hun anede ikke hvor hun var, så snart de var drejet ind over prærien. Der var ingen naboer i miles omkreds. Hun tav. Det ville ikke have nogen effekt at gøre ham opmærksom på, hvad der kunne ske. Hun var bange, følte sig fanget. Hun stolede ikke længere på hans dømmekraft. Hendes eget valg havde bragt hende hundrede år tilbage i tiden. I Colorado blev hun nødt til at følge sin mand i ondt og godt. Da han bar provianten og sneskoene ud i Forden, var han lykkelig på vej til et nyt eventyr, og hun kunne ikke bære over sit hjerte at minde ham om virkeligheden og risikoen for hans helbred.

Stormen begyndte, da de var halvvejs. Der var kolossale vindstød, som fik den tunge vogn til at svaje. Sneen væltede ned, og sigtbarheden var dårlig. Gang på gang så han på hendes ængstelige ansigt.

»Kong Vinter har meldt sin ankomst,« sagde han og så kærligt på hende. Vognen blev med besvær kørt op foran den øde Silver Spur Ranch. Ejerne brugte ranchen som sommerbolig. Om vinteren flyttede de til Californien og nød livet, og hestene blev fordelt på de omliggende ranches.

Det frøs nu 20 grader. Ane kunne dårligt holde sig oprejst mod vinden. Bob bandt halstørklædet om hendes næse og mund. Han sled med ladeporten, kom endelig ind.

»Satans, den er frosset til. Der har været hul i taget over den.« Ane så på den lille bæltebil. Bunden og sæderne lå inde i en klar isblok. Bob tog sin økse og gav sig til at hugge isen bort. Han svedte, mens han huggede isen løs med sine kæmpekræfter. Han hævede øksen højt over hovedet og lagde hele tyngden i slaget, der fik isblokkene til at splintre. Mekanisk bar hun udstyret fra bilen ned i bæltebilen. Da isen var hugget løs, startede den med et brøl. De fik høreværn på. Hun ruskede ham i ærmet. Han tog høreværnet af.

»Hvordan kan vi se, hvor vi skal hen? Vi er jo blændede af sneen?« Han pegede på et kompas, og de kørte. De kørte i timevis. Ane var stivfrossen, hun kunne ikke mærke sine ben. Bob var sammenbidt, så hele tiden på kompasset. Et par gange sad bæltebilen fast, en gang var den sidelæns på vej ned ad en skråning. Anes nakkemuskler brændte af spændinger, hun var tør i munden og drak hele tiden af sin vandflaske. Udenfor hvirvlede sneen i spiraler. Han standsede bilen. Det var mørkt. Han lod projektøren spille hen over sne og skovtykning. Bob tog høreværnet af.

»Vi skal ind et eller andet sted derovre. Se godt efter katteøjerne på træerne.« De sad tavse i ti minutter, mens projektøren fejede hen over terrænet. Pludselig så de et svagt rødt glimt.

»Hurra,« råbte de og startede sneploven, som pløjede sig ned til åbningen i granerne. De kørte ind ad stien, og fyrretræernes grene var tyngede til jorden af sne, som om træerne nejede for dem.

Det første Bob gjorde, da de endelig var kommet inden døren, var at hælde koldt vand over hendes blåfrosne fødder. Det gjorde ondt. Han selv var dampende varm og lykkelig. Han rullede hende ind i et tæppe, tændte for den store kampestenspejs og gav hende dåsesuppe, som hun drak, mens hun rystede.

»Se, det er livet,« sagde han fornøjet og tømte sit krus. »Den var skrap, hvad? Nu skal min lille danske kone i seng. Jeg bærer dig.« Han løftede hende op og bar hende op i den kolde seng, tændte det elektriske varmetæppe og puttede hende som en dukke. Hun så hans brede ryg foran vinduet, hvor snestormen hylede udenfor. Stormen ruskede i taget. Han vendte sig lykkeligt.

»Der sker ikke noget selv i den værste storm, for huset er bygget så tæt, at ikke engang en flue kan mase sig ind.« Ane foldede sine hænder og bad til Gud, at de måtte komme godt fra dette snehelvede, når de skulle hjem. Hun havde altid før kunnet stole på sig selv og sin egen styrke. Her var hun afhængig af en mand, der først følte sig i live, når han stod midt i orkanens øje.

Om morgenen havde stormen lagt sig. Skoven og bjergsiderne var et hvidt glimtende eventyrlandskab. En sne hun aldrig havde set mage til, tørt pudder, der glimtede og var så fint som flormelis. Hun følte på sneen.

»Kan vi ikke stå på ski?« spurgte hun. Han rystede på hovedet

»Ikke før jeg har trukket et spor. Men vi kan gå på snesko. Det er ikke svært.« De spændte sneskoene på, tog rygsækkene på nakken og gik op ad bjerget i de tunge driver, sneskoenes net bar dem oppe. Hun lærte hurtig teknikken og glædede sig over at føle sig varm og uden angst. Hun trængte til at svede angsten fra i går ud. Hun løb op ad bjergsiden på sine snesko, henrykt over at mestre en ny færdighed så hurtigt.

Hun vendte sig om. Bob var væk.

»Bob,« skreg hun. Hun vendte tilbage ad stien ude af sig selv af angst. Han sad sammenkrøbet på en sten.

»Giv mig et stykke chokolade. Det er mit blodsukker.« Han holdt sig på mellemgulvet. Hun pakkede chokolade ud og puttede det i munden på ham. Det var klart for dem begge, at han ikke havde kunnet tåle anstrengelserne. De kunne ikke skjule tankerne for hinanden. Uden et ord sad de og holdt hinanden i hånden i det strålende vinterlandskab. Solen varmede, men der var rim omkring deres næsebor i den hårde frost.

»Det bliver en lang, hård vinter i år.« Han rejste sig besværet, og de gik ned ad bjerget mod hytten.

De blev der en uge, og sneen dæmpede deres uro. Det var dage fyldt med fred og kærlighed. De talte om alt andet end problemerne. De talte dæmpet om deres planer og fremtiden. Da ugen var forbi, kørte de hjem for at ruste sig til det sidste retsmøde.

Anes gods kom med et transportfirma fra Danmark, og hun gjorde sig alle anstrengelser for at udfylde de sidste dage, så Bob ikke på ny gled ind i tvangstankerne og depressionen. Børnene ringede, og de talte både med hende og ham om, hvordan sagens udfald kunne blive. Robert og hans familie var flyttet tilbage til USA for at være tæt på Bob. De kom på besøg og deres lille datter, Brook, sad på Anes skød. Ane så ind i barnets lidt skråtstillede brune øjne og holdt hende tæt ind til sig.

»Det er som om, hun er vores barn,« sagde Bob bevæget, fordi hans barnebarn havde accepteret Ane så hurtigt.

Det rørte Ane dybt at se Bob og hans søn forsigtigt nærme sig hinanden. Bob var så bange for igen at gøre noget forkert, for at fordømme, for at give nederlag. Han prøvede at finde sin nye farrolle uden at underkaste sig. Robert så det og var generøs, ikke en eneste gang lod han sig mærke med, at han så sin fars tryglen om tilgivelse og accept. Naturligt og værdigt tog han den far til sig, som havde gjort hans barndom til et angstfyldt mareridt.

Bobs børn var nu tættest på deres far. De havde fra begyndelsen bestemt sig til at være loyale og ikke blande sig i forældrenes skilsmisse. Men deres mors hadefulde attitude havde forvirret dem. De ville hjælpe hende. De ville tale med hende, prøve at forstå hende. Men Eileen skød dem fra sig. Hun stolede kun på én i hele verden, Phil Berger.

»I har svigtet mig. I aner ikke, hvilket helvede jeg har været igennem. I skal komme til at fortryde. Gud vil straffe jer for jeres gerning. En eller anden skulle skyde Ann,« sagde Eileen.

Robert havde prøvet at tale fornuft til hende. Han kom hjem til dem og var urolig. »Pas godt på Ann. Hun kunne godt finde på det. Jeg har ringet til hendes psykiater, hvor hun har været i behandling siden sit selvmordsforsøg. Han har lovet at kontakte hende.«

Eileens trusler gjorde ikke indtryk på Ane. Hun kunne ikke rumme dem. Al hendes energi var rettet mod at få Bob ud af depressionen og tvangstankerne.

»Jeg har en overraskelse,« sagde hun en dag og viftede med to breve. »Vi skal have selskab!«

»Hvem vil komme hos os?« spurgte Bob.

»Der er to par, Harold Dahl og hans kone Ruby. Oberst Sage Norwood og hans nye kone.«

»Er du klar over, at det er Colorados high society? Harold Dahl er mangemillionær. Han er formand for jagtrideklubben. Deres omgangskreds er pengeadelen. Tør du invitere dem her i vores hjem, sådan som her ser ud?«

»Jeg talte med konerne oppe til skydekonkurrencen. De var så søde, og deres mænd er både begavede og morsomme og har andet at byde på end deres penge. De par er anderledes. De har været i Europa. Jeg har inviteret dem som en overraskelse til dig. Se, de glæder sig til at komme.« Hun lagde svarkortene foran ham. Han blev stum, læste dem om og om igen.

Havde du ikke sagt det til mig, hvis de havde svaret nej?« spurgte han og så på hende.

»Jo, måske en anden gang,« lo hun. »Jeg laver et stort koldt bord, som man gør i Skandinavien. Det bliver lige noget for Harold, som længes hjem til Sverige!« Bob lagde armene om hende.

»Du er stærk, skat. Jo værre det er, jo stærkere bliver du.« Hun arbejdede i to dage på den store lørdagsfrokost. Bob gik nervøst rundt og så på hendes forberedelser. »Ved du, at jeg aldrig har haft et middagsselskab eller en frokost for sådan nogle mennesker. De eneste vi kendte var sheriffen fra Wyoming og hans kone. Eileens familie kom kun én gang om året. Det her er uvant for mig. Men jeg stoler på dig.«

Hun turde ikke betro ham så meget som at købe en flaske vin. Han anede intet om vin, mad og selskabsliv. Under forberedelserne gik han bare rundt i hjørnerne og prøvede lydigt ikke at gå i vejen og være til besvær.

Da bordet var dækket med damaskdug, dansk sølvtøj, kongeligt porcelæn, krystalglas, blomsteropsatser, damaskservietter i bispehuer, og lysene var tændt i den store sølvlysestage, stod han betaget og knugede hendes hånd. Ude i køkkenet var sildeanretninger, en fyldt gås, salater, postejer, osteanretninger, kolde Tuborg, duggede snapseglas og to Jubilæumssnapse på køl. Hun var lykkelig, og sammen stod de og ventede på gæsterne til Bobs første elegante selskab.

Den store Harold Dahl tog hende i sine arme og svingede hende rundt i luften, da han så sin barndoms sildebord. Den aldrende elegante oberst slog sig løs og viste sin stormende forelskelse i sin unge kone. Harold Dahls kone, Ruby, var en smuk, ældre kvinde med indianske træk. Hun sad tavs og glædede sig over at se sin mand finde sine skandinaviske rødder på bunden af det duggede snapseglas og med et lår af den sprøde gås i hånden.

Bob sad for bordenden og strålede. Han løftede sit glas mod Ane og takkede hende, fordi hun havde tændt lyset i hans tilværelse og hans hjem.

Ane så på sine gæster og glædede sig. Hun havde en tydelig fornemmelse af, at de to par ikke sad der tilfældigt. De var blevet kaldt til Bobs hus for i et glimt at vise ham et andet liv, end det han kendte. Det gode liv blandt mennesker, der ville hinanden godt. De to mænd ved bordet havde livet bag sig. De talte ikke om deres penge, deres sejre. Denne aften var de glade amerikanske mænd med hårde kampe bag sig. De nød nu deres liv med al den styrke, den humor, den selvstændighed og værdighed, som var det bedste, Amerikas mænd kunne byde på.

Gæsterne gik klokken fire om morgenen. De havde danset til Bobs gamle plader. Ruby var ædru. Med fast hånd styrede hun mændene ud til den røde Cadillac. De vinkede og råbte skandinaviske hurraer, så lysene tændtes i villaerne omkring Stuart Street, og der blev råbt om nattero fra nabohuset.

Ane lænede sig træt mod døren og så på Bob. Han sad i en stol, gned sig med sin luffehånd over øjnene. »Jeg har fået venner,« sagde han. »Du giver mig alt.« Han trak hende hen til vinduet og lagde armene om hende. Det sneede. Han sukkede. »Et eller andet sted tror jeg, der findes en flink fyr, som vil bære dig på hænder. Jeg er ikke god nok. Jeg raser, jeg pines. Jeg glemmer, hvordan du har det.«

Hun svarede ikke, for hun var pludselig så træt, og de gik op ad trappen med hinanden om livet. Inden hun sov, tog han hendes hånd.

»Tak for en vidunderlig aften. Jeg vil aldrig glemme den.«

Og dagen oprandt. De vågnede som sædvanlig klokken fem. Men Bob stod ikke op for at løbe, som han plejede. Han vendte sig imod Ane og trak hende tæt ind til sig.

»Ralph siger, at retsmødet i dag bliver det sidste.«

»Får vi besked om udfaldet med det samme?« Han rejste sig op i sengen.

»Nej. Vi kan risikere at skulle vente, måske fjorten dage, måske et par måneder.« Han vendte sig imod hende. Han var bleg.

»Ann! Jeg er bange. Det er så stort et pres. Jeg er svimmel. Det er som at se ned i en afgrund. Jeg ved ikke, hvad jeg skal gøre. Retsmaskineriet har skræmt mig. Jeg tror ikke på noget mere. De jager rundt med mig. Ingen har jaget med mig før. Du ved ikke, hvad det gør ved mig. Det er ikke retfærdigt. Jeg forstår ikke længere, hvad de siger. Det er, som om jeg blokerer. Ralph Harden sidder og taler til mig. Jeg hører, hvad han siger. Men inden i mig raser det, og jeg har lyst til at råbe: »Hvad helvede er meningen. Du er min sagfører. Det er mig, der betaler dig. Du må tale min sag.« Det virker, som om han er med i komplottet.« Ane tog hans hånd, den brændte.

»Bob, du må tage noget beroligende.« Han så på hende.

»Jeg har nervepiller op til halsen, de ligger stablet inden i mig. Jeg kan dårligt gå lige. Mig, der aldrig har taget så meget som en hovedpinetablet. Jeg æder også, jeg har taget på, og jeg er ikke i form. Når det her er overstået, så faster jeg. Vi tager op i hytten og du vover at lave kanelbrød.« Han smilede pludselig. »Jeg har det fandeme, som om jeg er gravid. Nu vil jeg pludselig have kanelbrød. Det er det eneste, der kan berolige mig.« Hun lo og rystede på hovedet.

»Jeg har kanelbrød, jeg bagte det i går.« Hun for ned ad trappen, lavede kaffe, tog den elektriske brødkniv, som skar sig summende gennem det nybagte brød.

»Lun det lidt, så smørret smelter,« råbte han oppe fra soveværelset. Hun ristede det let, smurte et tykt lag smør på, gjorde bakken klar og ilede op ad trappen. Han kastede sig over det.

»Uhm, kolesterol, stærk kaffe, nervepiller og skilsmissesag. Det er noget, der rykker.« Han grinede til hende og tørrede sig om munden. Hun holdt om ham.

»Bob, jeg elsker dig. Kan du ikke prøve at være betragter, når det står på. Se på det udefra. Hvad kan de gøre os? Vi er stærke, vi kan arbejde begge to. De kan tage din jagthytte. Vi kan ikke få én som den. Jeg ved det. Den er uerstattelig. Vi kan få bygget en ny. Vi kan gøre hvad som helst. Vi har hinanden. Vi vidste hele tiden, at prisen var høj. Hvad har Eileen, når det her er overstået? Du har oven i købet dine børns kærlighed og respekt. Dine børn har været fantastiske under alt dette. Er du rigtig klar over det?«

Hun drejede hans ansigt om mod sig. Han så på hende og han skjulte hovedet i hænderne.

»Jeg er bange for at gå derhen. Jeg kender ikke mig selv mere. Jeg ved ikke, hvad jeg kommer til at sige og gøre. Ann, jeg er ikke normal længere. Jeg har tvangstanker hele tiden.« Ane skubbede til ham.

»Hold så op! Sæt en stopper for de hadefulde tanker. Du svælger i det i stedet for at slå bremsen i. Du vælger de negative tanker hele tiden. Det går ikke i dag, Bob Bryant. I dag vælger du at gå derhen og slås, du vælger at vinde. Du vælger at tale din sag.« Hun råbte til ham og ruskede i ham.

»Gå du derhen. Du er så stærk. Du er modigere end jeg. Sådan er sandheden. Jeg ryster.« Han lagde sig tungt ned på sengen, og hun så, at han skælvede over hele kroppen.

»Jeg går ned og ringer til Ralph. Jeg siger, du er syg. Retssagen må udsættes. Så kan Eileen prøve de metoder,« sagde Ane og tog bakken. Han rejste sig, tørrede skamfuldt sit våde ansigt.

»Nej, jeg går derhen. Jeg skal nok, elskede. Jeg skal nok.« Hun tog ham som et barn ved hånden, han gik viljeløs efter hende.

»Hvor meget medicin har du taget?«

»To milligram Temesta, et diazepampræparat.« Hun slog op i deres medicinkatalog. Hun smilede.

»Åh, du er stor og stærk. Du kan godt tåle to milligram til, bare ned med dem.« Hun fandt dem i skabet, og han skyllede dem ned med resten af kaffen i sin kop. Han klædte sig omhyggeligt på, beige bukser, en flødefarvet jakke, cremefarvet silkeskjorte.

»Ligner jeg en vinder?« spurgte han og lavede en lige skilning.

Hun nikkede og skubbede ham ud ad døren. Fra vinduet så hun ham gå ind i garagen, starte bilen og køre pickuppen ud ad indkørslen. Hun vinkede fra vinduet. Han standsede bilen, gik ud og hun løb om til døren. Han måtte have glemt nogle papirer. Hun åbnede døren.

»Jeg ville bare sige, at det er utroligt, at du kan holde mig ud. Jeg elsker dig.« Han slog armene om hende, og hun mærkede, at hans muskler stadig dirrede.

»Få det nu overstået, Bob. Det bliver en lettelse,« hviskede hun. Han nikkede og gik igen ud til bilen, startede den og kørte.

Hun gik rundt i huset som en robot, mekanisk gjorde hun værelserne i stand, ét efter ét. Hun ryddede op, havde lagt en plan for ikke at gå helt til i nervøsitet. En af dem måtte prøve at holde sig så normal som muligt. Det her var krig, skyttegravskrig. Hun tænkte på Johannes, hvordan han havde givet deres ægteskab fra sig uden særlige protester. Bodelingen havde været ukompliceret. Hun havde ikke gjort krav på noget, bare taget sine egne møbler, sit sølvtøj og sit porcelæn. Da de solgte huset, delte de pengene. Der havde ikke været problemer. Udadtil så det ud som et kompagniskab, der blev ophævet efter fælles aftale. Men hun vidste, at Johannes bare ventede. Han ville ikke acceptere deres skilsmisse, for ham eksisterede den ikke. Det var bare et af hendes skøre påfund. Han var overbevist om, at hun ville vende tilbage.

Hun tænkte tit på Johannes og fik besked fra børnene om, hvordan han havde det. Bare han havde det godt, var hun tilfreds. Det irriterede Bob, at hun stadig bekymrede sig om ham.

»Johannes er stærk som en okse. Han overlever os alle,« lo han.

Ane stod foran telefonen. Klokken var to. Retshandlingen var begyndt klokken elleve. Hun ville gerne have været med. Men Ralph Harden havde sagt, at hun skulle blive hjemme. Det ville være for provokerende, hvis hun sad der, og også for pinligt for hende selv. Eileens advokat ville køre på hendes umoralske levned under afhøringen af Bob.

»Jeg vil ikke have dig svinet til foran byens tilhørere,« sagde Bob. Da han sagde det, var det gået op for Ane, at sagen ville blive et tilløbsstykke i Fort Collins.

Da klokken var fem, havde hun stadig ikke hørt noget. Nu var hun bange. Hun havde for længst opgivet at kæmpe imod sin uro og angst. Hun prøvede at gå ind i sig selv, dybere og dybere som i en meditation for at blive af med de nervøse lag og komme ind til kernen. Men det var svært, angstens giftampul var lækket, og hele hendes nervesystem var i yderste alarmberedskab. Hun kunne ikke vælge konfrontationen for at komme ud af det. Hun kunne ikke gå derhen og slås for ham ved hans side. Hun var låst fast og blev nødt til at vente. Klokken seks kom han udmattet hjem.

»Hvordan gik det?« spurgte hun og omfavnede ham. Han fjernede hendes arme.

»Giv mig et eller andet at drikke. 7Up eller sådan noget. Ikke alkohol. Jeg skal lige sidde ned.« Han satte sig ned, drak to store glas og så frem for sig. Ane stod tavs foran ham. Han så på hende med et fremmed blik.

»Der er ikke afgjort noget. Vi skal måske vente et par måneder på dommerens afgørelse. Jeg ved ikke, om jeg er købt eller solgt. Jeg er sikkert skilt om to måneder. Det kan ikke være anderledes. Men bodelingen fik vi slet ikke noget at vide om. Alt blev fremlagt. Alle værdierne af ejendommene, regnskaberne. Eileen havde haft en ejendomsmægler til at vurdere hytten. Alt bliver talt sammen og fordelt. Men jeg tror nok, det undrede dommeren en hel del, at hytten ikke måtte blive en fond til børnene. Dér vil jeg tro, at vi endnu har en chance.« Han rejste sig.

»Ellers ved jeg ingenting. Jeg er helt rundt på gulvet. Jeg er blevet forhørt, som om jeg havde foretaget mig noget kriminelt. Jeg skammede mig over Eileen. Hun svor falsk i retten. Med opadvendte øjne og sin lille fede hånd på Bibelen svor hun uden at blinke på, at vi i det sidste halve år havde haft samleje mindst to gange om ugen, at hun ikke kunne være i fred for mig nogen steder, fordi jeg hele tiden ville i kontakt med hende. Hun sagde også, at vi havde lange daglige telefonsamtaler og at hun havde boet oppe i hytten, og at jeg var kommet hver weekend for at gå i seng med hende. Det eneste hun talte om var al den sex, vi havde. Det var flovt, det var patetisk. Alle stirrede på mig. Jeg råbte, at det var løgn, men Ralph hev mig i ærmet og tvang mig ned på stolen.

Men jeg må sige, at han var god. Stille og roligt kom han frem med kvitteringer, der viste, at min terrængående bil havde været på værksted, når hun hævdede, at jeg havde været oppe i hytten. Min sekretær vidnede om, at der aldrig var samtaler fra mrs. Bryant. Ralph havde indkaldt ægteskabsrådgiveren som vidne. Den dejlige dreng. Han skal have en flaske whisky eller måske en kasse, for han sagde, at det ægteskab ikke kunne repareres, og at Eileen efter hans mening led af religiøse tvangstanker og havde brug for psykiatrisk behandling.«

»Var der så mange vidner? Vidste du det?«

»Nej, jeg var chokeret. Det var som en film. De kom ind en efter en. Min læge, dr. Sheldon Rubin, var også blevet indkaldt som vidne.«

»Hvad skulle han?«

»Eileen hævdede, at det var mit hjertetilfælde, der havde gjort mig utilregnelig, at hun blev nødt til at beskytte mig mod mig selv. Jeg vidste ikke, hvad jeg gjorde. Jeg havde efter hendes mening også haft en blodprop i hjernen, der gjorde mig unormal, så jeg pludselig fik appetit på prostituerede i København. Hun antydede noget om, at jeg også havde vist andre seksuelle lyster, som jeg aldrig havde haft før.« Han begyndte at le.

»Godt, at du ikke var der. Det sad jeg og tænkte på hele tiden. Hun var virkelig god til at finde på løgnehistorier. De virkede troværdige. Men tænk at konen sidder lige ret op og ned og fabler om Vorherre og sværger falsk lige op i deres åbne ansigter.«

»Hvordan var du?« spurgte Ane og prøvede at se det hele for sig. Dommeren i den sorte kappe, Bob i vidneskranken forhørt af Phil Berger. Eileen i vidneskranken forhørt af Ralph.

»Er denne mand syg?« spurgte Ralph Harden dr. Rubin. Jeg var ved at besvime, da dr. Rubin svarede: »Ja, det er han.« Men manden har en grum form for humor, han så ned på mig og grinede.

Så spurgte Ralph: »Er han utilregnelig, er han psykisk syg?«

»Nej, han er lige så normal som De og jeg,« sagde Rubin. »Men han har et svagt hjerte. Han står foran en bypassoperation.« Ane så på Bob og greb fat i ham.

»Er det rigtigt? Skal du have en bypass?« Bob nikkede, tog hende på skødet.

»Ja, elskede, jeg ville ikke sige det til dig for ikke at gøre dig urolig. Men jeg venter med operationen en måned, til alting er faldet på plads.« Ane græd stille ved hans skulder. Han strøg hendes hår.

»Såh, lille skat, hør nu videre. Det er værre end den værste tv-serie. Der kom slemme ting frem. Ralph borede i de mange år, hvor vi havde levet isoleret på grund af Eileen. Alle de pæne bibeldamer lænede sig frem, da de hørte om svineriet, jordnøddesmørorgierne og hendes alkoholforbrug. Jeg havde ventet, at både Eileen og Phil Berger ville svine mig til. Men det gik op for mig, det er en del af spillet, at de ikke gjorde det. For Eileen vil jo beholde mig, så kan man ikke på samme tid sidde og fortælle, hvilket undertrykkende svin jeg er. Hun og Phil fortalte om vores vidunderlige hellige ægteskab, der skulle bevares og have en chance. Jeg ville kunne se alle mine fejl, når jeg blev opereret og rask. Da det gik op for mig, begyndte jeg at nyde det. Jeg sad og smilede sødt til Phil Berger, der var så meget ude på at vinde sin sag, at han ikke engang nævnede, at jeg havde prøvet at slå ham ihjel med en økse. Man skal fandeme være sulten efter sit honorar, når man holder kæft med den slags,« lo Bob. »Eileen havde også fået en nabo til at vidne falsk. Naboen, en lille ængstelig dame, hævdede, at hun mange gange havde mødt mig på trappen, når jeg ville besøge Eileen for at få raset mit perverse liv ud.

Jeg vil aldrig glemme, at Eileen fik det ned på det plan. Der var adskillige af mine kollegers koner på bænkene, og jeg skal love for, at de fik sovs og kartofler. Når jeg går af, rejser vi væk fra denne forbandede by. Den er så fuld af løgn og hykleri, at en ærlig mand ikke kan trække vejret.« Han så frem for sig. Ane følte sig tryg. Han var sig selv igen, han havde været igennem helvede. Han skulle nok klare det.

»Hvem klarede sig bedst, Ralph eller Phil?«

»Ralph Harden. Til sidst viste han, hvem han var. En erfaren advokat, et ordentligt menneske. Han var på min side, og jeg skammer mig over, at jeg har gjort det så vanskeligt for ham. Han holdt en tale, så alle kunne forstå, at jeg havde ventet i mange år på at slippe ud af det ægteskab, og at min sygdom havde gjort, at jeg nu ville gøre en indsats, inden det blev for sent.«

»Det vil gøre indtryk på dommeren. Det er helt sikkert.«

»Ja, medmindre det er en religiøs satan, der er misundelig over, at jeg nu skal til at leve livet og have det vidunderligt med en ung kone. Der er nemlig ikke noget, der hedder retfærdighed, der er ikke noget, der hedder lov og ret i en amerikansk skilsmisseret. Det har jeg opdaget. Det er skuespil. Man starter med en handling, der er sandheden, og så fordrejer de den. Den, der spiller bedst, går videre med sin sandhed, med sin handling.«

»Hvem spillede bedst?«

»Ralph Harden og jeg,« sagde Bob tilfreds. »Men hvis dommeren ikke kan lide handlingen og moralen i vores stykke, så bliver vi straffet. Jeg får min skilsmisse, men han vil ruinere mig som straf. De eneste som får noget ud af det er advokaterne.«

»Hvornår falder dommen?«

»Jeg ved det ikke. Det kan tage fjorten dage, det kan tage to måneder, før dommeren sætter sin underskrift på skilsmisseandragendet. Ralph anbefalede, at vi rejser væk indtil da. Jeg aner ikke, hvad dommeren beslutter sig til. Vil han lade mig beholde hytten og modregne værdien af den? Vil han dele alt lige over, efter at hytten er solgt? Kan jeg købe den tilbage? Selvom vi får skilsmissen, bliver der alenlange forhandlinger om boet. Det kan trække ud i årevis. Kendte mennesker ruinerer hinanden i skilsmisseretterne her i USA,« sagde han bittert.

»Men vi er almindelige mennesker. Du er ikke engang rig, har bare din pension og en pæn mellemindkomst.«

»Ganske rigtigt. Men i denne arena har tyren ikke en chance for at stange en eneste advokat.«

Han rejste sig. »Jeg er træt, jeg må sove. Læg dig hos mig og hold om mig, så jeg ikke får et af de ulidelige mareridt.« De gik ind i Roberts værelse, lagde sig på sengen, holdt hinanden tæt og faldt udmattede i søvn.

KAPITEL 25

VENTETIDEN PÅ RETTENS afgørelse havde tvunget dem helt i knæ. Ane måtte fjerne sig fra ham. Hans rasen, hans depression og skiftende stemninger gik hende på. Der var dage, hvor de bare gik tavse rundt. Latteren, der havde båret dem over så meget, var forstummet.

Klokken var fem om morgenen. De skulle flyve til Reno klokken otte. De hestepraktiserende dyrlæger i Amerika holdt deres årlige kongres på et af Renos største hoteller. Bob skulle holde foredrag og videoshow.

»Jeg må hen og svømme,« sagde han og stod uroligt med sit badetøj og håndklæde.

»Klokken er fem. Der er lukket i svømmehallen,« sagde hun.

»Jeg har nøgle.« Han gik ud ad døren. Det var mørkt og sneede let. Hun hørte ham starte bilen og fortsatte med at stryge det sidste af sit tøj, inden det skulle i kufferten. Hun lagde flyvebilletterne frem, stillede morgenmaden parat. Han ville have godt af at komme væk. Men foredraget var stressende på grund af omstændighederne. Professorerne fra hans universitet ville holde sig væk, bagtale ham, intrigere og undgå dem. Men kollegerne fra de andre stater ville som sædvanlig stå i en beundrende skare om ham. Det ville måske hjælpe ham til igen at mærke, hvem han var. Presset havde været for stort. Han havde altid haft kontrolsyge. Hans krop skulle være under kontrol, hans arbejde, hans planer skulle lykkes. Phil Berger og hans hadefulde marionet, Eileen, havde umyndiggjort ham. Han var blevet advokaternes og systemets gidsel. Angsten og panikken over ikke at kunne se sin fjende plagede ham dag og nat.

Bob låste sig ind i den mørke idrætshal. Han tændte lyset, tog sine badebukser på og sprang i vandet. Han pløjede sig frem bane efter bane, mistede pusten, hævede sig op på kanten. Det svimlede for ham og hans hjerte bankede. En pludselig panikangst skyllede igennem ham. Her var uhyggeligt, han var alene. Var han ved at blive syg igen? Han prøvede at trække vejret roligt, at sænke sin puls. Han famlede efter sine beroligende tabletter, han havde ikke noget at skylle ned med, pillen sad tør og sved i halsen. Han gik ud i omklædningsrummet og skyllede halsen og så sit blege ansigt i spejlet.

Han tog tøjet på og gik ud til bilen, så på sit ur. Han ville tage hen til Eileen. Han havde en plan. Nu kunne han se det helt klart, han havde spillet sine kort for dårligt. Han skulle have været lige så snedig som Phil Berger. Hun skulle have været hans marionet i stedet for Phil Bergers. Hvis han havde lovet hende, at han måske ville overveje skilsmissen endnu en gang, kunne han have fået hende til at skrive under på, at hytten skulle gå til børnene. Måske var det ikke for sent. Hvorfor havde han ikke tænkt på det. Det var sådan, Phil Berger skulle bekæmpes med sine egne våben. Han vendte vognen, trådte speederen i bund og kørte ud mod Eileens lejlighed.

Han trykkede hårdt på dørklokken. Hendes stemme lød i højttaleren.

»Hvem er det?«

»Luk op, Eileen.« Der blev ikke svaret, men der lød en summen, døren var åben og han løb op ad trappen. Hun åbnede døren, som om han var ventet. Hun stod lille og bred med et håndklæde om sin nøgne krop.

»Er du dér, min elskede,« smilede hun. Han tog hende om skuldrene.

»Eileen, hvorfor løj du i retten?«

»Jeg gør alting til dit eget bedste. Gud leder mig.«

»Du kommer i vanskeligheder, fordi du har sværget falsk!« Hun lod håndklædet falde.

»Vi kunne måske finde en ordning,« sagde hun, som om hun havde læst hans tanker. Han skubbede hende fra sig. Hadefuldt så han på hendes lille, tilbedende ansigt. Han strakte hænderne frem mod hendes hals, men trak dem til sig, som havde han brændt sig, da han mærkede hendes hud. Han løb ud, smækkede døren og løb ned ad trappen. Eileen tog sit håndklæde op, gik hen til vinduet og så ned.

»Hvor har du været?« spurgte Ane.

»Vi må af sted,« sagde han nervøst, gik hen og rodede på sit skrivebord, fandt papirerne, drak sin kaffe.

»Du er helt bleg. Tror du, vi skal tage af sted,« sagde Ane. Han rystede på hovedet.

»Om lidt er jeg all right.«

De kørte ud af Fort Collins mod Denver. Han begyndte at slappe af, åbnede for radioen, lagde sin arm omkring hende.

»Ann, måske er brevet der, når vi kommer hjem. Vi bliver frie, men fattige. Jeg må begynde forfra igen, hvis vi skal have en nogenlunde livsstil. Er du klar over det? Jeg går på pension, starter min egen hestepraksis.« Hun nikkede lykkeligt over at se ham begynde at lægge planer igen.

»Der er noget, jeg er meget lykkelig over, som jeg må dele med dig nu. Jeg spurgte Robert, om han ville være forlover til vores bryllup. Det ville han gerne.«

»Vi skal have et bryllup her. Oppe i bjergene. Det skal bare være et lille bryllup. Bagefter kan vi rejse til Danmark og blive gift i den lille kirke i Hornbæk. Den ved siden af »Sømandens Hvile«.«

Han lænede sig over og kyssede hende. Hun lagde armene om ham og knugede ham ind til sig.

»Jeg vidste, du ville klare det. Men jeg har været så bange.« Hun svælgede for ikke at begynde at græde. Han så træt på hende.

»Ikke nu elskede. De skiderikker fra universitetet skal ikke se din mascara i klatter. De skal se min smukke, unge kone.« Ane så uroligt på ham. Han virkede anderledes i dag. Han så ud, som om han havde feber.

Han blev modtaget som en konge af kollegerne fra de andre stater. De trykkede hans hånd eller slog ham på skulderen, alt efter hvor de befandt sig i hierarkiet.

Hotelværelset i Reno var et stort luksusdobbeltværelse med tør luft, der knitrede af statisk elektricitet. Værelset lugtede af kemi fra det nyrensede dunbløde kunststofgulvtæppe. Ane prøvede at få vinduet op. Det var naglet fast. »Det var dog et helvedes indeklima.« Hun prøvede at trykke på airconditionknappen. Der blev koldt og endnu mere tørt.

Efter middagen gik de tur i byen. Ane vendte sig mod Bob.

»Hvad er det for en by? Det er, som om alle jeres værste tegneserier er blevet levende.« Ane følte byen som et omklamrende mareridt.

De flimrende neonskilte fik det til at klikke i hendes hjerne. Skiltene reklamerede for byens specialitet, de hurtige skilsmisser og spillehallerne. Luften glimtede. Der var trængsel på gaderne i overdrivelsernes og karikaturenes by. De fedeste mænd og kvinder, hun nogensinde havde set, defilerede søvngængeragtigt forbi sammen med de blegeste og mest dekadente. De så ikke på andre folk. Deres ansigter var vendt mod spillehallerne. I hallerne var der hundredvis af gamle spillegale kvinder med tyk makeup, røde rynkede munde. De stod med stive ansigter og rev i de enarmede tyveknægte med tasken knuget under armen. Højttalerne fra barerne, hallerne og de mange shows brølede.

»Jeg vil gerne hjem til hotellet,« råbte hun og hev ham i armen. Bob nikkede. I baren mødte de Jerry.

»Hvor er Sue?« spurgte Ane glad.

»Hvorfor har I ikke svaret på alle mine breve?« Jerry så ned i gulvet.

»Vi er ved at blive skilt. Jeg kæmper for at få min datter. Sue kan ikke klare sit alkoholproblem.«

»Jeg håber, du har en god advokat, ellers mister du det bedste, du ejer,« sagde Bob og tømte sit glas.

»Jeg mister aldrig min lille datter,« sagde Jerry og hans sorte øjne glødede desperat.

Et orkester begyndte at spille, og halvtreds korpiger dansede taktfast ind på scenen med høje bensving. De var klædt i uniformer og sømandskasketter. Præcision og takt, hælene smældede. Det var et show for pæne mennesker, ingen lummer sex. Publikum klappede begejstret.

»Skal vi ikke gå op?« sagde Ane. Hun følte sig fremmed og urolig. Der var noget i gære.

»Jeg må være overfølsom over for klimaet her. Jeg er så urolig,« sagde hun. Hun gik hen i hjemmebaren og skænkede sig en stor whisky.

»Kan du ikke lukke det vindue op?« Bob så på det.

»Det er sømmet fast.« Han lagde sig på sengen og tog sine papirer.

»Hvor er her rædselsfuldt,« sagde hun og smed sig med et blad på den anden seng.

»For nogle er det paradis. Her vinder de millioner.«

»Hvad fanden er der egentlig galt med os? Vi er hele tiden det forkerte sted. Her går vi og venter i pinsel og angst, tager på ferie i en by, hvor man bliver skilt på fem minutter. Tror du, vi i virkeligheden er masochister?« sagde han. De så på hinanden og lo. Bob rejste sig og trak gardinet for. Neonskiltene og laserstrålerne fik værelset til at flimre i rødt og grønt.

»Jeg kan ikke være fuld af en whisky. Men jeg synes bestemt, jeg så Mickey Mouse på væggen!« sagde Ane med opspærrede øjne.

»Ja, de kan lave alt med laserstråler,« sagde Bob og begyndte at klæde sig af.

»Jeg tager altså to sovepiller,« sagde hun. »Jeg kan ikke tåle at vågne, hvis Anders And sidder og glor på mig på min dyne.«

Hun vågnede klokken fem om morgenen. Bob stod bøjet over hende og klappede hendes kind.

»Hvad skal du?« Hun rejste sig op i sengen.

»Jeg må ned og løbe. Jeg har uro. Det er foredragsstress.«

»Hvor vil du løbe?« spurgte hun forvirret og prøvede på at vågne.

»De har nok et træningscenter.«

En halv time efter kom han op drivende af sved. Han satte sig på sengen med et stort grin.

»Der var lukket. Jeg måtte løbe på gangene og på trappen.«

»I dag bliver en god dag,« sagde hun og tog ham om halsen.

»Min lille danske historiefortæller,« sagde han kærligt. Pludselig sank hans hoved ned, han faldt forover og rullede ned på gulvet.

»Bob, hold op med det. Det er ikke morsomt,« sagde hun og ruskede i ham. Hans hoved faldt om på siden. Ansigtet var blevet blygråt, øjnene var gledet op. Tungen hang halvt ude. Hun vidste med det samme, at han var ved at dø. Hendes hjerne signalerede det, men hun skreg i rædsel og ville ikke høre efter.

»Bob, elskede. Nej, nej.« Hun åbnede hoteldøren og råbte efter hjælp. Hun løb tilbage, prøvede at ringe på telefonen. Ingen svarede. Hun kastede sig over ham og prøvede at give ham hjertemassage. Hans vejrtrækning begyndte, han stønnede. Hun lagde øret mod hans mund. Han hviskede: »Jeg elsker dig. Pas godt på børnene. Jeg dør.« Hans vejrtrækning standsede. Alt blev tavst. Han var død.

Ane for ud på gangen. Hun kastede sig mod hoteldørene og råbte: »Hjælp. Hjælp mig.« Men ingen åbnede, for det var Reno, USA.

Det varede en halv time, før ambulancen kom. Ane så til som gennem en glasrude. Hun vidste, det var nytteløst. Hendes elskede var død. På båren på hospitalet lå hans krop. Lægen kom og klappede hende på skulderen. Først kaldte de hende mrs. Bryant, og hun måtte fortælle dem sandheden. Hun gav dem Bobs identitetspapirer, ringede til Cheryl og lod hende informere resten af familien. Hun kunne ikke græde. Sorgen og chokket havde lammet hende. En krog af hendes hjerne fungerede som en meldecentral og fortalte hende, hvad hun skulle gøre. Det var, som om hun havde gennemlevet det hele en gang før, et andet sted. Hun gik hen til ham, bøjede sig over ham, kyssede ham for sidste gang og hviskede den første linie af hans yndlings-countrysang *For the Good Times*. På dansk sagde hun: »Tak for alt.« Lægen kom og trak lagnet op over hans ansigt, og hun så ham for sidste gang.

»Mor vil have hans krop. Han skal balsameres og ligge tre dage i sin kiste, så alle kan sige farvel til ham,« græd Cheryl. Robert flyttede ind hos hende i Stuart Street sammen med Cheryl indtil begravelsen.

Eileen havde forlangt, at Bob lå i åben kiste. Bedemanden havde sminket det blygrå ansigt og givet ham rosa kinder og læbestift på. Han lå i sit blå tøj med det røde slips i en silkeforet kiste. Eileen sad i tre dage og vogtede over ham. Hun takkede uafladeligt Gud, fordi han havde taget ham til sig, før dommerens underskrift var sat på skilsmissepapirerne. Nu var hun en respektabel enke og ikke en fraskilt kvinde.

I Bobs skrivebordsskuffe på kontoret fandt Ralph Harden testamentet frem og uden at blinke, rank i nakken hørte Eileen de hadefulde ord læst højt: »Min kone, Eileen Bryant, har bidraget til min død med sit nådesløse had.«

Begravelsen blev nydt i fulde drag af borgerne i Fort Collins. Ane var alene. Hun havde ikke ret mange penge tilbage, og Carsten, som stod for hendes pengesager i Danmark, bestemte for hende.

»Kom bare hurtigt hjem, mor. Det kan ikke betale sig, at vi kommer over. Bobs børn er hos dig, og vi er hos dig, selvom vi er her.«

Eileen sad forrest i kirken med Eve, hendes mand og børnebørnene. Ane sad på bageste række med Robert og Cheryl. Sage Norwood holdt begravelsestalen, og overraskelsen var et tremands harmonikaorkester, som spillede countrysange og sang med gammelmandsrøster. Det var antilopejægerne, der gav deres jagtkammerat den sidste hilsen.

Ane følte, at Bob sad hos hende og morede sig over begravelsen. Hans nærvær var så tydeligt, at hun fik fred i sit sind. Da følget gik ud af kirken, rev Eves lille dreng, Aaron, sig løs fra sin mors hånd. Han løb over til Ane og omfavnede hende.

»Jeg elsker dig,« sagde han, og hun vidste, at det var en sidste hilsen fra hans bedstefar.

Da hun kom hjem til Danmark, havde hun stadig ikke grædt. Gråden og sorgen sad i hende. Hun prøvede at komme videre, læste bøger om sorgbearbejdning. »Tegn din sorg,« stod der i en af bøgerne. Hun valgte grå og sorte farveblyanter. Dér stod den på papiret, en kvindekrop, og hjertet var dækket af sort og gråt tørt mos, som bredte sig.

»Jeg må langt væk fra København,« sagde hun til Jacob. »Jeg må være alene.«

»Du er altid omvendt, når andre folk sørger, vil de have alle dem, de kender, omkring sig,« sagde han bekymret. Hun fandt huset i avisen. Det lå i Bjergsted, en lille by i Vestsjælland, og de kørte, og kørte.

»Halvanden time fra København. Er du rigtig klog? Hvordan vil du passe dine kunder, dit arbejde?« Ane svarede ikke. Hun vidste, at hun var på rette vej.

De drejede af fra hovedvejen mod Kalundborg, ned ad en kroget vej omkranset af gamle ege. Fra et hegn lettede en høg og svang sig højere og højere op over skoven. Det huggede pinefuldt i hendes hjerte. Det var som i Colorado, hvor rovfuglene altid svævede et sted i bjergene. I Amerika kunne man brede sine vinger ud og flyve højere end de bar.

Dér var hendes hus, lyserødt med stråtag og brune vinduer. Den lyserøde farve havde en svag brun tone. Der boede en gammel tømrer og hans kone. De havde selv restaureret det gamle hus. Med mesterlige håndværkerhænder havde han skabt et dukkehus, hvor han og konen kunne blive til deres dages ende. Nu rakte pensionen ikke længere. De måtte flytte på plejehjem.

»Trappen er håndlavet,« sagde han stille og lod hånden glide nænsomt op ad gelænderet. Huset var så lille, at det kunne stå inde i hendes tidligere dagligstue i Skovshoved. Der var en vinkelstue med brændeovn, et brusebadeværelse med brune kakler. Fyrretræskøkken og førstesal med åbent rum og et lille værelse, som kunne indrettes som hendes arbejdsværelse. Fra soveværelset var der udsigt til Bjergsted Bakker og fra gangen til den lille hvide kirke. Hun kendte ikke området, havde aldrig været der.

»Det er mit hus,« sagde hun lykkeligt til Jacob.

»Jeg ville få kuller på to dage,« sagde han og kiggede ud ad de smårudede vinduer. »Her er jo ingenting! En købmand, en slagter, en blomsterhandler, en kirke.«

»Hvad skal jeg med mere?« lo Ane og underskrev papirerne hos sin advokat med store optimistiske sving.

Hun flyttede ind og var alene. Men den lille by rykkede nærmere og nærmere hver dag. Først kom naboen, smeden og hans kone, på besøg.

De så hende an. Og det blev søndag, hvor hun hentede morgenbrød og aviser hos Rigmor og Emil i den lille butik. For at lære folk at kende satte hun sig på første bænk i kirken. Pastoren lænede sig frem og så på hende med lynende øjne.

»Djævlen går altid rundt og leder efter et nyt offer,« sagde han. Bjergstedborgerne så ligeud over salmebogen. Slagteren satte hende ind i situationen med pastoren. Man skulle gå let hen over hans udfald. Pastoren ledte altid efter et nyt offer.

I Bjergsted levede man som i en gammel dansk film. Der var onde og gode mænd. Der var venlige kvinder og puslen bag gardiner og gadespejle. I løbet af en måned var hun faldet til og skubbede sig til rette i lillebyformen. Den var som fløde på nerverne. Bjergstedboerne lagde gaver på hendes måtte, en kylling, en blomsterbuket, invitation til høstgilde, hvor man drak og dansede til elorgel, til det sortnede.

En forårsaften, hvor det var længe lyst, og de store lindetræer omkring huset duftede, gik hun ud af huset med sin hund. De gik op på det højeste punkt på Bjergsted Bakker. Hun kunne se ud over hele Vestsjælland fra udsigtsbænken. Det var som om himlen åbnede sig, langt om længe mærkede hun sin sorg. Hun råbte ud i rummet:

»Hvor er du? Giv mig et tegn, vis mig at du kan se og høre mig!« Men der var stille, kun vinden susede i træerne og i det lange græs. Rådyrene kom trippende ind fra skoven og begyndte at græsse. Hun græd og skreg, så gik hun hjem med bortvendt ansigt, bange for at være mærkelig i den lille by, som så alt.

Hun græd i tre døgn. Nabokonen kom med sine børn og en skål nybagte småkager, og hun fortalte sin historie.

»Det er din sørgetid, som er begyndt,« nikkede naboen. Ane så befriet på hende. I Bjergsted gik man ikke til psykolog, man drak kaffe.

I otte år levede hun i den lille by efter Bobs råd.

»Dør jeg fra dig, så lad dig aldrig nøje med mindre end det, vi havde«. Der kom andre mænd, men de trængte aldrig ind, hvor savnet og sorgen boede. Da de otte år var gået, var hendes sørgetid forbi. Hun var igen parat til livet og mødte en mand, som blev anerkendt fra det fjerne sted, hvorfra Bob fortsatte med at sende sine meldinger.